ALICE MUNRO

KÄRLEK, VÄNSKAP, HAT

NOVELLER

ÖVERSÄTTNING AV
ROSE-MARIE NIELSEN

ATLAS

Alice Munro
Kärlek, vänskap, hat

Atlas

ATLAS

Bokförlaget Atlas
Drottninggatan 83
111 60 Stockholm
www.bokforlagetatlas.se
Bokförlaget Atlas är en del av Arenagruppen.

Med tacksamhet till
Sarah Skinner

Kärlek, vänskap, hat

FÖR MÅNGA ÅR sen, innan så många av de lokala järnvägslinjerna drogs in, kom en kvinna med hög fräknig panna och burrigt rött hår in på järnvägsstationen och förhörde sig om transport av möbler.

Stationsföreståndaren försökte sig ofta på att skoja lite med kvinnor, särskilt de alldagliga typerna som tycktes uppskatta det.

"Möbler?" sa han, som om ingen någonsin hört talas om en sådan tanke. "Ja, få se nu. Vad gäller det för slags möbler?"

Ett matsalsbord och sex stolar. En hel sängkammarmöbel, en soffa, ett soffbord, sidobord och en golvlampa. Dessutom ett porslinsskåp och en byffé.

"Oj, då. Det var visst ett komplett möblemang."

"Det borde inte räknas som komplett", sa hon. "Där finns inga köksmöbler och bara sängar till ett sovrum."

Hennes tänder satt hopträngda framtill i munnen, som om de var redo för gräl.

"Ni får nog ta en lastbil", sa han.

"Nej. Jag vill skicka dem med tåg. De ska västerut, till Saskatchewan."

Hon talade med hög röst, som om han var döv eller dum i huvudet, och det var något som inte stämde med hennes sätt att uttala orden. En brytning. Han tänkte på holländare – det flyttade in många holländare i trakten nu – men hon var inte lika bastant som holländska kvinnor och hade inte så fin, skär hy eller så ljust hår som de brukade ha. Hon var nog inte fyrtio än, men vad spelade det för roll? Hon var inte direkt någon skönhetsdrottning, hade aldrig varit.

Nu blev han affärsmässig i tonen.

7

"Först måste ni ha lastbil för att få hit möblerna. Sen måste vi ta reda på om tåget passerar den plats i Saskatchewan som möblerna ska till. Annars måste ni ordna så att de hämtas till exempel i Regina."

"De ska till Gdynia", sa hon. "Tåget stannar där."

Han tog ner en flottig katalog som hängde på en spik och frågade hur hon stavade det. Hon lånade pennan som hängde i ett snöre och tog fram en bit papper ur väskan och skrev: GDYNIA.

"Vilket land kommer det ifrån?"

Hon sa att hon inte visste.

Han tog tillbaka pennan och lät den följa järnvägslinjen.

"Därute finns en massa platser med tjeckiska eller ungerska eller ukrainska namn", sa han. Medan han sa det slog det honom att hon kanske själv hade den bakgrunden. Men än sen då, det var ju bara ett faktum.

"Ja, här är det, det ligger utmed linjen."

"Ja", sa hon. "Jag vill skicka möblerna på fredag — kan ni ordna det?"

"Vi kan skicka dem, men jag kan inte säga vilken dag de kommer fram", sa han. "Det beror på vad som är viktigast. Är det nån som är där och tar emot när möblerna levereras?"

"Ja."

"Det är ett tåg som tar både gods och passagerare, 14.15 fredag. Lastbilen får hämta fredag morgon. Bor ni här i stan?"

Hon nickade och skrev ner adressen. 106 Exhibition Road.

Husen i stan hade helt nyligen blivit numrerade och han kunde inte se platsen för sig, fast han visste var Exhibition Road låg. Om hon hade nämnt namnet McCauley skulle han kanske ha blivit lite mer intresserad, och då hade alltsammans kanske slutat annorlunda. Det låg nya hus därute, byggda efter kriget trots att de kallades "krigstidshus". Troligen var det ett av dem.

"Frakten betalas när möblerna skickas", sa han.

"Jag vill också ha en biljett åt mig själv på samma tåg. Fredag eftermiddag."

"Till samma plats?"

"Ja."

"Ni kan resa med samma tåg till Toronto, men sen får ni vänta på Transcontinental som avgår därifrån halv elva på kvällen. Vill ni ha sovvagn eller kupé? I sovvagn kan ni gå och lägga er, i kupé får ni en vanlig sittplats."

Hon sa att hon ville ha en sittplats.

"Vänta i Sudbury på Montrealtåget, men stig inte av där, de växlar bara och kopplar på Montrealvagnarna. Sen fortsätter ni till Port Arthur och därifrån till Kenora. Ni stiger inte av förrän i Regina, och där får ni ta lokaltåget."

Hon nickade, som om hon bara väntade på att han skulle ge henne biljetten.

I lite lugnare ton sa han: "Men jag lovar inte att möblerna kommer fram samtidigt som ni, säkert dröjer det ett par dar till. Det är så mycket annat som går före. Kommer det någon och möter er?"

"Ja."

"Bra. För det är säkert inte mycket till station. Städerna därute är inte som här. Det är rena rama vischan."

Hon tog fram en bunt sedlar som hon förvarade i en tygpåse i väskan och betalade biljetten. Som en gammal kvinna. Hon räknade växeln också. Men inte så som en gammal kvinna skulle göra – hon höll pengarna i handen och kastade en snabb blick på dem, men hon missade inte en enda penny, det märktes. Sen vände hon sig oartigt om och gick, utan att säga adjö.

"Då ses vi på fredag", ropade han.

Fastän det var en varm septemberdag hade hon en lång, gråbrun kappa, kraftiga snörskor och ankelsockor.

Han höll på att hälla upp kaffe ur sin termos när hon kom tillbaka och knackade på luckan.

"Möblerna jag ska skicka", sa hon, "det är fina möbler, som nya. Jag vill inte att de ska bli rispade eller klämda eller på något sätt skadade. Jag vill inte att de ska lukta boskap heller."

"Nej", sa han. "Järnvägen är ganska duktig på att skicka saker och ting. Och man fraktar inte möbler i samma vagnar som man fraktar grisar."

"Jag är angelägen om att de ska komma fram i lika fint skick som när de lämnas här."

"Ja, när ni köper möbler är det ju i affären, eller hur? Men har ni nånsin tänkt på hur de har kommit dit? De tillverkas ju inte i affären. De är gjorda på en fabrik nånstans och har sen fraktats till affären, och det har antagligen skett med tåg. Och eftersom det är så, låter det väl rimligt att järnvägen vet hur möblerna ska hanteras?"

Hon iakttog honom utan att le och utan att på något sätt erkänna sin kvinnliga enfald.

"Jag hoppas det", sa hon. "Jag hoppas att de vet det."

Om stationsföreståndaren hade blivit tillfrågad, skulle han ha sagt att han kände alla i stan. Vilket innebar att han kände ungefär hälften av invånarna. Och de flesta han kände tillhörde den inre gruppen, de som verkligen var "stadsbor", i den meningen att de inte hade flyttat dit igår och inte hade några planer på att flytta vidare. Han kände inte kvinnan som skulle resa till Saskatchewan, för hon tillhörde inte hans kyrka, undervisade inte hans barn i skolan och jobbade inte i någon affär eller på någon restaurang eller officiell inrättning som han frekventerade. Inte heller var hon gift med någon av de män som han kände i olika föreningar som Odd Fellow eller Lions Club eller Krigsveteranerna. Han hade kastat en blick på hennes vänstra hand när hon tog upp pengarna och blev inte förvånad att se att hon saknade vigselring. Med sådana skor, ankelsockor istället för strumpor och utan hatt eller handskar så här på eftermiddagen kunde hon lika gärna ha varit en vanlig bondkvinna. Men hon uppträdde inte lika tveksamt och tafatt som en sådan. Hon hade inte något bondskt sätt — i själva verket hade hon inte något sätt alls. Hon hade behandlat honom som om han var en upplysningsmaskin. Dessutom hade hon uppgett en adress i stan — Exhibition Road. Hon påminde honom om en civilklädd

nunna som han hade sett på teve. Nunnan hade talat om sitt missions-
arbete någonstans i djungeln – det var väl svårt att ta sig runt i nunne-
kläder där. Då och då log nunnan för att visa att folk borde bli lyckli-
ga av hennes religion, men när hon tittade ut över publiken verkade
det för det mesta som om hon ansåg att andra människor befann sig
här i världen enbart för att dansa efter hennes pipa.

Det var en sak till som Johanna hade tänkt göra men länge skjutit upp.
Hon måste gå in i en affär som hette Milady's och skaffa något att sät-
ta på sig. Hon hade aldrig varit därinne – när hon var tvungen att kö-
pa något, som till exempel sockor, gick hon alltid till Callaghans dam-
och herrkonfektion eller till barnekiperingen. Hon hade massor av
kläder som hon hade fått överta efter mrs Willets, som till exempel
den här kappan som aldrig skulle bli utsliten. Och Sabitha – flickan
hon tagit hand om hemma hos mr McCauley – överöstes ständigt
med dyra kläder som hon ärvde av sina sysslingar.

I Milady's fönster syntes två skyltdockor i dräkt med ganska kort
kjol och kavaj med tjocka axelvaddar. Den ena dräkten var rostgul och
den andra dovt mörkgrön. Stora färggranna lönnblad av papper låg
spridda kring fötterna på skyltdockorna och satt här och var fastklist-
rade på rutan. Så här års, när de flesta var angelägna att kratta upp
vissna löv och bränna dem, dekorerade man skyltfönstret med sådana.
På ett reklamblad snett över rutan stod det med driven svart stil: *Hös-
tens mode – enkel elegans.*

Hon öppnade dörren och gick in.

Rakt fram satt en helfigursspegel som visade upp henne i mrs Wil-
lets förnämliga men säckiga långa kappa, där några centimeter klum-
piga bara ben skymtade ovanför ankelsockorna.

Det där var förstås gjort med avsikt. Spegeln var placerad så att
kunden genast skulle inse sina brister och sen komma till slutsatsen att
hon måste köpa något för att råda bot på dem. Ett sådant genomskin-
ligt trick skulle ha fått henne att med en gång lämna affären, om hon
nu inte hade varit inställd på att skaffa det hon hade tänkt.

Utmed ena väggen hängde aftonklänningar i taft och tyll och drömska färger, alla tänkta för balens drottning. Och bortom dem, i ett glasskåp där inga vanvördiga fingrar kunde komma åt dem, syntes ett halvdussin bröllopsklänningar i böljande vitt tyg, vaniljfärgat siden eller elfenbenstonad spets, prydda med silverbroderier eller sandpärlor. Trånga liv, uddkantade urringningar, överdådiga kjolar. Inte ens som yngre skulle hon ha kunnat tänka sig sådan extravagans, och det hade inte bara med kostnaden att göra utan också med förväntningar. Det skulle ha varit befängt att hoppas på sådan förvandling, sådan lycka.

Det dröjde två, tre minuter innan någon kom. De hade kanske ett titthål där de studerat henne och kommit fram till att hon inte var deras sorts kund, och nu hoppades de säkert att hon skulle gå sin väg.

Hon tänkte inte gå. Hon flyttade sig utom räckhåll för spegeln och tog ett steg från linoleummattan vid dörren till en tjock matta intill, och äntligen drogs draperiet längst inne i affären undan och Milady själv kom ut, klädd i en svart dräkt med glittriga knappar. Höga klackar, smala vrister, en gördel som satt så hårt att nylonstrumporna raspade mot varandra, gyllenblont hår som var stramt bakåtdraget från det sminkade ansiktet.

"Jag tänkte prova dräkten i fönstret", sa Johanna med inövad röst. "Den gröna."

"Åh, det är en underbar dräkt", sa kvinnan. "Den som hänger i fönstret råkar vara storlek 36. Ni ser ut att ha storlek – 42 kanske."

Hon raspade förbi Johanna mot den inre delen av affären där det hängde vanliga kläder, dräkter och mellanklänningar.

"Ni har tur. Här kommer en 42:a."

Det första Johanna gjorde var att titta på prislappen. Minst dubbelt så mycket som hon hade väntat sig, och hon tänkte inte låtsas något annat.

"Den är dyr minsann."

"Det är en väldigt fin yllekvalitet." Kvinnan fingrade på tyget tills hon hittade etiketten, och så läste hon upp varudeklarationen som Johanna egentligen inte lyssnade på, eftersom hon hade gripit tag i fållen för att se hur välsytt plagget var.

"Det känns lätt som siden men är slitstarkt som järn. Här ser ni att dräkten är helfodrad, en underbar blandning av siden och rayon. Ni behöver inte riskera att den blir säckig i baken och tappar formen så som billiga dräkter gör. Titta bara på kragen och på ärmuppslaget i sammet med de små knapparna."

"Jag ser."

"Det är den sortens detaljer man betalar för, sådant får man inte annars. Det är en dräkt med härlig sammetskänsla. Och det gäller bara den gröna, inte den aprikosfärgade, fastän det är samma pris."

Det var faktiskt kragen och ärmuppslagen i sammet som i Johannas ögon gjorde dräkten extra lyxig och fick henne att längta efter att köpa den. Men hon tänkte inte tala om det.

"Jag kan ju lika gärna prova den."

Hon var faktiskt förberedd på det, rena underkläder och fräsch talk under armarna.

Kvinnan hade vett nog att lämna henne ensam i den klart upplysta provhytten. Johanna undvek spegeln som om den vore giftig till dess att hon hade fått kjolen på plats och kavajen knäppt.

Först tittade hon bara på dräkten. Den var fin. Den passade precis – kjolen var kortare än hon var van vid, men å andra sidan var hon inte van vid det som var modernt. Det var inga problem med själva dräkten. Problemet var det som stack av. Hennes hals och ansikte, håret och de stora händerna och tjocka benen.

"Hur går det? Får jag titta?"

Titta så mycket du vill, tänkte Johanna, det är minsann inte så spännande, som du snart får se.

Kvinnan tittade prövande på henne från alla håll.

"Ni måste förstås ha strumpor och högklackade skor. Hur känns den? Sitter den bra?"

"Dräkten känns bra", sa Johanna. "Det är inte dräkten det är fel på."

Kvinnans ansiktsuttryck förändrades. Hon slutade le. Hon såg besviken och trött ut i spegeln, men vänligare.

"Ibland är det bara så. Man vet aldrig förrän man provar. Saken är den att ni har fin figur, fast kraftig", fortsatte hon med en ny och växande övertygelse i rösten. "Ni är storvuxen och det är verkligen inte fel. Men det passar inte er med näpna, sammetsklädda små knappar. Bry er inte om den dräkten mer. Ta av er den."

När Johanna hade fått av sig och stod i underkläderna knackade det och en hand sträcktes in genom förhänget.

"Ta bara och prova denna, för skojs skull."

En brun ylleklänning, fodrad, med vid kjol som var vackert rynkad, trefjärdedelslång ärm och enkel rund ringning. Så alldaglig som tänkas kunde, om man undantog ett smalt guldskärp. Inte lika dyr som dräkten, men priset var ändå högt med tanke på vad man fick för pengarna.

Kjolen hade i alla fall en anständigare längd, och tyget föll vackert kring benen när hon snurrade runt. Hon stålsatte sig och studerade sin spegelbild.

Den här gången såg det inte ut som om hon hamnat i plagget på skämt.

Kvinnan kom och ställde sig bredvid henne och log lättad.

"Det är er ögonfärg. Ni behöver inte ha sammet på er. Ni har sammetsögon."

Den sortens smicker skulle Johanna annars ha känt sig tvungen att avfärda, fast just nu stämde det faktiskt. Hennes ögon var inte stora, och om hon blivit ombedd att beskriva färgen skulle hon ha sagt: "De är väl bruna eller nånting sånt." Men nu såg de verkligen mörkbruna ut, mjuka och blanka.

Det var inte det att hon plötsligt tyckte sig vara söt eller något i den stilen. Hon såg bara att ögonfärgen var fin, som en bit av tyget.

"Jag kan tänka mig att ni inte ofta använder högklackade skor", sa kvinnan. "Men om ni har nylonstrumpor och kanske bara en liten klack – säkert använder ni inte smycken heller, och det behövs faktiskt inte, det räcker med skärpet."

Johanna avbröt försäljningssvadan och sa: "Ja, det är väl bäst jag tar den av mig så att ni kan slå in den." Hon kände saknad efter kjolens mjuka tyngd och det diskreta guldbandet runt midjan. Aldrig förr hade hon upplevt den fjolliga känslan att bli förhäxad av något som hon satt på sig.

"Jag hoppas verkligen att ni ska ha den till ett särskilt tillfälle", ropade kvinnan när Johanna skyndsamt satte på sig sina vanliga kläder, som nu såg sjabbiga ut.

"Det blir nog den klänningen jag gifter mig i."

Hon var förvånad över att orden rann ur henne. Det gjorde inte så mycket — kvinnan visste inte vem hon var och skulle troligen aldrig prata med någon som visste. Men hon hade ju verkligen inte tänkt säga ett ljud. Hon måste ha känt att hon var skyldig denna person något — eftersom de tillsammans upplevt katastrofen med den gröna dräkten och upptäckt den bruna klänningen, och det var något som förenade dem. Fast det var ju bara dumheter. Kvinnan arbetade med att sälja kläder, och det hade hon just lyckats göra.

"Åh!" utbrast kvinnan. "Åh, så underbart."

Ja, det blir det kanske, tänkte Johanna, eller också blir det inte det. Ingen kunde veta vem hon skulle komma att gifta sig med. Någon eländig bonde som ville ha en arbetsträl på gården eller en rosslig gammal krympling som ville ha en sköterska. Den här kvinnan hade ingen aning om vad för sorts man Johanna hade på lut, och hon hade inte heller med saken att göra.

"Jag känner på mig att ni gifter er av kärlek", sa kvinnan, precis som om hon hade kunnat läsa hennes missnöjda tankar. "Det var därför era ögon blänkte så i spegeln. Nu har jag slagit in klänningen i silkespapper, och den blir snart slät när ni hänger upp den. Om ni vill kan ni stryka den lite, men det behövs säkert inte."

Sen var det dags att räcka över pengarna. Ingen av dem låtsades om summan, men båda var medvetna om den.

"Den är värd sitt pris", sa kvinnan. "Man gifter sig bara en gång. Ja, det är förstås inte alltid sant — "

"I mitt fall stämmer det", sa Johanna. Hon kände hur det hettade i ansiktet, för det hade faktiskt aldrig varit tal om giftermål. Inte ens i det senaste brevet. Det hon hade avslöjat för kvinnan här var det hon själv hoppades på, och kanske bådade det otur.

"Var träffades ni?" sa kvinnan i samma längtansfullt muntra ton. "När var ni ute första gången?"

"Vi träffades genom släkten", sa Johanna sanningsenligt. Hon hade inte tänkt säga mer men hörde hur hon fortsatte: "Western Fair. I London, nere vid Lake Erie."

"Western Fair", sa kvinnan. "I London." Hon kunde lika gärna ha sagt "slottsbalen".

"Vi hade med oss hans dotter och hennes kamrat", sa Johanna, fastän hon visste att det skulle varit mer korrekt att säga att han och Sabitha och Edith hade henne med sig.

"Ja, nu har min dag verkligen inte varit bortkastad. Jag har kunnat erbjuda en klänning åt den lyckliga bruden. Det räcker som existensberättigande." Kvinnan band ett smalt rosa band runt klänningskartongen och gjorde en stor onödig rosett, innan hon gav den en liten omild snärt med saxen.

"Jag står här i affären dagarna i ända", sa hon. "Och ibland undrar jag faktiskt vad jag gör. Jag frågar mig vad jag egentligen tror att jag sysslar med. Jag skyltar om i fönstret och jag gör både det ena och det andra för att locka in folk, men det finns dagar — det finns *dagar* — när inte en enda människa stiger över tröskeln. Jag vet — folk tycker att kläderna är för dyra — men det är *bra* kläder. Om man vill ha kvalitet måste man också betala för det."

"Folk kommer väl när de vill ha något i den stilen", sa Johanna och pekade på aftonklänningarna. "Vart skulle de annars gå?"

"Det är det som är problemet. De gör inte det. De far in till storstan — det är dit de åker. De kör gärna både tio och tjugo mil och struntar i bensinkostnaden, och sen intalar de sig att de får något som är bättre än det jag har att erbjuda. Och det får de inte. Varken bättre kvalitet eller större urval. De skulle skämmas att säga att de hade köpt sina bröllopskläder här i stan, så enkelt är det. Eller också kommer de in och provar något och säger att de ska fundera på saken. Jag kommer tillbaka, säger de. Och jag tänker, visst, jag vet precis vad det betyder. Det betyder att de tänker försöka hitta samma sak billigare i London eller i Kitchener, och även om det inte är billigare köper de plagget där eftersom de ändå har kört så långt och tröttnat på att leta. Fast jag vet inte", fortsatte hon. "Om jag var härifrån trakten skulle det kanske se annorlunda ut. Här är mycket kotterier. Ni är väl inte härifrån, va?"

"Nej", sa Johanna.

"Tycker ni inte att det är mycket kotterier här?"

Kotterier.

"Svårt för en utomstående att lära känna folk, menar jag."

"Jag är van vid att vara ensam", sa Johanna.

"Men ni har ju hittat någon. Ni slipper vara ensam mer och det är väl underbart? Ibland känner jag att det skulle vara härligt att vara gift och få stanna hemma. Jag har förstås varit gift, men jag jobbade ändå. Ja, så är det. Det kan ju hända att gubben i månen kommer in hit en dag och faller för mig, och då får jag det jättebra!"

Johanna var tvungen att sätta fart – kvinnans pratbehov hade försenat henne. Hon måste skynda sig hem och gömma undan det hon hade köpt innan Sabitha kom hem från skolan.

Sen kom hon ihåg att Sabitha inte var hemma, eftersom hon under helgen blivit hämtad av mammans kusin, tant Roxanne, så att hon skulle få leva rikemansliv i Toronto och gå på en fin flickskola. Men hon fortsatte ändå i samma takt – och gick så snabbt att en vitsig person som stod och hängde vid glassbaren ropade till henne: "Brinner det nånstans?" och då saktade hon farten för att inte dra till sig uppmärksamhet.

Klänningskartongen var otymplig – hur skulle hon ha kunnat veta att affären hade egna rosa kartonger där det stod *Milady's* med sirlig lila skrift? Totalt avslöjande.

Hon kände sig som en idiot som talat om bröllop fastän han inte hade nämnt ett ord om den saken. Så mycket annat hade sagts – eller skrivits – och hon hade fått bevis för så mycket ömhet och längtan att själva giftermålet bara verkade ha blivit förbisett. Ungefär så som man pratade om att stiga upp på morgonen men inte sa att man skulle äta frukost, fastän man förstås tänkte göra det.

Ändå borde hon ha hållit mun.

Hon såg mr McCauley gå i motsatta riktningen på andra sidan gatan. Det gjorde ingenting – även om han hade mött henne ansikte mot ansikte skulle han aldrig ha lagt märke till kartongen hon bar på. Han skulle ha fört handen till hatten och gått förbi, och även om han troligen skulle ha sett att det var hon, hans hushållerska, kunde man inte vara helt säker. Han hade annat att tänka på, och ingen kunde veta om han verkligen blickade ut över samma stad som de. Varje arbetsdag – och ibland också på helgdagar, om han glömde vilken dag det var – klädde sig mr McCauley i en av sina tredelade kostymer, lätt eller kraftig överrock, grå filthatt och välputsade skor och gick sen från Exhibition Road till kontoret som han fortfarande hade kvar ovanför det som varit en affär för seldon och resgods. Kontoret kallades försäkringsbolag, trots att det var ganska länge sen som mr McCauley verkligen sålde försäkringar. Ibland kom folk upp för att ställa någon försäkringsfråga eller kanske undra över tomtgränser eller historien bakom någon viss fastighet i stan eller gård ute på landet. Hans kontor var fyllt av gamla och nya kartor, och det bästa han visste var att breda ut dem och ge sig in i en diskussion som förirrade sig långt utanför den fråga som ställts. Tre eller fyra gånger om dagen gick han ut och promenerade, som nu. Under kriget hade han pallat upp McLaughlin-Buicken i ladan och promenerat överallt för att föregå med gott exempel. Och nu, femton år senare, tycktes han fortfarande föregå med gott exempel. När han gick där med händerna på ryggen såg han ut som en vänlig godsherre som inspekterade sina egendomar eller som en predikant som gärna vakade över sin flock. Men hälften av dem han mötte hade förstås ingen aning om vem han var.

Stan hade förändrats, till och med under den korta tid som Johanna hade varit här. Handeln var på väg att flytta utåt motorvägen, där det låg en ny lågprisaffär och ett Canadian Tire och ett motell med en bar och toplessdansöser. En del affärer i centrum hade försökt snygga till fasaden genom att måla den skär eller lila eller grön, men färgen hade redan börjat flagna på det gamla teglet och en del lokaler stod tomma. *Milady's* skulle säkert snart gå samma öde till mötes.

Om det hade varit Johanna som haft affären, vad skulle hon då ha gjort? Jo, för det första skulle hon aldrig ha tagit in så många eleganta aftonklänningar. Men vad skulle hon ha haft istället? Om man satsade på billigare kläder, skulle man bara konkurrera med Callaghans och lågprisstället, och det fanns säkert inte underlag nog för det. Men varför inte gå in för lite finare barnkläder och försöka locka till sig far- och mormödrar och fastrar och mostrar som hade pengar och gärna lade dem på sådant? Strunta i mammorna, som naturligtvis gick till Callaghans, eftersom de hade mindre pengar och mer förnuft.

Men om det var Johanna som drev affären skulle hon aldrig kunna locka in någon. Hon skulle se vad som behövde göras och hur, och hon kunde mobilisera och övervaka folk som gjorde det, men hon skulle aldrig kunna charma eller förföra någon. Passade det inte, så fick det vara, det var hennes inställning. Antagligen fick det vara.

Det var få personer som fäste sig vid henne, det hade hon länge varit medveten om. Sabitha hade då verkligen inte spillt några tårar när hon sa adjö – fastän man skulle kunna säga att Johanna fungerat som en mamma för Sabitha sen hennes egen mamma dog. Mr McCauley skulle säkert bli upprörd när hon gav sig av, för han hade fått bra service och det skulle bli svårt att ersätta henne, men för övrigt var han nog likgiltig. Både han och hans dotterdotter var bortskämda och självcentrerade. Vad grannarna beträffade skulle de säkert jubla. Johanna hade haft problem med grannarna åt båda håll. På ena sidan var det hunden som grävde ner sina ben i McCauleys trädgård, vilket han borde ha gjort hemma. Och på den andra sidan var det körsbärsträdet, som stod på McCauleys tomt men bar mest bär på de grenar som hängde in över tomten bredvid. I båda fallen hade hon ställt till rabalder och vunnit. Hunden fick stå bunden och den andre grannen lämnade körsbären i fred. Om hon klättrade upp på stegen kunde hon nå grenarna över deras tomt, men de brydde sig inte längre om att jaga bort fåglarna ur trädet och det gjorde stor skillnad för skörden.

Mr McCauley skulle ha låtit dem plocka bären. Han skulle ha låtit hunden gräva. Han lät sig lätt utnyttjas. Delvis berodde det på att grannarna var nya och bodde i nybyggda hus, och därför ville han helst inte ägna dem någon uppmärksamhet. En gång i tiden låg det bara tre eller fyra stora hus vid Exhibition Road. Mittemot dem låg området där höstmarknaden hölls (officiellt kallad Jordbruksutställningen) och mellan dem och det området låg fruktodlingar, små ängar. För drygt tio år sen hade man dock sålt av tomter i ordinär storlek och byggt hus där – små hus, en del med två våningar och andra i ett plan. Några av dem hade redan börjat se ganska sjabbiga ut.

Mr McCauley hade bara god kontakt med invånarna i några av husen – lärarinnan, miss Hood och hennes mor, och familjen Shultz, som hade skomakeriet. Dottern Shultz, som hette Edith, var eller hade varit Sabithas bästa vän. Det var naturligt, eftersom de gick i samma klass i skolan – åtminstone förra året, när Sabitha fick gå om – och dessutom bodde de grannar. Mr McCauley hade inte haft något emot det – kanske visste han att det inte skulle dröja länge förrän Sabitha flyttade och fick leva ett helt annan sorts liv i Toronto. Johanna skulle själv inte ha valt Edith till vän, även om flickan aldrig var oartig, aldrig till besvär när hon kom hem till dem. Och hon var inte dum. Det var kanske det som var problemet – hon var intelligent och Sabitha var inte särskilt intelligent. Hon hade lockat fram en beräknande sida hos Sabitha.

Men allt det där var över nu. Nu när mammans kusin, Roxanne – mrs Huber – hade dykt upp, tillhörde flickan Shultz Sabithas barnsliga förflutna.

Jag ska ordna så att alla era möbler skickas med tåg till er med första lämpliga lägenhet och jag betalar frakten i förskott så snart de talar om vad det kostar. Jag tänkte att ni nog behöver dem nu. Och det blir säkert ingen överraskning att jag följer med och hjälper er som jag hoppas kunna göra, det har ni säkert inget emot.

Hon gick och postade detta brev innan hon satte igång med arrangemangen på järnvägsstationen. Det var första gången som hon skickade brev till honom direkt. Förut hade hon lagt breven i kuverten med det hon fick Sabitha att skriva. Och hans brev till henne hade kommit på samma sätt, prydligt hopvikta och med hennes namn, Johanna, maskinskrivet på baksidan, så att det inte skulle bli några missförstånd. På det viset fick folk på postkontoret inte nys om saken, och det skadade ju inte heller att spara frimärken. Sabitha kunde förstås ha skvallrat för sin morfar eller till och med läst det som var till Johanna, men Sabitha var lika lite intresserad av att kommunicera med den gamle mannen som hon var av brev – både när det gällde att skriva och att ta emot.

Möblerna stod lagrade längst inne i ladan, som var en förrådsbyggnad, inte någon riktig lada med djur och sädesmagasin. När Johanna något år tidigare såg alltsammans för första gången, var möblerna smutsiga och dammiga och fulla av fågelspillning. Allting stod slarvigt staplat och ingenting var övertäckt. Hon hade släpat ut det hon orkade bära på gårdsplanen, så att det blev plats nog att komma åt de tunga möblerna inne i ladan – soffan och skänken och porslinsskåpet och matsalsbordet. Sängstommen kunde hon plocka isär. Hon gav sig på träet med mjuka dammtrasor och citronolja, och när hon var färdig blänkte det som karameller. Lönnsirapskarameller – träslaget var lönn med fågelögestruktur. Det såg glamoröst ut i hennes ögon, som sidenöverkast och blont hår. Glamoröst och modernt, en total kontrast till allt det mörka trä och dystra snideri som hon fick ta hand om inne i huset. Hon tänkte då på möblerna som *hans* och gjorde fortfarande det när hon tog fram dem denna onsdag. Hon hade lagt gamla filtar över det undre lagret för att skydda det för allt som staplats ovanpå, och överst hade hon brett ut lakan för att undvika att få fågelspillning på, och därför var möblerna inte särskilt dammiga. Ändå torkade hon av allihop och putsade träet med citronolja innan hon ställde in möblerna igen i väntan på lastbilen som skulle komma på fredagen.

Käre mr McCauley.

Jag reser härifrån med tåg nu i eftermiddag (fredag). Jag vet att jag inte har sagt upp mig, men jag låter bli att ta ut min innestående lön, tre veckor kommande måndag. Det står köttgryta i ångkokaren på spisen, och den behöver bara värmas upp. Det räcker till tre gånger eller kanske till fyra. Så snart maten är varm och ni har tagit det ni vill ha ska ni ställa in den i kylskåpet igen. Kom ihåg att sätta på locket med en gång så att ni inte riskerar att maten blir dålig. Hälsningar till er och till Sabitha, jag hör nog av mig när jag har kommit i ordning. Johanna Parry.

PS Jag har skickat möblerna till mr Boudreau eftersom han kan behöva dem. Glöm inte att se till att det finns tillräckligt med vatten i undre delen av ångkokaren när ni värmer upp den.

Mr McCauley hade inga svårigheter att ta reda på att Johanna hade köpt biljett till Gdynia, Saskatchewan. Han ringde stationsföreståndaren och frågade. Han visste inte hur han skulle beskriva Johanna – såg hon gammal eller ung ut, smal eller lagom tjock, vad hade hon för färg på kappan? – men det behövdes inte när han nämnde möblerna.

När samtalet kom satt det några personer på stationen och väntade på kvällståget. Föreståndaren försökte först låta behärskad men lyckades inte tygla rösten när han hörde talas om de stulna möblerna (det mr McCauley egentligen sa var "jag tror hon tog med sig en del möbler"). Stationsföreståndaren svor på att han aldrig skulle ha låtit henne stiga på tåget om han hade vetat vem hon var och vad hon hade i kikaren. Denna försäkran upprepades och noterades utan att någon frågade sig hur han skulle ha kunnat hejda en vuxen kvinna som betalt sin biljett om han inte haft direkta bevis för att hon var tjuv. De flesta som hörde det tyckte att han kunde och skulle ha stoppat henne – de ansåg att stationsföreståndare och fina, rakryggade gamla män i tredelad kostym, som mr McCauley, ägde stor myndighet.

Köttgrytan var mycket god, som alltid var fallet med Johannas mat, men mr McCauley fann att han inte kunde få ner den. Han struntade i instruktionerna om locket och lät grytan stå kvar på spisen utan att ens stänga av gaslågan, till dess att vattnet i den undre delen av grytan hade kokat bort och han kände lukten av bränd metall.

Detta var förräderiets lukt.

Han intalade sig att han åtminstone fick vara tacksam för att Sabitha var omhändertagen och att han inte behövde oroa sig för henne. Hans släkting Roxanne – egentligen dotterns kusin – hade skrivit och sagt att flickan säkert skulle komma att behöva en del omvårdnad, med ledning av det hon hade sett av Sabitha under hennes sommarbesök vid Lake Simcoe.

"Uppriktigt sagt tror jag inte att du och den kvinnan du har anställt klarar av henne när pojkarna kommer svärmande."

Hon gick inte så långt att hon frågade om han ville få ännu en Marcelle på halsen, men det var det hon menade. Hon sa att hon tänkte sätta Sabitha i en bra skola, där hon åtminstone fick lära sig god ton.

Han vred på teven för att avleda tankarna, men det hjälpte inte.

Det var möblerna som retade honom. Det var Ken Boudreau.

Faktum var att för bara tre dagar sen – just den dag då Johanna, som han nu fått veta, köpt sin biljett av stationsföreståndaren – hade mr McCauley fått ett brev från Ken Boudreau med anmodan om att a) förskottera lite pengar mot säkerhet i möblerna som tillhörde honom (Ken Boudreau) och hans döda hustru, Marcelle, och som stod lagrade i mr McCauleys lada, eller b) om han inte kunde det, sälja möblerna till ett så högt pris som möjligt och omgående skicka pengarna till Saskatchewan. Det sades ingenting om de lån som svärfadern redan hade gett till svärsonen, alla med säkerhet i möblerna som aldrig någonsin skulle kunna säljas till ett pris som täckte lånen. Kunde Ken Boudreau ha glömt allt det där? Eller hoppades han bara – och det var troligare – att hans svärfar var glömsk?

Han var nu tydligen ägare till ett hotell. Men hans brev var fullt av häftiga utfall mot den man som tidigare hade ägt hotellet och som hade vilselett honom när det gällde olika detaljer.

"Om jag bara kommer ur den här svackan", sa han, "då är jag övertygad om att jag kan klara upp det." Men vad var det för svacka? Ett omedelbart behov av kontanter, men han sa inte om det var en skuld till den förre ägaren, till banken eller till en privat långivare. Det var den gamla vanliga visan – en desperat, inställsam ton med en anstrykning av arrogans, en sorts antydan om att det var något man var skyldig honom, för att sona de skador han åsamkats, den skam han fått utstå på grund av Marcelle.

Trots sina onda aningar satte sig mr McCauley ner och skrev ett brev; Ken Boudreau var trots allt hans svärson, han hade varit ute i kriget och gått igenom Gud vet vad för svårigheter i sitt äktenskap. I brevet sa mr McCauley att han inte hade en aning om hur han skulle bära sig åt för att få ut högsta möjliga pris på möblerna, att det var väldigt svårt för honom att ta reda på det och att han istället bifogade en check, som han räknade som ett personligt lån. Han ville att svärsonen skulle erkänna det som sådant och dessutom minnas alla de lån han redan fått – som förmodligen redan vida översteg värdet på möblerna. Mr McCauley bifogade en lista där det stod hur mycket pengar som betalats ut vid olika tillfällen. Förutom en återbetalning på femtio dollar som han fått för nästan två år sen (med löfte om kommande regelbundna betalningar), hade han inte sett till några pengar. Svärsonen måste verkligen förstå att mr McCauleys inkomst hade krympt på grund av dessa obetalda och räntefria lån, eftersom han annars skulle ha investerat de pengarna.

Han funderade på att tillägga: "Jag är inte så dum som du tycks tro", men bestämde sig för att låta bli, eftersom det skulle avslöja hans irritation, och kanske hans svaghet.

Och se nu hur det hade gått. Mannen hade hunnit före och lockat med Johanna i sina intriger – han hade alltid varit bra på att ta kvinnor – och på det sättet lagt beslag på både checken och möblerna. Hon hade själv betalt frakten, sa stationsföreståndaren. De där moderna lönnmöblerna som såg så vräkiga ut var redan tidigare övervärderade, och de skulle inte få mycket för dem, särskilt inte om man räknade bort kostnaden för järnvägstransporten. Om de hade varit smartare, borde de hellre ha tagit något ur huset, ett gammalt skåp eller en salongssoffa som var för obekväm att sitta i, möbler som var tillverkade och inköpta under förra seklet. Det skulle förstås ha varit ren stöld. Men det de redan gjort var inte långt ifrån stöld.

Han gick och lade sig, fast besluten att ställa dem inför rätta.

Han var ensam i huset när han vaknade och kände ingen doft av kaffe eller frukost från köket – det enda som dröjde sig kvar var en dunst av den brända grytan. En höstlig kyla hade lagt sig över alla de ödsliga rummen. Det hade varit varmt kvällen före och kvällarna som föregick den – pannan var ännu inte på, och när mr McCauley satte igång den åtföljdes den varma luften av en fuktig källarlukt som förde med sig en fläkt av mögel, jord och förfall. Han tvättade sig, klädde sig långsamt och tankspritt dröjande och bredde sig en smörgås med jordnötssmör till frukost. Han tillhörde en generation där många män enligt påståendet inte ens kunde koka vatten, och han var en sådan. Han tittade ut genom fönstren på framsidan av huset och såg träden på andra sidan kapplöpningsbanan uppslukas av morgondimman, som tycktes tätna över banan, inte skingras som den brukade så här dags på morgonen. I dimman var det som om han såg de ruvande byggnaderna på det gamla utställningsområdet – rymliga, anspråkslösa hus, som enorma lador. De hade stått oanvända i åratal – genom hela kriget – och han hade glömt vilket öde de till slut hade gått till mötes. Hade man rivit dem eller hade de fallit ihop av sig själva? Han avskydde kapplöpningarna som gick av stapeln nu, folkmängden och högtalarna och det illegala drickandet och de förödande bråken som präglade sommarsöndagarna. När han tänkte på det påmindes han också om sin stackars dotter, Marcelle, som brukade sitta på verandatrappan och ropa till gamla skolkamrater som parkerat bilen och skyndsamt var på väg att se kapplöpningarna. Vilken uppståndelse hon ställde till med, så glad hon sa sig vara över att ha kommit tillbaka hem, som hon kramats och uppehållit folk, pratat som en kvarn och tjafsat på om uppväxttiden och om hur mycket hon hade saknat alla. Det enda som inte var perfekt i livet, hade hon sagt, var att hon saknade sin man, Ken, som var kvar västerut och jobbade.

Hon hade gått ut i sin sidenpyjamas med trassligt, okammat, blonderat hår. Armarna och benen var smala, men ansiktet var en aning pussigt, och det som hon påstod var solbränna var snarare en sjukligt brun färg. Kanske gulsot.

Barnet hade stannat inne och sett på teve – tecknade serier som hon måste ha varit för gammal för.

Han kunde inte säga vad som var fel eller säkert veta att det var något fel. Marcelle reste ner till London för att göra ett gynekologiskt ingrepp och dog på sjukhuset. När han ringde hennes man för att berätta det, sa Ken Boudreau: "Vad tog hon för något?"

Om Marcelles mor hade levat, skulle saker och ting då ha varit annorlunda? Faktum var att hennes mor känt sig lika förvirrad som han medan hon levde. Hon hade suttit i köket och gråtit, medan deras tonåriga dotter låste in sig i sitt rum och klättrade ut genom fönstret och nerför verandataket där hon välkomnades av billaster med unga män.

Det rådde en hjärtlös känsla av övergivenhet och svek i huset. Han och hans fru hade verkligen varit snälla föräldrar, och Marcelle hade virat dem runt sitt lillfinger. När hon rymde sin väg med en flygare, hoppades de att hon äntligen skulle klara upp tillvaron. De hade behandlat det unga paret lika generöst som vilka ordentliga ungdomar som helst. Men alltsammans rasade ihop. Mot Johanna Parry hade han också varit generös, och se hur hon hade återgäldat honom.

Han promenerade in till stan och gick på hotellet och åt frukost. Servitrisen sa: "Det var värst vad ni är tidig idag."

Och medan hon hällde upp kaffe åt honom, började han berätta att hans hushållerska utan föregående varning eller provokation hade övergett honom och inte bara hals över huvud lämnat sitt jobb utan också tagit med sig ett lass möbler som hade tillhört hans dotter och som nu påstods tillhöra hans svärson men egentligen inte gjorde det, eftersom de var köpta som dotterns hemgift. Han berättade att dottern hade gift sig med en flygare, en snygg och charmig kille som var totalt opålitlig.

"Förlåt mig", sa servitrisen, "jag skulle gärna vilja prata lite, men jag har folk som väntar på sin frukost. Ursäkta mig – "

Han gick uppför trapporna till sitt kontor, och där på skrivbordet låg de gamla kartorna som han studerat igår för att försöka lokalisera den allra första begravningsplatsen i kommunen (troligen övergiven 1839). Han tände ljuset och satte sig men kände att han inte kunde koncentrera sig. Efter servitrisens tillrättavisning – eller det han uppfattade som en tillrättavisning – hade han inte kunnat äta frukosten eller njuta av kaffet. Han bestämde sig för att ta en promenad och lugna ner sig.

Men istället för att gå i sin vanliga takt och här och var byta några ord med någon, fann han sig pladdra till höger och vänster. I samma ögonblick som någon frågade hur det stod till denna morgon, började han på ett föga karakteristiskt och till och med pinsamt sätt vräka ur sig sina bekymmer, men folk var lika jäktade som servitrisen varit, och de stod där och nickade och skruvade på sig och försökte hitta en ursäkt för att kunna smita sin väg. Denna förmiddag tycktes luften inte heller värmas upp som den brukade under dimmiga höstmorgnar; hans kavaj var inte tillräckligt varm och han sökte skydd i affärerna.

Folk som känt honom länge blev mest förfärade. Han hade alltid varit ytterst tystlåten – den väluppfostrade gentlemannen som gick och tänkte på flydda tider, vänligt tillmötesgående på ett sätt som charmant kamouflerade hans privilegierade ställning (vilket var lite av ett skämt, för privilegierna fanns mest i hans minnen och var inte uppenbara för andra). Han borde ha varit den siste som gav luft åt orättfärdigheter eller bad om medkännande – han hade inte gjort det när hustrun gick bort eller ens när dottern dog – och här stod han nu och drog upp ett brev och frågade om det inte var skamligt av mannen i fråga att gång på gång roffa åt sig hans pengar och till och med nu, när han hade förbarmat sig över honom igen, intrigera med hans hushållerska och stjäla möblerna. En del tog för givet att han talade om sina egna möbler – och trodde att han varken hade en säng att sova i eller en stol att sitta på. De rådde honom att gå till polisen.

"Det är ingen idé, ingen idé", sa han. "Hur skulle man kunna få ersättning av en som ingenting har?"

Han gick in i skomakarverkstaden och hälsade på Herman Shultz.

"Minns ni de där kängorna ni sulade om åt mig, de som jag köpte i England? Det var fyra eller fem år sen."

Affären var som en grotta, med avskärmade glödlampor över olika arbetsplatser. Ventilationen var urusel, men de manliga lukterna – av klister och läder och skosvärta och nyskurna sulor och utslitna gamla – kändes behagliga för mr McCauley. Här satt hans granne Herman Shultz under alla årstider, en gulblek, kutryggig skomakare med glasögon på näsan, och drev skickligt in järnspik och nitar och skar ut läder med en ondskefull, krökt kniv och filt med något som liknade en cirkelsåg i miniatyr. Polermaskinen gav ifrån sig ett släpande ljud, sandpappershjulet raspade och smärgelskivan sjöng högt som en mekanisk insekt, medan symaskinen stansade lädret i en enträget automatisk takt. Mr McCauley hade varit förtrogen med ljuden och lukterna och rutinerna på platsen i många år men aldrig identifierat eller tänkt på dem förut. Nu rätade Herman på sig i sitt svarta läderförkläde och nickade och log med en stövel på var hand, och mr McCauley såg för sig mannens hela liv här i grottan. Han ville uttrycka sin medkänsla eller beundran eller något ännu större som han inte förstod.

"Ja, det gör jag", sa Herman. "Det var fina kängor."

"Det var det. Jag köpte dem ju på min bröllopsresa. Jag minns inte var nu, men det var inte i London."

"Jag minns att ni berättade det."

"Ni gjorde ett bra jobb med dem. De håller fortfarande. Bra jobb, Herman. Ni gör ett bra jobb här. Ett hederligt jobb."

"Det är bra." Herman kastade en hastig blick på stöveln han hade över handen. Mr McCauley visste att mannen ville få jobba i lugn och ro igen men kunde inte släppa honom.

"Jag har just fått en tankeställare. En riktig chock."

"Har ni?"

Den gamle tog upp brevet och började läsa valda delar högt, med ett och annat dystert skratt som avbrott.

"Bronkit. Han säger att han har bronkit. Han vet inte vart han ska vända sig. *Jag vet inte vart jag ska vända mig.* Jo, han vet alltid vem han ska vända sig till. När han har prövat allt annat, vänder han sig till mig. *Några hundra, bara tills jag kommer på fötter.* Tigger och ber på sina bara knän och under tiden intrigerar han med min hushållerska. Visste ni det? Hon stal ett helt lass möbler och reste västerut med dem. Det passade minsann. Och det här är en man som jag gång på gång har räddat skinnet på. Men aldrig fått en penny tillbaka av. Jo, om jag ska vara ärlig har jag fått femtio dollar. Femtio dollar av många hundratals. Tusentals. Han låg i flygvapnet under kriget, förstår ni. Kortväxta hamnade ofta vid flyget. Struttade runt och tyckte att de var krigshjältar. Ja, jag skulle kanske inte säga det, men jag tror att kriget förstörde en del män, de kunde aldrig anpassa sig till livet efteråt. Men det är väl inte ursäkt nog va? Är det det? Man kan ju inte skylla på kriget i evighet."

"Nej, det kan man inte."

"Redan första gången jag träffade honom visste jag att han inte var att lita på. Det är det märkliga. Jag visste det och ändå lät jag honom skinna mig. Det finns sådana människor. Man har medlidande med dem bara för att de är sådana skurkar. Jag skaffade honom ett försäkringsjobb därute i väst, jag hade en del kontakter. Fast han sumpade ju alltihop. Ett rötägg. Vissa är det."

"Det har ni rätt i."

Mrs Shultz var inte i affären den dagen. Hon brukade för det mesta stå i affären och ta emot skor och visa dem för sin man och rapportera tillbaka till kunden, skriva ut kvitton och ta emot betalning när skorna väl var reparerade. Mr McCauley mindes att hon hade genomgått någon sorts operation under sommaren.

"Er fru är inte här idag? Hur mår hon?"

"Hon tyckte det var bäst att vila idag. Jag har min dotter här."

Herman Shultz nickade mot hyllorna till höger om disken, där de färdiga skorna stod. Mr McCauley vände på huvudet och fick syn på dottern, Edith, som han inte lagt märke till när han kom. En barnsligt smal flicka med rakt svart hår som stod med ryggen åt honom och ordnade bland skorna. Precis som hon till synes dykt upp och försvunnit när hon kom hem till dem som Sabithas kamrat. Man fick aldrig något riktigt intryck av hennes ansikte.

"Jaså, du hjälper pappa i affären nu?" sa mr McCauley. "Har du slutat skolan?"

"Det är lördag idag", sa Edith och log lite, halvt vänd mot honom.

"Javisst, ja. Men det är bra att du hjälper pappa i alla fall. Du ska vara rädd om dina föräldrar. De har arbetat hårt och är fina människor." Med lätt ursäktande min, som om han visste att han lät högtravande, sa mr McCauley: "Du ska hedra din fader och din moder, på det att du må länge leva i det land som Herren, din Gud – "

Edith sa något som det inte var meningen att han skulle höra. Hon sa: "Här reparerar vi skor."

"Jag uppehåller er, ni har mycket att göra", sa mr McCauley sorgset.

"Det finns ingen anledning att vara sarkastisk", sa Ediths far när den gamle hade gått.

Vid kvällsmaten berättade han alltsammans för Ediths mor.

"Han är sig inte lik", sa han. "Det har hänt honom något."

"Kanske ett litet slaganfall", sa hon. Alltsen hon själv blev opererad – för gallsten – uttalade hon sig insiktsfullt och med blid tillfredsställelse om andra människors åkommor.

Nu när Sabitha var borta och hade försvunnit till ett annat slags liv som alltid tycktes ha väntat på henne, hade Edith åter blivit den hon var innan Sabitha kom hit. "Gammal för sin ålder", flitig, kritisk. Efter tre veckor i high school visste hon att hon skulle klara alla ämnen mycket bra – latin, matematik, engelska. Hon var säker på att hennes intelligens skulle upptäckas och tas till vara och att en betydelsefull framtid skulle öppnas för henne. Det senaste årets fånigheter med

Sabitha tonade bort alltmer.

Men när hon hörde om hur Johanna hade gett sig av västerut, kände hon en rysning från det förflutna, en pockande oro. Hon försökte lägga på locket, men det for hela tiden upp.

Så snart hon var färdig med disken gick hon in i sitt rum med boken som de skulle läsa till nästa lektion i engelska. *David Copperfield.*

Hennes föräldrar hade egentligen aldrig tagit henne i sträng upptuktelse, de var gamla för att ha ett barn i hennes ålder, och det var säkert därför hon var som hon var, men ändå identifierade hon sig med David och hans olycka. Hon kände gemenskap med honom och tyckte sig likaväl ha kunnat vara föräldralös, för hon skulle säkert få rymma sin väg, gömma sig undan, klara sig själv när sanningen blev känd och det förflutna hann ifatt framtiden för hennes del.

Alltsammans började när de var på väg till skolan och Sabitha sa: "Vi måste gå förbi posten. Jag ska skicka ett brev till min pappa."

De brukade ha sällskap till och från skolan. Ibland gick de baklänges eller med slutna ögon. Och ibland när de mötte någon kunde de i dämpad ton gå och prata nonsensspråk för att göra folk förvirrade. För det mesta var det Edith som kom med de bra idéerna. Det enda roliga Sabitha hittade på var att man kunde skriva namnet på en pojke bredvid sitt eget och sen stryka alla bokstäver som fanns i båda namnen och räkna resten på fingrarna, medan man sa *Kärlek, vänskap, hat,* till dess att man stannade på något av orden och fick veta vad pojken kände för en.

"Det var ett tjockt brev", sa Edith. Hon lade märke till allt och mindes allt och kunde snabbt lära sig hela sidor i läroböckerna utantill på ett skrämmande sätt. "Hade du så mycket att berätta för din pappa?" sa hon förvånad, för hon kunde inte fatta att Sabitha var i stånd att skriva så mycket.

"Jag har bara skrivit en sida", sa Sabitha och kände på brevet.

"A-ha", sa Edith. "Aha."

"Aha vadå?"

"Det är säkert hon som har lagt i något. Johanna, menar jag."

Följden av det var att de inte gick och postade brevet direkt utan tog hem det till Edith efter skolan och ångade upp det. Sådant kunde de göra hemma hos Edith, eftersom hennes mamma arbetade i skomakeriet hela dagarna.

Käre mr Ken Boudreau.

Jag ville bara skriva och tacka er för de snälla sakerna ni sa om mig i brevet till er dotter. Ni behöver inte oroa er för att jag ska sluta. Ni säger att jag är en person att lita på. Så uppfattar jag det, och såvitt jag vet är det sant. Jag är tacksam mot er för att ni säger det, för en del begriper sig inte på en sådan som jag eftersom de inte vet nånting om mig. Så jag tänkte berätta lite om mig själv. Jag föddes i Glasgow, men min mamma lämnade bort mig när hon gifte sig. Jag fick flytta till Barnhemmet när jag var fem. Jag väntade på att hon skulle komma tillbaka, men det gjorde hon inte och jag vande mig vid stället och de var Snälla där. När jag var elva fick jag enligt Planen åka till Kanada och bo hos familjen Dixon och arbeta i deras Handelsträdgård. Enligt Planen var det meningen att jag skulle gå i skolan men jag såg inte mycket av den. På vintern arbetade jag åt frun i hushållet, men omständigheter fick mig att vilja flytta, och eftersom jag var stor och stark för min ålder fick jag börja på ett Vårdhem och ta hand om gamla. Jag hade inget emot jobbet men började sen på en Kvastfabrik och fick bättre betalt. Mr Willets som ägde den hade en gammal mamma som kom dit och såg till det hela och hon och jag fick fin kontakt. Jag hade fått andningsbesvär av luften och då sa hon att jag kunde börja jobba hos henne och det gjorde jag. Jag bodde hos henne i tolv år vid en sjö som hette Mourning Dove Lake uppe i norr. Det var bara vi två, men jag kunde ta hand om allt både ute och inne och till och med köra motorbåten och bilen. Jag lärde mig läsa ordentligt för hennes ögon var inte så bra och hon ville gärna att jag skulle läsa för henne. Hon dog vid 96 års ålder. Man kan undra vad det var för ett liv för en ung människa, men jag trivdes. Vi åt alla mål tillsammans och jag sov i hennes rum de sista ett och ett halvt åren. Men när hon dog gav familjen mig bara en vecka att packa ihop. Hon hade testamenterat lite pengar till mig och det gillade de nog inte. Hon ville att jag skulle använda pengarna till Utbildning men då hade jag ju fått gå ihop med ungdomar. Så när jag såg annonsen som mr McCauley hade satt in i The Globe and Mail tog jag kontakt. Jag behövde arbeta för att komma över saknaden efter mrs Willets. Ja, nu har jag väl tröttat ut er länge nog med min Historia, och ni är säkert glad att jag har kommit fram till Nuet. Tack för era snälla ord om mig och för att jag fick följa med till nöjesplatsen. Jag är inte mycket för attraktioner eller sötsaker men det var ändå ett stort nöje att få vara med.

Er vän, Johanna Parry

Edith läste upp Johannas ord i vädjande ton och med bedrövad min.

"Jag föddes i Glasgow men när mamma hade kastat en blick på mig fick hon lämna bort mig – "

"Sluta", sa Sabitha. "Jag kvävs av skratt."

"Hur lyckades hon lägga i sitt brev i ditt utan att du märkte det?"

"Hon tar bara brevet ifrån mig och lägger det i ett kuvert och skriver adressen för hon tycker inte att min handstil är tillräckligt snygg."

Edith fick sätta tejp på kuvertfliken, eftersom det inte gick att klistra fast den igen. "Hon är kär i honom", sa hon.

"Åh, fy så äckligt", sa Sabitha och höll sig för magen. "Det kan hon inte vara. Gamla Johanna."

"Vad har han egentligen sagt om henne?"

"Bara att jag måste respektera henne och att det skulle vara synd om hon slutade för det är tur för oss att vi har henne, för han kan inte ge mig något hem och morfar kan inte uppfostra en flicka ensam och bla bla. Han sa att hon är en riktig dam. Det märktes, sa han."

"Och sen blir hon kä-är."

Brevet låg kvar hos Edith över natten, så att Johanna inte skulle upptäcka att det inte var postat och att det var igenklistrat med tejp. Nästa morgon gick de till posten med det.

"Nu ska vi se vad han svarar. Håll ögonen öppna", sa Edith.

Det kom inte något brev på länge. Och när det kom var det en besvikelse. De ångade upp det hemma hos Edith men hittade ingenting åt Johanna.

Kära Sabitha.

Jag har lite ont om pengar denna jul och är ledsen att jag inte kan skicka mer än en tvådollarsedel till dig. Men jag hoppas att du mår bra och får en fin jul och är flitig i skolan. Jag har själv inte mått så bra eftersom jag har fått bronkit, det får jag visst varje vinter, men det här är första gången jag har hamnat i sängen före jul. Som du ser av adressen bor jag nu på ett nytt ställe. Lägenheten låg väldigt bullrigt och det var alldeles för många som tittade in och ville festa. Här bor jag på ett pensionat och det passar mig bra, eftersom jag aldrig har varit bra på att handla och laga mat.

God jul och kära hälsningar, pappa

"Stackars Johanna", sa Edith. "Hennes hjärta kommer att brista."

Sabitha sa: "Det är väl ingen som bryr sig om det?"

"Om inte vi gör det", sa Edith.

"Vadå?"

"*Svarar* henne."

De fick skriva brevet på maskin, för Johanna skulle märka om det inte var Sabithas pappas handstil. Men det var inga problem med den saken. Hemma hos Edith fanns en skrivmaskin som stod på ett spelbord i vardagsrummet. Hennes mamma hade arbetat på kontor innan hon gifte sig, och hon gjorde sig ibland fortfarande lite extraförtjänster genom att skriva brev åt folk som ville att det skulle se mer officiellt ut. Hon hade lärt Edith grunderna i maskinskrivning i hopp om att Edith också en dag skulle kunna få ett kontorsjobb.

"Kära Johanna", sa Sabitha, "jag är ledsen att jag inte kan bli kär i dig men du har så fula utslag över hela ansiktet."

"Jag tänkte vara allvarlig", sa Edith, "så håll klaffen."

"Jag blev så glad över brevet — " började hon och så läste hon efter hand upp det hon skrev och hejdade sig medan hon tänkte ut fortsättningen, alltmedan rösten blev högtidligare och ömmare. Sabitha hade sträckt ut sig i soffan och låg där och fnissade. Rätt som det var satte hon på teven, men Edith sa: "Men — *snälla*. Hur ska jag kunna koncentrera mig på käns-lor medan den skiten håller på?"

Edith och Sabitha använde ord som "skit" och "satmara" och "helvetes jävlar" när de var ensamma.

Kära Johanna.

Jag blev glad för brevet du bifogade Sabithas och tyckte det var roligt att få höra om ditt liv. Det måste många gånger ha varit tråkigt och ensamt, fast det var tur för dig att du hittade mrs Willets. Du är verkligen både flitig och tålig, och jag måste säga att jag beundrar dig. Själv har jag haft ett brokigt liv och aldrig riktigt slagit mig till ro. Jag vet inte varför jag lider av denna inre oro och ensamhet, det verkar helt enkelt vara mitt öde. Jag träffar ständigt människor som jag pratar med, men ibland frågar jag mig: Har jag egentligen några riktiga vänner? Så kommer ditt brev som du avslutar med "Er vän". Och jag undrar, menar hon verkligen det? Vilken väldigt fin julklapp det skulle vara om du ville vara min vän, Johanna. Men det var kanske bara ett vänligt sätt att avsluta brevet, och du känner mig ju egentligen inte tillräckligt väl. God jul i alla fall.

Din vän, Ken Boudreau

Brevet kom hem till Johanna. Det till Sabitha fick också skrivas på maskin, för varför skulle det ena vara maskinskrivet och inte det andra?

Den här gången hade de varit sparsamma med ångan och öppnat kuvertet väldigt försiktigt, så att de skulle slippa avslöjande tejp.

"Varför kan vi inte skriva ett nytt kuvert på maskin? Skulle han inte göra det om han skrev breven på maskin?" sa Sabitha och tyckte att hon var klipsk.

"För att ett *nytt* kuvert inte skulle vara *poststämplat*, dummer."

"Tänk om hon svarar på det?"

"Vi läser det."

"Visst, men tänk om hon svarar och skickar det *direkt* till honom?"

Edith ville inte erkänna att hon inte hade tänkt på det.

"Det gör hon inte. Hon är listig. Men svara genast, så kommer hon på att hon kan lägga sitt brev i ditt."

"Jag hatar att skriva fåniga brev."

"Gör det. Det dör du inte av. Vill du inte se vad hon säger?"

Käre Vän.

Du frågar om jag känner dig tillräckligt väl för att vara din vän och jag svarar att jag tror det. Jag har bara haft en Vän i mitt liv, mrs Willets, som jag älskade och hon var så snäll mot mig men hon är död. Hon var mycket äldre än jag och felet med Äldre Vänner är att de dör och lämnar en. Hon var så gammal att hon ibland kallade mig för ett annat namn. Men jag brydde mig inte om det.

Jag ska berätta en konstig sak. Det där fotot som du fick fotografen på nöjesfältet att ta, av dig och Sabitha och hennes kamrat Edith och mig, det har jag förstorat och ramat in och ställt i vardagsrummet. Det är inte något särskilt bra kort och han tog verkligen bra betalt av dig, men det är bättre än ingenting. Så i förrgår när jag dammade där tyckte jag att du sa Hej till mig. Hej, sa du, och jag tittade på ditt ansikte så gott man nu kan se det på fotot och tänkte att nu håller jag nog på att bli tokig. Eller också är det ett tecken på att det snart kommer ett brev. Jag skojar bara, för egentligen tror jag inte på sånt. Men

36

igår kom det ett brev. Så därför vill jag gärna vara din vän. Jag kan alltid hitta på nånting att sysselsätta mig med men en riktig Vän är ändå en helt annan sak.

Din vän, Johanna Parry

Det brevet kunde de förstås inte skicka. Sabithas pappa skulle ana oråd om det talades om ett brev som han aldrig hade skrivit. Det Johanna skrivit fick rivas i småbitar och spolas ner på toaletten hemma hos Edith.

Först många månader senare kom brevet om hotellet. Det var sommar och rena turen att Sabitha själv tog emot det brevet, eftersom hon hade varit uppe hos tant Roxanne och farbror Clark vid Lake Simcoe i tre veckor.

När Sabitha kom in till Edith sa hon nästan genast: "Fy katten vad det stinker här, ugga, ugga!"

"Ugga-ugga" var ett uttryck som hon hade lärt sig av sina sysslingar. Edith vädrade. "Jag känner ingenting."

"Det är som i din pappas affär, fast inte riktigt så illa. De har säkert med sig lukten hem i kläderna och så."

Det var Edith som ångade upp brevet. På vägen från posten hade Sabitha köpt två chokladpetit-chouer i bageriet. Nu låg hon i soffan och åt sin.

"Bara ett brev. Till dig", sa Edith. "Stackars gamla Johanna. Fast han *fick* förstås aldrig hennes."

"Läs det för mig", sa Sabitha uppgivet. "Jag är alldeles kladdig om händerna."

Edith läste brevet med affärsmässig snabbhet och gjorde knappt uppehåll mellan meningarna.

Ja, Sabitha, mitt liv har tagit en annan vändning och som du ser är jag inte kvar i Brandon utan bor på en plats som heter Gdynia. Och jag är inte kvar hos mina gamla chefer. Jag har haft en ovanligt jobbig vinter med bröstbesvär och de, det vill säga mina chefer, ville att jag skulle ligga på vägarna även om jag höll på att få lunginflammation, så det blev en del bråk om den saken och vi bestämde oss alla för att säga adjö. Men slumpen är nyckfull och ungefär då kom jag att bli ägare till ett hotell. Det är för komplicerat att gå in på alla detaljer men om din morfar vill veta mer så säg bara att en man var skyldig mig pengar, men eftersom han inte kunde betala så lät han mig ta det här hotellet istället. Och nu har jag flyttat från ett rum på pensionat till ett tolvrumshus, och jag som inte ens ägde sängen jag sov i äger nu många. Det är underbart att vakna på morgonen och veta att man är sin egen herre. Det är en del att göra här, egentligen massor, och jag ska sätta igång så snart det blir varmare. Jag måste anställa någon som kan hjälpa till och sen ska jag ta hit en bra kock och öppna restaurang och bar. Det borde gå som smort för det finns ingenting sånt här i stan. Hoppas du mår bra och sköter ditt skolarbete och skaffar dig bra vanor.

Många hälsningar, din pappa

Sabitha sa: "Har du lite kaffe?"

"Bara pulver", sa Edith. "Hur så?"

Sabitha sa att de alltid drack iskaffe upp vid sjön och att alla älskade det, hon också. Hon reste sig och gick ut i köket och kokade vatten och rörde ut kaffet med mjölk och isbitar. "Synd att vi inte har lite vaniljglass", sa hon. "Åh, Guuud, det är så jättegott. Vill du inte ha din petit-chou?"

Åh, Guuud.

"Jo. Varenda smula", sa Edith elakt.

På bara tre veckor hade Sabitha blivit så förändrad – och under tiden hade Edith arbetat i affären och hennes mamma återhämtat sig hemma efter operationen. Sabithas hud hade fått en läcker gyllenbrun färg, och håret var kortare och fluffigare runt ansiktet. Hennes sysslingar hade klippt och permanentat det. Hon hade någon sorts soldräkt i en klädsam blå färg på sig, med shorts som var skurna som en kjol och knappar på framsidan och krås över axlarna. Hon hade blivit fylligare, och när hon lutade sig fram och tog sitt glas med iskaffe, som stod på golvet, avslöjade hon en slät, glänsande springa mellan brösten.

Bröst. Hon måste ha börjat få bröst redan innan hon åkte, men det hade Edith inte märkt. Det var kanske något man vaknade med en vacker dag. Eller inte.

Hur det än var tycktes det innebära ett totalt oförtjänt och orättvist övertag.

Sabitha pratade i ett kör om sysslingarnas liv däruppe vid sjön. Hela tiden skulle hon berätta: "Det här är helfestligt, vänta ska du få höra — " och så gick hon på om vad tant Roxanne hade sagt till farbror Clark när de grälade eller hur Mary Jo hade kört med suffletten nere och utan körkort i Stans bil (vem var Stan?) och tagit med sig dem alla till en drive-in-biograf — men det framgick aldrig vad som var så helfestligt eller fantastiskt med historien.

Men efter ett tag kom det fram andra saker. Sommarens verkliga äventyr. De äldre flickorna — däribland Sabitha — sov på andra våningen i båthuset. Ibland gav de sig på någon och kittlades tills offret skrikande bad om nåd och gick med på att dra ner pyjamasbyxorna och visa om hon hade fått hår. De berättade historier om flickor på internatskola som gjorde saker och ting med handtaget till hårborsten eller tandborsten. *Ugga-ugga.* En gång hade två av sysslingarna visat upp sig och en flicka hade lagt sig ovanpå den andra och låtsats vara pojken och så hade de virat benen om varandra och stönat och flämtat och hållit på.

Farbror Clarks syster och hennes man hade kommit dit på sin smekmånad, och man hade sett honom stoppa handen innanför hennes baddräkt.

"De var verkligen jättekära, de höll på dag och natt", sa Sabitha. Hon tryckte en kudde mot bröstet. "Folk kan inte låta bli när de är så kära."

En av sysslingarna hade redan gjort det med en kille. Han hade sommararbete i parken på semesterorten längre ner. Han tog henne med ut i en båt och hotade med att knuffa henne i vattnet om hon inte lät honom göra det. Så det var inte hennes fel.

"Kunde hon inte simma?" sa Edith.

Sabitha sköt in kudden mellan benen. "Åhhh", sa hon. "Det är så skönt."

Edith visste precis vilken njutbar vånda Sabitha kände, men hon tyckte att det var frånstötande att tala öppet om det. Själv var hon rädd. För många år sen, innan hon visste vad det handlade om, hade hon somnat med filten mellan benen, och hennes mor hade upptäckt det och berättat om en flicka som jämt gjorde så och till slut blivit tvungen att opereras.

"De försökte hälla kallt vatten på henne, men det hjälpte inte, sa modern. "Så de fick skära i henne."

Annars skulle hennes organ kanske bli blodöverfyllda, och då kunde hon dö.

"Sluta", sa hon till Sabitha, men Sabitha stönade trotsigt och sa: "Det är ingen fara. Vi gjorde det här allihop. Har du inte nån kudde?"

Edith reste sig och gick ut i köket och hällde vatten i sitt tomma glas. När hon kom tillbaka låg Sabitha i en slapp ställning på soffan och hade slängt kudden i golvet.

"Vad trodde du jag gjorde?" sa hon. "Jag skojade ju bara."

"Jag var törstig", sa Edith.

"Du drack ju nyss ett helt glas iskaffe."

"Jag ville ha vatten."

"Dig kan man inte ha nåt roligt med." Sabitha satte sig upp. "Om du är så törstig, varför dricker du då inte upp?"

De satt buttert tysta tills Sabitha i försonlig men besviken ton sa: "Ska vi inte skriva ett brev till Johanna? Vi skriver ett riktigt kärleksbrev."

Edith hade egentligen tappat intresset för breven, men hon blev belåten att Sabitha inte hade gjort det. Lite av maktkänslan över Sabitha kom tillbaka, trots Lake Simcoe och brösten. Hon reste sig suckande, som om hon var lite motvillig, och tog av huven från skrivmaskinen.

"Min älsklingsälskling Johanna – " sa Sabitha.

"Nej, det är för äckligt."

"Det tycker inte hon."

"Det gör hon visst", sa Edith.

Hon undrade om hon skulle berätta för Sabitha om faran för blodöverfyllda organ. Hon bestämde sig för att låta bli. För det första tillhörde den upplysningen kategorin varningar som hon fått av sin mor, och sådana visste man aldrig riktigt om man kunde lita på. Det hade visserligen inte verkat lika osannolikt som idén om att man skulle bli blind om man gick omkring i galoscher inomhus, men man kunde ju aldrig veta.

För det andra skulle Sabitha bara skratta. Hon skrattade åt varningar – hon skrattade till och med om man sa att hon kunde bli tjock av chokladpetit-chouer.

"Ditt senaste brev gjorde mig så lycklig – "

"Ditt senaste brev fyllde mig med hänryckning – " sa Sabitha.

"– gjorde mig så lycklig; nu har jag verkligen en riktig vän i världen, och det är du."

"Jag kunde inte sova på hela natten för jag längtade efter att få sluta dig i mina armar – " Sabitha slog armarna om knäna och gungade av och an.

"*Nej*. Trots ett vidlyftigt liv har jag ofta känt mig så ensam och inte vetat vart jag skulle vända mig – "

"Vad betyder det – vidlyftigt? Hon vet inte vad det betyder."

"*Hon* vet det visst."

Det fick Sabitha att hålla tyst och sårade kanske hennes känslor. Så till slut läste Edith upp: "Jag måste säga adjö nu och enda sättet jag kan göra det på är att se för mig hur du läser dessa rader och rodnar – Är det mer i din smak?"

"Läser det i sängen med nattlinnet på", sa Sabitha, som aldrig sura-

de länge, "och jag önskar att jag fick trycka dig i min famn och suga på
dina tuttar — "

Min kära Johanna.
Ditt senaste brev gjorde mig så lycklig; nu har jag verkligen en
riktig vän i världen och det är du. Trots ett vidlyftigt liv har jag
ofta känt mig så ensam och inte vetat vart jag skulle vända mig.
   Ja, i brevet till Sabitha har jag berättat vilken tur jag haft och
att jag nu ska ge mig in i hotellbranschen. Jag berättade egentli-
gen inte hur sjuk jag var i vintras, för jag ville inte oroa henne.
Jag ville inte oroa dig heller, kära Johanna, bara säga att jag har
tänkt på dig så ofta och längtat efter att få se ditt kära söta an-
sikte. När jag hade feber trodde jag mig se dig stå böjd över mig
och jag kände dina vänliga, omtänksamma händer. Det var när
jag var på pensionatet, och när febern släppte fick jag många ret-
samma kommentarer om Johanna, vem är Johanna? Men jag var
sorgsen som det värsta över att vakna och finna att du inte var
där. Jag undrade verkligen om du kanske hade flugit genom luf-
ten och besökt mig, fastän jag visste att det inte kunde vara så.
Tro mig, den vackraste filmstjärna kunde inte ha varit lika väl-
kommen som du. Jag vill inte avsluta det här brevet, för just nu
känns det som om jag håller dig i min famn och talar stilla med
dig i dunkel förtrolighet i vårt rum, men jag måste säga adjö,
och det kan jag bara göra genom att se för mig hur du läser detta
och rodnar. Det skulle vara underbart om du läste brevet i säng-
en, klädd i bara nattlinnet, och tänkte på hur gärna jag skulle vil-
ja sluta dig i min famn.

                                                        Din Ken Boudreau

Förvånansvärt nog kom det inte något svar på brevet. När Sabitha ha-
de skrivit sin halva sida, lade Johanna hennes brev i ett kuvert och
skrev på adressen, och det var allt.

När Johanna steg av tåget var det ingen där och mötte. Hon bekymrade sig inte över den saken – hon hade ändå insett att brevet kanske inte hade hunnit komma fram. (Det hade det; det låg faktiskt kvar på posten, för Ken Boudreau, som verkligen varit allvarligt sjuk under vintern, låg till sängs i bronkit och hade på flera dagar inte kunnat hämta sin post. Just den här dagen hade det kommit ett brev till, innehållande checken från mr McCauley. Men den hade redan blivit stoppad.)

Det som störde henne mer var att det inte tycktes finnas någon riktig stad. Stationen var ett skjul med bänkar utmed väggarna och en trälucka nerdragen över fönstret till biljettkontoret. Där fanns också ett magasin – hon trodde i alla fall att det var det – men det gick inte att rubba skjutdörren dit. Hon kikade in genom en springa i plankorna tills ögonen vande sig vid mörkret därinne, men hon såg att det stampade jordgolvet var tomt. Inga möbellårar där. Hon ropade: "Är det någon här? Är det någon här?" flera gånger, men hon väntade sig inget svar.

Hon stod på perrongen och försökte orientera sig.

En knapp kilometer därifrån låg en liten kulle, som genast syntes eftersom den var krönt av träd. Och den sandiga stigen som hon sett från tåget och tagit för en liten infart till ett fält – det måste vara vägen. Nu såg hon låga hus avteckna sig inne bland träden – och hon såg också ett vattentorn, som på avstånd liknade en leksak, en tennsoldat på långa ben.

Hon lyfte upp resväskan; hon hade ju burit den hela vägen från Exhibition Road till järnvägsstationen, så hon skulle nog orka nu också, och så gav hon sig iväg.

Det blåste lite, men det var en varm dag – varmare än vädret hon hade lämnat i Ontario – och vinden var också varm. Över sin nya klänning hade hon den gamla vanliga kappan, som skulle ha tagit för mycket plats i resväskan. Hon tittade längtansfullt bort mot skuggan i det som skulle föreställa stan, men när hon kom dit upptäckte hon att det antingen var granar som var för smala och strama för att ge någon skugga eller fransigt tunnlövade aspar vars blad blåste hit och dit och släppte igenom solen.

Det var nedslående att se att platsen verkade lida total brist på ordning av något slag. Inga trottoarer eller asfalterade gator, inga ståtliga byggnader, utom en stor kyrka som var som en tegellada. En målning över dörren visade Den heliga familjen med lerfärgade ansikten och stirrande blå ögon. Kyrkan var uppkallad efter ett helgon, Sankt Voytek, som ingen någonsin hade hört talas om.

Det tycktes inte ligga någon större planering eller eftertanke bakom placeringen av husen. De stod i olika vinklar mot vägen eller gatan, och de flesta hade små fula fönster här och var, med förstugor runt ytterdörrarna, som lådor. Det syntes inte till någon utanför husen, och varför skulle det göra det? Där fanns ingenting att sköta, bara tovigt brunt gräs och på ett ställe en stor rabarberodling som hade förvedat sig.

Huvudgatan, om det nu var det, kantades på ena sidan av en upphöjd gångväg av trä och några spridda byggnader, av vilka en mataffär (som innehöll postkontoret) och en verkstad tycktes vara de enda som tjänade något syfte. Där låg också ett tvåvåningshus som hon trodde var hotellet, men det var en bank och den var stängd.

Den första mänskliga varelse hon såg – även om två hundar hade skällt åt henne – var en man som stod utanför verkstaden och höll på att lasta kedjor på lastbilsflaket.

"Hotell?" sa han. "Då har ni gått för långt."

Han sa att det låg nere vid stationen, ett stycke bort på andra sidan spåren. Det var blåmålat och hon kunde inte missa det.

Hon ställde ner resväskan, inte för att hon kände sig uppgiven utan för att hon var tvungen att vila ett ögonblick.

Han sa att han kunde ge henne skjuts dit ner om hon ville vänta en minut. Och fastän det var ovant för henne att tacka ja till ett sådant erbjudande, fann hon sig snart sitta i den varma, oljiga förarhytten på hans lastbil och gunga nerför grusvägen där hon just hade gått, medan kedjorna gav ifrån sig ett desperat oljud bakom dem.

"Så – varifrån har ni hämtat med er den här värmeböljan?" sa han.
Hon sa Ontario, i en ton som inte lovade något mer.

"Ontario", sa han längtansfullt. "Ja. Här är det. Ert hotell." Han
tog ena handen från ratten. Lastbilen krängde följsamt till när han
gjorde en gest mot en tvåvåningsbyggnad med platt tak som hon hade
sett från tåget när de kom in men tagit för ett stort och ganska förfal-
let, kanske övergivet, privathus. Nu när hon hade sett husen i stan viss-
te hon att hon inte borde ha avfärdat det så lättvindigt. Det var täckt
av tunn plåt som var stansad så att den skulle se ut som tegel och må-
lad i ljusblått. Över dörren fanns en neonskylt med det enda ordet
HOTELL, men den var inte längre tänd.

"Så dum jag är", sa hon och erbjöd mannen en dollar för skjutsen.

Han skrattade. "Behåll era pengar. Man vet aldrig när man kan be-
höva dem."

En ganska hyfsad bil, en Plymouth, stod parkerad utanför hotellet.
Den var mycket smutsig, men hur skulle man kunna undgå det, med
dessa vägar?

På dörren satt skyltar som gjorde reklam för ett cigarrettmärke och
för öl. Hon väntade tills lastbilen hade svängt innan hon knackade – det
såg inte ut som om stället på något sätt kunde vara öppet för gäster. Sen
tog hon i dörren för att se om den var öppen och kom in i ett litet dam-
migt rum med en trappa och därefter ett stort mörkt rum där det stod
ett biljardbord och det luktade gammalt öl och osopade golv. I ett rum
på ena sidan såg hon en spegel blänka till, tomma hyllor, en disk. I dessa
rum var rullgardinerna omsorgsfullt nerdragna. Det enda ljuset hon såg
kom från två små runda fönster, som visade sig sitta i dubbla svängdör-
rar. Hon gick genom dem och kom ut i ett kök. Där var det ljusare, tack
vare en rad högt sittande – och smutsiga – fönster utan gardiner på mot-
satta väggen. Och här fanns de första tecknen på liv – någon hade suttit
vid bordet och ätit och lämnat kvar en tallrik, insmord med ketchup,
och en mugg som var till hälften fylld med kallt svart kaffe.

En av dörrarna från köket ledde ut – den var låst – och en ledde till
ett skafferi där det stod ett antal konservburkar, en annan till ett städ-

skåp och ytterligare en till en innertrappa. Hon baxade resväskan framför sig eftersom trappan upp var så smal. Rakt fram på andra våningen såg hon en toalett med locket uppfällt.

Dörren till sovrummet i änden av hallen stod öppen, och därinne hittade hon Ken Boudreau.

Hon såg hans kläder innan hon såg honom. Kavajen hängde över dörrkanten och byxorna på dörrvredet så att de släpade i golvet. Hon tänkte genast att det där inte var något bra sätt att behandla snygga kläder, så hon gick djärvt in i rummet för att hänga upp dem ordentligt; resväskan fick stå kvar i hallen.

Han låg i sängen med bara ett lakan över sig. På golvet låg filten och skjortan. Han andades kort, som om han just var på väg att vakna, och därför sa hon: "God morgon. Godmiddag."

Det skarpa solljuset flödade in genom fönstret och träffade honom nästan mitt i ansiktet. Fönstret var stängt och luften förskräckligt unken – framförallt kom stanken från det fulla askfatet på stolen som han använde som nattygsbord.

Han hade dåliga vanor – han var sängrökare.

Han vaknade inte av hennes röst – eller vaknade bara delvis. Han började hosta.

Hon märkte att det var en allvarlig hosta, en sjuk människas hosta. Han gjorde ett mödosamt försök att sätta sig upp, fortfarande med slutna ögon, och hon gick bort till sängen och stödde honom. Hon såg sig om efter en näsduk eller en ask pappersnäsdukar men det fanns inga och därför sträckte hon sig istället efter hans skjorta som låg på golvet och som hon kunde tvätta senare. Hon ville ta sig en titt på vad han spottade upp.

När han hade hackhostat länge nog, muttrade han något och sjönk flämtande ner i sängen igen med det charmiga, kaxiga ansiktet hopskrynklat av vämjelse. Hon kände när hon tog i honom att han hade feber.

Det han hostade upp hade en gröngul färg – inga roströda strimmor. Hon bar bort skjortan till handfatet, där hon till sin förvåning

46

hittade en tvål, sköljde ur den och hängde upp den på dörrvredet och tvättade sen noggrant händerna. Hon fick torka dem på kjolen till sin nya bruna klänning. Den hade hon satt på sig inne på damtoaletten på tåget för bara några timmar sen. Hon hade samtidigt undrat om hon borde sminka sig lite.

I hallgarderoben hittade hon en rulle toalettpapper, och den tog hon in för att användas nästa gång han började hosta. Hon tog upp filten och lade den över honom, drog ner rullgardinen till fönsterbrädet, öppnade det tröga fönstret ett par centimeter och kilade fast askfatet för att det inte skulle slå igen. Sen tog hon av sig den bruna klänningen ute i hallen och bytte till gamla kläder från resväskan. Nu var det inte mycket nytta med finklänning eller något smink i världen.

Hon var inte riktigt säker på hur sjuk han var, men hon hade skött om mrs Willets — som också var storrökare — när den gamla damen drabbades av bronkit, och trodde sig kunna klara situationen själv ett tag utan att behöva ta dit en läkare. I samma hallgarderob låg en hög rena fast slitna och blekta handdukar, och hon vätte en av dem och torkade av honom på armar och ben för att försöka få ner febern. Då vaknade han till lite och började hosta igen. Hon höll honom upprätt och fick honom att spotta i toalettpapperet, kontrollerade slemmet på nytt, kastade papperet i toaletten och tvättade händerna. Nu hade hon en handduk att torka sig på. Hon gick ner och letade upp ett glas i köket tillsammans med en stor tom sockerdricksflaska, som hon fyllde med vatten. Det tänkte hon försöka få honom att dricka. Han fick i sig lite men protesterade, och hon lät honom lägga sig ner igen. Fem minuter senare gjorde hon ett nytt försök. Hon fortsatte tills hon inte trodde att han kunde få i sig mer utan att kräkas.

Med jämna mellanrum började han hosta, och då lyfte hon upp honom och stödde honom med ena armen, medan hon dunkade honom i ryggen med den andra för att få slemmet att lossna i bröstet. Han öppnade ögonen flera gånger och tycktes notera hennes närvaro utan oro eller förvåning — eller för den delen tacksamhet. Hon torkade av honom igen och var noga med att genast lägga filten över den kroppsdel som just hade svalkats av.

Hon såg att det hade börjat mörkna och gick ner i köket och hitta-
de strömbrytaren. Lamporna och den gamla elektriska spisen funge-
rade. Hon öppnade en burk soppa med kyckling och ris och värmde
den och gick upp och väckte honom. Han fick i sig några skedar. Hon
passade på när han vaknade till lite och frågade om han hade några
värktabletter. Han nickade men blev sen mycket förvirrad när han
skulle försöka tala om var. "I papperskorgen", sa han.

"Nej, nej", sa hon. "Du menar väl inte papperskorgen?"

"I – i –"

Med händerna försökte han visa vad han menade. Tårarna steg ho-
nom i ögonen.

"Strunt i det", sa Johanna. "Strunt i det."

Febern gick ner i alla fall. Han sov en timme eller mer utan att hos-
ta. Sen blev han varm igen. Vid det laget hade hon hittat värktabletter-
na – de låg i en kökslåda tillsammans med en korkskruv och några
glödlampor och ett snörnystan – och hon fick honom att svälja ett
par. Strax fick han ett våldsamt hostanfall, men hon trodde inte att
han kräktes upp tabletterna. När han lade sig ner satte hon örat till
hans bröst och lyssnade på det väsande ljudet. Hon hade redan letat
efter senap att göra ett omslag av, men det fanns tydligen ingen. Hon
gick ner igen och värmde lite vatten och tog upp det i ett fat. Hon för-
sökte få honom att luta sig över det och gjorde ett tält av handdukar så
att han kunde andas in ångan. Han samarbetade bara någon minut,
men kanske hjälpte det – han fick upp en hel del slem.

Febern gick ner igen och han sov lugnare. Hon släpade in en fåtölj
som hon hittade i ett av de andra rummen och slumrade själv till i om-
gångar. Då och då vaknade hon och undrade var hon var, sen mindes
hon och gick upp och kände på honom – febern tycktes hålla sig nere –
och stoppade om honom filten. Som täcke åt sig själv använde hon den
eviga gamla tweedkappan som hon hade mrs Willets att tacka för.

Han vaknade. Det var redan morgon. "Vad gör du här?" sa han
med svag, hes röst.

"Jag kom igår", sa hon. "Jag har tagit hit dina möbler. De har inte kommit fram än, men de är på väg. Du var sjuk när jag kom och du har varit sjuk större delen av natten. Hur känns det nu?"

"Bättre", sa han och började hosta. Hon behövde inte lyfta honom, han satte sig upp själv, men hon gick fram till sängen och bankade honom i ryggen. När han var färdig, sa han: "Tack."

Nu kändes hans hud lika sval som hennes. Och slät – inga sträva fläckar, inga fettvalkar. Hon kunde känna revbenen på honom. Han var som en bräcklig, medtagen pojke. Han luktade majs.

"Du svalde slemmet", sa hon. "Gör inte det, det är inte bra. Här är toalettpapperet, du måste spotta ut slemmet i det. Du kan få problem med njurarna om du sväljer det."

"Det visste jag inte", sa han. "Kan du hitta kaffet, tror du?"

Kaffekokaren var svart på insidan. Hon skrubbade den så gott hon kunde och satte på kaffet. Sen tvättade hon sig och gjorde sig i ordning, medan hon undrade vad för sorts mat hon skulle ge honom. I skafferiet fanns en påse brödmix. Först trodde hon att hon skulle få blanda det med vatten, men sen hittade hon en burk mjölkpulver också. När kaffet var färdigt hade hon en plåt bröd i ugnen.

Så snart han hörde henne rumstera i köket steg han upp och gick på toaletten. Han var svagare än han trodde – han fick luta sig fram och stödja sig med handen mot vattenbehållaren. Sen hittade han lite underkläder på golvet till hallgarderoben där han förvarade rena kläder. Han hade vid det här laget räknat ut vem kvinnan var. Hon sa att hon hade kommit för att ta hit hans möbler, fastän han varken hade bett henne eller någon annan att göra det – inte alls hade bett om möblerna, bara om pengar. Han borde veta vad hon hette men han mindes det inte. Det var därför han öppnade hennes handväska som stod bredvid resväskan på golvet i hallen. Det satt en namnlapp fastsydd i fodret.

Johanna Parry, och adressen till hans svärfar på Exhibition Road.

Där låg en del saker. En tygpåse med några sedlar i. Tjugosju dollar. Ännu en påse med växel som han inte brydde sig om att räkna. En klarblå bankbok. Han öppnade den automatiskt utan att vänta sig något ovanligt.

Några veckor tidigare hade Johanna kunnat föra över hela arvet från mrs Willets till sitt bankkonto och lägga det till den summa pengar hon redan hade sparat. Hon hade förklarat för bankkamrern att hon inte visste när hon skulle kunna behöva dem.

Det var inte någon bländande summa, men den var imponerande. Den gjorde henne välbärgad. I Ken Boudreaus huvud blev namnet Johanna Parry madrasserat.

"Hade du på dig en brun klänning?" sa han när hon kom upp med kaffet.

"Ja, det hade jag. När jag kom."

"Jag trodde det var en dröm. Men det var du."

"Som i din andra dröm", sa Johanna, medan den fläckiga pannan blev blodröd. Han hade ingen aning om vad hon menade och orkade inte fråga. Kanske en dröm han hade vaknat ur när hon var här under natten – en som han inte mindes. Han hostade igen, fast lite stillsammare, och hon räckte honom toalettpapperet.

"Nå", sa hon, "var vill du ha ditt kaffe?" Hon sköt fram trästolen som hon hade flyttat för att komma åt honom bättre. "Så", sa hon. Hon lyfte honom under armarna och stack in kudden bakom hans rygg. En smutsig kudde utan örngott, men hon hade lagt en handduk över den kvällen före.

"Kan du se om det finns några cigarretter därnere?"

Hon skakade på huvudet men sa: "Jag ska titta. Jag har bröd i ugnen."

Ken Boudreau hade inte bara för vana att låna pengar, han lånade också ut. Mycket av det elände som drabbat honom – eller som han för att uttrycka det annorlunda hade hamnat i – berodde på att han inte kunde säga nej till en vän. Lojalitet. Han hade inte blivit avskedad från flygvapnet utan själv begärt att få sluta, eftersom han ville vara lojal mot den vän som hade ställts till svars för att ha förolämpat befälhavaren vid en mässfest. Och det var inte rättvist, för vid en mässfest skulle allt uppfattas som skämt och ingen borde ta illa upp. Och han hade blivit av med jobbet på gödselföretaget, eftersom han utan tillåtelse tog en av firmans lastbilar och körde över gränsen till Amerika en söndag för att hämta en kompis som hade råkat i slagsmål och var rädd för att åka fast och bli åtalad.

Den lojala inställningen till vänner gick hand i hand med svårigheten att komma överens med chefer. "Ja, sir", och "nej, sir" var inte ord som låg nära till hands för honom. Han hade inte blivit avskedad från försäkringsbolaget, men han hade blivit förbigången vid så många tillfällen att det verkade som om de ville att han skulle sluta, och till sist gjorde han det.

Drickandet hade också spelat in, det måste medges. Och en idé om att livet borde te sig mer heroiskt än vad det tycktes göra nuförtiden.

Han talade gärna om för folk att han hade vunnit hotellet på pokerspel. Han var inte mycket till spelare, men kvinnor tyckte att det lät spännande. Han ville inte erkänna att han utan att ha sett hotellet hade tagit emot det som betalning för en skuld. Och när han väl hade sett det försökte han intala sig att det skulle kunna räddas. Han tilltalades av tanken att vara sin egen chef. Han tänkte sig inte att det skulle vara något övernattningsställe – utom kanske för jägare, på hösten. Istället skulle det bli en bar med restaurang. Om han kunde skaffa en bra kock. Men innan det skedde något överhuvudtaget, skulle han bli tvungen att lägga ner en del pengar på huset. En del arbete måste göras – mer än vad han någonsin kunde göra själv, trots att han var ganska händig. Om han ägnade sig åt det han själv kunde göra under vintern och visade sina goda avsikter, trodde han kanske att han skulle kunna få ett lån av banken. Men han behövde ett mindre lån för att klara vintern, och det var här svärfadern kom in i bilden. Han skulle hellre ha vänt sig till någon annan, men det fanns ingen som kunde undvara pengarna lika lätt.

Han tyckte att det var en god idé att framställa sin begäran som ett förslag att sälja möblerna, vilket han visste att den gamle aldrig skulle komma sig för att göra. Han var diffust medveten om tidigare lån som ännu inte var återbetalda – men de summorna tyckte han sig ha rätt till, eftersom han hade försörjt Marcelle under en period då hon uppförde sig illa (innan han själv börjat göra det) och för att han accepterat Sabitha som sitt barn när han hade sina tvivel. McCauleys var också de enda han visste som hade pengar som ingen nu levande människa hade tjänat in.

Jag tog hit dina möbler.

Han kunde inte räkna ut vad det skulle innebära för hans del just nu. Han var för trött. Han ville hellre sova än äta när hon kom med nybakat bröd (men inga cigarretter). För att göra henne glad åt han lite. Sen somnade han djupt. Han vaknade bara till hälften när hon rullade över honom på ena sidan och vände på honom för att byta underlakan och sen bredde ut det utan att han behövde vakna eller stiga upp.

"Jag hittade ett rent lakan, men det är tunt som papper", sa hon. "Det luktade inte så gott så jag hängde ut det på strecket ett tag."

Senare insåg han att det han länge hört långt borta i drömmen egentligen var ljudet från tvättmaskinen. Han undrade hur det hade gått till – varmvattenberedaren var trasig. Hon måste ha värmt flera baljor med vatten på spisen. En stund senare hörde han det omisskännliga ljudet av sin egen bil som startade och körde iväg. Hon hade säkert hittat nycklarna i hans byxficka.

Hon kanske gav sig av med den enda ägodel som var värd något och övergav honom, och han kunde inte ens ringa polisen för att stoppa henne. Telefonen var avstängd, om han nu hade orkat ta sig upp och ringa.

Det var förstås en möjlighet – stöld och svek – ändå vände han sig om på det rena lakanet, som doftade prärievind och gräs, och somnade igen, fast förvissad om att hon bara hade åkt för att köpa mjölk och ägg och smör och bröd och annat som var nödvändigt för att leva drägligt – kanske till och med cigarretter – att hon snart skulle vara tillbaka och att han skulle höra henne syssla därnere. Det kändes tryggt som ett skyddsnät under honom, sänt från himlen, och det var en gåva som inte skulle ifrågasättas.

Just nu hade han problem med kvinnor i sitt liv. Egentligen två kvinnor, en yngre och en äldre (det vill säga en i hans egen ålder) som båda kände till den andras existens och var redo att slita ut ögonen på varandra. På sista tiden hade de omväxlande klagat och tjutit och försäkrat att de älskade honom.

Nu kanske också det problemet skulle lösa sig.

När Johanna handlade mat i affären hörde hon ett tåg, och när hon körde tillbaka till hotellet såg hon en bil stå parkerad vid järnvägsstationen. Innan hon ens hade stannat Ken Boudreaus bil såg hon möbellårarna stå travade på perrongen. Hon pratade med stationsföreståndaren – det var hans bil som stod där – och han var mycket förvånad och irriterad över allt fraktgodset. När hon fått honom att ge henne namnet på en man som hade lastbil – en ren lastbil, insisterade hon – och som bodde tre mil därifrån och ibland tog hand om transporter, använde hon telefonen på stationen för att ringa mannen och halvt mutade, halvt befallde honom att genast komma. Sen gjorde hon klart för stationsföreståndaren att han var tvungen att stanna kvar tills lastbilen anlände. Framemot kvällen hade lastbilen kommit och mannen och hans son lastat av alla möblerna och burit in dem på hotellet.

Nästa dag såg hon sig om ordentligt och kom fram till ett beslut.

Dagen därpå, när hon ansåg Ken Boudreau frisk nog att sitta upp och lyssna på henne, sa hon: "Det här stället kommer att sluka pengar. Stan sjunger på sista versen. Det enda vettiga är att ta allt som kan inbringa pengar och sälja det. Då menar jag inte möblerna som fraktats hit utan sådant som biljardbordet och köksspisen. Sen kan byggnaden säljas till någon som tar hand om plåten och skrotar den. Det går alltid att göra pengar på olika saker som man inte tror har något värde. Och sen – vad var det du hade tänkt göra innan du fick tag på hotellet?"

Han sa att han hade funderat på att ge sig av till British Columbia, till Salmon Arm, där han hade en vän som en gång hade lovat honom ett jobb som fruktodlingsföreståndare. Men han kunde inte komma dit, för bilen behövde nya däck och en del andra reparationer innan han kunde företa sig den långa resan, och allt han hade gick åt bara till att leva. Sen hade han fått hotellet på halsen.

"Som en snara", sa hon. "Att laga bilen och sätta på nya däck skulle säkert vara en bättre investering än det här stället. Och det vore nog inte dumt att komma iväg innan snön faller. Möblerna kan fraktas med tåg igen, så att vi kan använda dem när vi kommer fram. Vi har allt som behövs för att skapa ett hem."

"Det är inte säkert att erbjudandet står fast."

Hon sa: "Jag vet. Men det ordnar sig."

Han förstod att hon visste, och att allt skulle ordna sig. Man kunde säga att hon var specialist på det.

Inte för att han inte var tacksam. Han hade kommit till en punkt där tacksamhet inte längre var en börda utan bara något naturligt – ingen krävde ju något av honom.

Tankar om pånyttfödelse tog form i hans huvud. *Det här är den förändring jag behöver.* Han hade sagt det förut, men en dag skulle det väl ändå slå in. De milda vintrarna, doften av evigt gröna skogar och de mogna äpplena. *Allt som behövs för att skapa ett hem.*

Han har sin stolthet, tänkte hon. Det måste man ta med i beräkningen. Det var kanske bättre att aldrig nämna breven där han hade öppnat sig för henne. Innan hon for hade hon förstört dem. I själva verket hade hon förstört breven så snart hon hade läst dem tillräckligt många gånger för att kunna dem utantill, och det tog inte lång tid. Det sista hon ville var att de skulle hamna i händerna på unga Sabitha och hennes opålitliga kamrat. Särskilt det senaste brevet, där han talade om sängen och hennes nattlinne. Inte för att sådant inte fick förekomma, men det kunde uppfattas som vulgärt eller fjolligt eller löjeväckande att sätta det på pränt.

Hon tvivlade på att de skulle se mycket av Sabitha. Men hon skulle aldrig hindra honom, om det var det han ville.

Det här var verkligen ingen ny erfarenhet, den friska känslan av öppenhjärtighet och ansvar. Hon hade känt ungefär likadant för mrs

Willets – ännu en vacker, oberäknelig person som behövde omsorg och styrning. Ken Boudreau hade visat sig ha lite större behov än hon trott, och naturligtvis var det skillnad med en man, men det fanns definitivt ingenting hos honom som hon inte kunde klara av.

Efter mrs Willets hade hennes hjärta känts som en öken och hon hade trott att det alltid skulle vara så. Och nu så mycket varm uppståndelse, så mycket bubblande kärlek.

Mr McCauley dog ungefär två år efter det att Johanna gett sig av. Hans begravning var den sista som hölls i anglikanska kyrkan. Det var ganska mycket folk där. Sabitha, som nu var en sansad och söt flicka och oväntat smal, kom i sällskap med sin mammas kusin från Toronto. Hon hade en sofistikerad svart hatt och pratade inte med någon som inte först tilltalade henne. Inte ens då verkade hon ha något minne av dem.

I dödsannonsen stod det att mr McCauley efterlämnade dotterdottern, Sabitha Boudreau, svärsonen Ken Boudreau samt mr Boudreaus hustru, Johanna, och deras lille son, Omar, Salmon Arm, B.C.

Det var Ediths mamma som läste upp det – själv läste Edith aldrig lokaltidningen. Giftermålet var förstås ingen nyhet för någon av dem – inte heller för Ediths far som satt i vardagsrummet och såg på teve. Ryktet hade spridit sig. Däremot hade de inte hört talas om Omar förut.

"Att hon har fått en *baby*", sa Ediths mor.

Edith höll på med sin latinska översättning vid köksbordet. *Tu ne quaesieris, scire nefas, quem mihi, quem tibi* –

I kyrkan hade hon vidtagit försiktighetsåtgärden att inte själv tilltala Sabitha först, innan Sabitha lät bli att tilltala henne.

Hon var inte längre rädd för att bli upptäckt – fastän hon fortfarande inte kunde begripa varför de inte hade blivit avslöjade. Och på sätt och vis verkade det helt i sin ordning att de upptåg som hennes forna jag hade ställt till med inte skulle kopplas till hennes nuvarande jag – och än mindre till det äkta jag som säkert skulle träda fram när hon väl kom ifrån den här stan och alla de människor som trodde sig känna henne. Det som förfärade henne var den vändning som händelserna tagit – fantastisk, men tråkig. Och dessutom kränkande, som någon sorts skämt eller befängd varning som försökte få henne på kroken. För var någonstans på den lista över sådant som hon tänkt åstadkomma i livet fanns någon notering om att hon var ansvarig för att en person som hette Omar existerade?

Hon ignorerade modern och skrev: "Du får inte fråga, det är omöjligt för oss att veta – "

Hon stannade upp och tuggade på pennan, innan hon med en rysning av tillfredsställelse avslutade meningen, "– vad ödet har i beredskap för min del, eller för din."

Flytande bro

EN GÅNG LÄMNADE hon honom. Det direkta skälet var ganska trivialt. Han hade tillsammans med några av ungdomsbrottslingarna (UB-killarna, som han kallade dem) glufsat i sig en hel ingefärskaka som hon just hade bakat och tänkt servera efter ett möte den kvällen. Utan att någon märkte det – åtminstone inte Neal och UB-killarna – lämnade hon huset och gick och satte sig i en väntkur på huvudgatan, där bussen till stan stannade två gånger om dagen. Hon hade aldrig förut varit därinne, och det skulle dröja ett par timmar innan bussen kom. Hon satt och läste allting som stod skrivet eller inristat i träväggarna. Olika initialer älskade varandra "4 ever". Laurie G. var rövslickare. Dunk Cultis var bög. Det var mr Garner också (Math).

Stick åt helvete H.W. Gänget rular. Skejta eller dö. Gud hatar snuten. Kevin S. är dödens. Amanda W. är söt och vacker och jag önskar att hon inte satt i fängelse för jag saknar henne av hela mitt hjärta. Jag vill knulla V.P. Damerna får stå här och läsa alla vidriga saker ni skriver.

När Jinny satt och tittade på denna spärreld av mänskliga budskap – och länge funderade över den innerliga och mycket prydligt skrivna meningen om Amanda W., undrade hon om folk var ensamma när de skrev sådant. Och så fantiserade hon om hur hon själv satt här eller på en liknande plats och väntade på en buss, ensam, som hon säkert skulle förbli om hon satte sina planer i verket. Skulle hon då bli tvungen att lämna meddelanden på offentliga platser?

Just nu kände hon sig besläktad med människor i en sådan situation – kanske berodde det på vreden eller den futtiga indignationen (var den möjligen futtig?) och på upphetsningen över att hon gjorde

Neal detta, gav igen. Men det liv som hon höll på att kasta sig in i skulle kanske inte rymma någon att vara arg på eller någon som hon kunde ställa krav på, någon som överhuvudtaget brydde sig om vad hon gjorde och kände sig glad eller bestraffad eller påverkad av det. Det var kanske ingen som skulle komma att bry sig om hennes känslor, fastän de vällde fram inom henne och tryckte på både hjärta och lungor.

Hon var ju trots allt inte en person som människor flockades kring här i världen. Ändå var hon på sitt sätt kräsen.

Bussen hade fortfarande inte dykt upp när hon reste sig och gick hem.

Neal var inte hemma. Han körde pojkarna tillbaka till skolan, och när han så småningom kom tillbaka hade det redan börjat dyka upp folk till mötet. Senare, när hon hade kommit över det och kunde skämta om saken, berättade hon vad hon hade gjort. Det blev till och med något hon många gånger berättade för andra – även om hon ute-lämnade eller bara allmänt beskrev de saker hon hade läst på väggen.

"Skulle du nånsin ha kommit på tanken att hämta mig?" sa hon till Neal.

"Självklart. Med tiden."

Onkologen hade ett prästerligt uppträdande och var klädd i vit rock och svart polotröja – som om han just hade hållit på att blanda och dosera något enligt konstens alla regler. Hans hy var ung och slät – som kola. Överst på hjässan hade han lite glest svart hårkrus, mycket likt det Jinny själv nu ståtade med. Fast hennes var brungrått, som muspäls. I början undrade Jinny om han möjligen kunde vara både patient och läkare. Eller kanske hade han lagt sig till med den stilen för att få patienterna att känna sig bättre till mods. Troligen var det ett transplantat. Eller också gillade han den frisyren.

Man kunde inte fråga honom. Han var från Syrien eller Jordanien eller något sådant, där läkarna höll på sin värdighet. Han var stel till sättet.

"Nåväl", sa han, "jag vill inte inge er några falska förhoppningar."

Hon lämnade den luftkonditionerade byggnaden och gick ut i den bedövande hetta som präglade augustieftermiddagen i Ontario. Ibland brände solen till, ibland höll den sig bakom tunna moln – men värmen var hela tiden lika tryckande. De parkerade bilarna, trottoaren, teglet i de andra husen, allt tycktes bokstavligen bombardera henne, som om det handlade om olika fakta som kastats fram i löjlig ordningsföljd. Hon var inte pigg på scenförändringar nuförtiden, hon ville att allt skulle vara välbekant och tryggt. Det var likadant med ny information.

Hon såg skåpbilen lämna sin plats vid trottoarkanten och leta sig nerför gatan för att plocka upp henne. Det var en metallic i ljusblått, en vämjelig färg. Ljusare blå där rostfläckarna var övermålade. På klistermärkena stod: JAG VET ATT JAG KÖR EN SKROTKÄRRA, MEN DÅ SKULLE NI SE MITT HUS, och HEDRA DIN MODER – JORDEN och (den här var ganska ny) ANVÄND OGRÄSMEDEL, SKAFFA DIG CANCER.

Neal steg ur bilen och hjälpte henne.

"Hon är i bilen", sa han. Det var något ivrigt över rösten, en diffus varning eller vädjan. En sorts surrande omkring honom, en spänning som sa Jinny att det inte var rätt tillfälle att berätta nyheten, om man nu kunde kalla det nyhet. Så fort det var någon annan i närheten förändrades Neal, han blev livligare, entusiastisk, insmickrande. Jinny stördes inte längre av det – de hade levt tillsammans i tjugoett år nu. Själv förändrades hon också – som en reaktion, trodde hon – och blev mer reserverad, en aning ironisk. Vissa förklädnader var nödvändiga eller alltför invanda för att släppas. Som Neals omoderna framtoning – pannbandet, den spretiga grå hästsvansen, den lilla örringen i guld som reflekterade ljuset på samma sätt som guldkanterna runt hans tänder och de sjabbiga bohemiska kläderna.

Medan hon var hos doktorn hade han hämtat flickan som skulle hjälpa dem nu. Han kände henne från skolan för ungdomsbrottslingar, där han var lärare och hon hade jobbat i köket. Skolan låg strax utanför stan där de bodde, ungefär tre mil härifrån. Flickan hade slutat i köket för några månader sen och tagit ett jobb på en gård, där

59

mamman var sjuk. Inte långt från den här stan, som var lite större. Nu var hon ledig, turligt nog.

"Vad hände med kvinnan?" hade Jinny frågat. "Dog hon?"

Neal sa: "Hon togs in på sjukhuset."

"Sak samma."

De fick göra en massa praktiska arrangemang på ganska kort tid. Befria vardagsrummet i huset från pärmar, tidningar och tidskrifter med viktiga artiklar som ännu inte flyttats över på diskett och som fyllt hyllorna ända upp till taket. Också de båda datorerna, den gamla skrivmaskinen, skrivaren. Alltsammans fick flyttas över till ett annat hus — tillfälligt, även om ingen sa det. Vardagsrummet fick bli sjukrum.

Jinny hade sagt till Neal att han åtminstone borde behålla en dator, i sängkammaren. Men han vägrade. Han sa det inte, men hon förstod att han inte trodde att han skulle få tid med den.

Under de år hon och Neal varit tillsammans hade nästan hela hans fritid gått åt till att organisera och genomföra kampanjer. Inte bara politiska kampanjer (sådana också) utan upprop för att bevara historiska byggnader och broar och kyrkogårdar, hindra att man högg ner träd både utmed stadsgator och på isolerade platser i gammal skog, rädda floder från giftiga utsläpp, prima mark från exploatörer och traktens befolkning från kasinon. Det skrevs ständigt brev och petitioner, departement bearbetades, affischer delades ut, protester organiserades. Vardagsrummet var scenen för glödande indignation (vilket gav människor stor tillfredsställelse, trodde Jinny), för förvirrade förslag och argument och för Neals nervösa livlighet. Och nu när det plötsligt tömdes, mindes hon då hon för första gången steg in i huset direkt från föräldrarnas souterrängvilla med draperade gardiner, och hon tänkte på alla de där hyllorna fyllda med böcker, träpersiennerna för fönstren och de vackra äkta mattorna på det lackade golvet, mattor från Mellanöstern som hon alltid glömde namnet på. Canalettolitografin som hon hade köpt till sitt rum på college på den enda lediga väggen. *Borgmästarens dag vid Themsen.* Hon hade satt upp den, fastän hon numera aldrig lade märke till den.

De hyrde en sjuksäng – den behövdes inte än, men det var bättre att passa på när det fanns möjlighet; det var ofta ont om dem. Neal tänkte på allt. Han hängde upp tunga gardiner som en god vän haft i sitt vardagsrum men kasserat. De var mönstrade med sejdlar och hästskor och Jinny tyckte att de var väldigt fula. Men hon visste nu att det kommer en tid när fult och vackert tjänar ungefär samma syfte, när det man tittar på bara är en krok där man kan hänga upp lösryckta tankar och kroppens bångstyriga reaktioner.

Hon var fyrtiotvå, och länge hade hon sett yngre ut än hon var. Neal var sexton år äldre än hon. Hon hade därför trott att hon, om allt gick i kronologisk ordning, skulle komma att hamna i den situation han nu befann sig, och hon hade ibland oroat sig över hur hon skulle klara det. En gång när hon höll honom i handen i sängen innan de somnade, hans varma och närvarande hand, hade det slagit henne att hon åtminstone någon gång skulle komma att hålla eller röra vid denna hand när han var död. Och hon skulle ha svårt att tro att det var sant, att han var död och maktlös. Oavsett hur länge de hade kunnat förutse situationen, skulle hon inte kunna tro att det var så. Tanken på att han kanske innerst inne inte funderat på detta ögonblick, gav henne ett slags känslomässigt svindelanfall, en förfärlig känsla av att sjunka, falla.

Och ändå fanns – en spänning. Den outsägliga spänning man känner när en galopperande katastrof lovar att befria en från allt ansvar för det egna livet. Sen måste man för skams skull samla sig och vara väldigt tyst.

"Vart tar du vägen?" hade han sagt när hon drog till sig sin hand.

"Jag ska bara vända på mig."

Hon visste inte om Neal hade liknande känslor, nu när det hade hänt henne. Hon hade frågat honom om han hade vant sig vid tanken än. Han skakade bara på huvudet.

Hon sa: "Inte jag heller."

Sen sa hon. "Släpp bara inte in sorgerådgivarna. De står kanske redan och väntar. För att få förköpsrätt."

"Plåga mig inte", sa han med sällsynt vrede i rösten.

"Förlåt."

"Du behöver inte alltid sätta upp en obekymrad min."

"Jag vet", sa hon. Men eftersom det hände så mycket och det närvarande krävde så stor del av hennes uppmärksamhet, var det faktiskt svårt för henne att sätta upp någon min överhuvudtaget.

"Det här är Helen", sa Neal. "Det är hon som ska ta hand om oss från och med nu. Och hon tål inte heller några dumheter."

"Det låter bra", sa Jinny. Hon räckte fram handen när flickan väl hade satt sig. Men hon såg den kanske inte, långt nere mellan de båda främre sätena.

Eller också visste hon kanske inte hur hon skulle bete sig. Neal hade sagt att hon kom från ofattbara omständigheter, en fullkomligt barbarisk familj. Där hade pågått saker och ting som man inte trodde existerade i vår tid. En isolerad gård, en död mamma, en mentalt efterbliven dotter och en tyrannisk, störd och incestuös gammal pappa plus de båda flickorna. Helen, den äldsta, hade rymt sin väg vid fjorton års ålder sen hon klått upp den gamle. Hon hade sökt skydd hos en granne som ringt polisen, polisen hade kommit och hämtat den yngre systern och båda hade blivit omhändertagna av barnavårdsmyndigheterna. Den gamle mannen och hans dotter – det vill säga deras far och mor – sattes båda på psyket. Fosterföräldrar tog hand om Helen och hennes syster, som var mentalt och fysiskt normala. De fick gå i skolan, men hade det inte lätt eftersom de hamnade i första klass. Båda lärde sig dock tillräckligt för att kunna börja arbeta.

När Neal hade startat bilen började flickan prata.

"Ni har verkligen valt en varm dag att ge er ut", sa hon. Det var säkert sådant som hon hade hört folk säga när de skulle inleda ett samtal. Tonen var hård och klanglös, fientlig och misstrogen, men Jinny visste vid det här laget att inte ens det skulle uppfattas personligt. Det var bara så vissa människor – särskilt landsortsfolk – lät i den här delen av världen.

"Om det är för varmt kan du sätta på luftkonditioneringen", sa

Neal. "Det är den gammaldags typen – rulla bara ner rutorna."

Vid nästa korsning svängde de åt ett håll som Jinny inte hade väntat.

"Vi måste till sjukhuset", sa Neal. "Ingen panik nu. Helens syster arbetar där och det är en sak som Helen vill hämta. Eller hur, Helen?"

Helen sa: "Visst. Mina finskor."

"Helens finskor." Neal slängde en blick i backspegeln. "Miss Helen Rosies finskor."

"Jag heter inte Helen Rosie", sa Helen. Det verkade inte vara första gången hon sa det.

"Jag kallar dig bara så för att du har rosiga kinder", sa Neal.

"Det har jag inte alls."

"Det har du visst. Har hon inte, Jinny? Jinny håller med mig, du har ett rosigt ansikte. Miss Helen Rosie."

Flickan hade verkligen fin och skär hy. Jinny hade också lagt märke till de nästan vita ögonbrynen och fransarna, det blonda silkeslena håret och munnen, som inte bara för att den saknade läppstift verkade egendomligt naken. Hon hade ett nykläckt utseende, som om hon ännu skulle ömsa skinn och håret skulle växa ut och bli grövre. Hon hade säkert lätt att få utslag och infektioner, skrapsår och blåmärken, sår kring munnen och vaglar mellan de vita ögonfransarna. Ändå såg hon inte bräcklig ut. Axlarna var breda, hon var smal men inte finlemmad. Inte heller såg hon dum ut, fast ansiktsuttrycket var rättframt, som hos en kalv eller ett rådjur. Hos henne låg säkert allting på ytan, och hela hennes personlighet och uppmärksamhet riktades direkt emot en med en oskuldsfull och – i Jennys ögon – obehaglig kraft.

De var på väg uppför den långa backen mot sjukhuset – det var där Jinny hade blivit opererad och genomgått sin första cellgiftsbehandling. Mittemot sjukhuset låg en kyrkogård. När de tidigare var inne i den här stan för att handla eller någon sällsynt gång gå på bio och körde vägen förbi, sa Jinny alltid något i stil med: "Vilken deprimerande syn" eller "Här har de låtit det praktiska gå för långt".

Nu satt hon tyst. Hon stördes inte av kyrkogården. Det spelade ingen roll, kände hon.

Neal förstod nog också det. Han tittade i backspegeln och sa: "Hur många döda människor tror ni att det ligger på den där kyrkogården?"

Helen sa ingenting på ett tag. Sen svarade hon i ganska butter ton: "Jag vet inte."

"*Alla* där är döda."

"Jag gick också på det", sa Jinny. "Det är en kuggfråga."

Helen svarade inte. Hon hade kanske aldrig råkat ut för någon kuggfråga förr.

De körde upp till sjukhusets huvudentré och svängde sen på Helens anvisningar runt till baksidan. Människor i sjukhuskläder, en del med en droppställning på släp, stod ute och rökte

"Ser ni den där bänken", sa Jinny. "Äsch, strunt i det nu, vi har redan åkt förbi. Där finns en skylt — TACK FÖR ATT NI INTE RÖKER. Bänken står där för att folk som kommer ut från sjukhuset och promenerar ska ha nånstans att sitta. Men varför går de ut? För att röka. Är det inte meningen att de ska få sitta då? Jag förstår det inte."

"Helens syster jobbar i tvätteriet", sa Neal. "Vad heter hon, Helen?"

"Lois", sa Helen. "Stanna här. Just det, här."

De stod på en parkeringsplats bakom ett annex till sjukhuset. Det fanns inga dörrar i entréplanet utom en lastport som var väl stängd. På de övriga tre våningarna vette dörrarna ut mot en brandtrappa.

Helen steg ur.

"Hur tar du dig in?" sa Neal.

"Inga problem."

Brandtrappan slutade halvannan meter ovanför markytan, men hon grep tag i räcket och hävde sig upp. Kanske tog hon stöd mot en lös tegelsten, men hon var uppe på några sekunder. Jinny förstod inte hur hon bar sig åt. Neal skrattade.

"Stick och hämta dem", sa han.

"Finns det ingen annan ingång?" sa Jinny.

Helen hade sprungit upp till tredje våningen och försvunnit.

"Om det gör det tänker hon inte använda den", sa Neal.

"Mycket företagsam", sa Jinny ansträngt.

"Annars skulle hon aldrig ha kunnat bryta sig ut", sa han. "Hon behövde all den företagsamhet hon kunde uppamma."

Jinny hade en stor stråhatt på sig. Hon tog av den och började fläkta sig.

Neal sa: "Det finns tyvärr ingen skuggig plats att parkera på. Hon kommer säkert snart."

"Ser jag konstig ut?" sa Jinny. Han var van vid frågan.

"Det är jättebra. Förresten är det ingen som ser dig här."

"Läkaren jag träffade idag var inte samme som förut. Den här mannen hade nog mer att säga till om. Det lustiga var att han hade en skalp som såg ut ungefär som min. Han vill kanske att patienterna ska känna sig bättre till mods."

Hon hade tänkt tala om vad doktorn sagt, men han avbröt henne: "Hennes syster är inte lika klipsk som hon. Helen tar liksom hand om henne och bestämmer. Det där med skorna är typiskt. Kan hon inte köpa egna skor? Hon har inte ens ett eget hem – hon bor kvar hos familjen som tog hand om dem, ute på landet nånstans."

Jinny brydde sig inte om att fortsätta. Hon fläktade sig med hatten och orkade inte mycket mer. Han iakttog huset.

"Hoppas nu för Guds skull att de inte ger henne en överhalning för att hon smet in bakvägen", sa han. "Bröt mot reglerna. Såna regler är bara inte gjorda för henne."

Efter flera minuter gav han ifrån sig en vissling.

"Nu kommer hon. Här är hon. Hon är inne på upploppet. Har-hon-eller-har-hon-inte vett nog att stanna innan hon hoppar? Se sig för innan hon tar språnget? Ska-hon-ska-hon-inte – nix. Nej. Oj-*oj*."

Helen hade inte några skor i handen. Hon hoppade in i bilen och slog igen dörren och sa: "Idioter. Så fort jag kom upp stod det en korkad mänska i vägen. Var har du din namnskylt? Du måste ha namnskylt. Du kommer inte in här utan namnskylt. Jag såg att du tog dig in genom brandtrappan, så får du inte göra. Okej, okej, jag måste träffa min syster. Du kan inte träffa henne nu, hon har inte rast. Jag vet, det var därför jag tog brandtrappan, jag skulle bara hämta en sak. Jag vill inte prata med henne, jag tänker inte störa henne, jag ska bara hämta en sak. Men det går inte. Jo det går. Nej det går inte. Och sen börjar jag ropa *Lois. Lois.* Alla fläktar igång och det är hundra grader därinne, svetten rinner nerför ansiktet på folk och jag ropar *Lois Lois.* Jag vet inte var hon är eller om hon kan höra mig. Men hon kommer utrusande och så fort hon får se mig – Åh, helvete, helvete, säger hon, jag har glömt. *Hon glömde ta med sig skorna.* Jag ringde till henne igår kväll och påminde men där står hon och har *glömt.* Jag kunde ha klått upp henne. Nu ger du dig iväg, säger han. Gå nerför trappan och försvinn. Inte brandtrappan, det är förbjudet. Åt helvete med honom."

Neal skrattade och skrattade och skakade på huvudet.

"Jaså, det gjorde hon. Glömde dina skor hemma."

"Ute hos June och Matt."

"Vilken tragedi."

Jinny sa: "Kan vi köra nu så vi får lite luft? Det hjälper inte att fläkta sig."

"Visst", sa Neal. Han backade och vände, och återigen körde de förbi den välbekanta entrén med samma eller nya rökare på parad i trista sjukhuskläder och med droppställningar på släp. "Helen får tala om vart vi ska åka."

Han ropade mot baksätet. "Helen?"

"Vadå?"

"Hur kör vi för att komma till de där mänskorna?"

"Vilka mänskor?"

"Där din syster bor. Där skorna är. Tala om hur vi kommer dit."

"Vi ska inte åka dit så det säger jag inte."

Neal vände och körde samma väg som de kommit.

"Jag kör åt det här hållet tills du talar om var det är. Är det bättre att köra ut på motorvägen? Eller in till stan? Var tar vi av?"

"Ingenstans. Vi ska inte dit."

"Det är väl inte så långt? Varför kan vi inte åka dit?"

"Ni har gjort mig en tjänst och det räcker." Helen lutade sig så långt fram hon kunde mellan Neal och Jinny. "Ni har redan kört till sjukhuset och det räcker väl? Ni behöver inte ta långa omvägar för min skull."

De saktade farten och svängde in på en sidogata.

"Det här är löjligt", sa Neal. "Det är tre mil ut till oss och du kommer kanske inte tillbaka på ett tag. Du behöver skorna."

Inget svar. Han försökte igen.

"Eller kan du inte vägen? Vet du inte hur man kör härifrån?"

"Jo, det vet jag, men jag säger det inte."

"Då får vi bara köra runt. Runt, runt, tills du vill tala om det för oss."

"Ja, jag tänker inte tala om det."

"Vi kan åka tillbaka och fråga din syster. Hon säger det nog. Och hon slutar säkert snart, så att vi kan köra henne hem."

"Hon jobbar sent skift idag, ha, ha."

De for genom en del av stan som Jinny inte hade sett förut. De körde mycket långsamt och svängde hela tiden, så att de knappt fick in någon frisk luft i bilen. En tillbommad fabrik, lågprisaffärer, pantlånare. PENGAR, PENGAR, PENGAR stod det på en blinkande skylt ovanför gallerförsedda fönster. Men det fanns också en del, slitna gamla tvåfamiljshus och den sortens enkla trähus som snabbuppfördes under andra världskriget. En liten trädgård var full av saker till försäljning – kläder som hängde på ett streck, bord med travar av porslin och bohag. En hund nosade omkring under ett bord och kunde ha vält det, men kvinnan som satt på trappan och rökte och övervakade bristen på kunder, verkade likgiltig.

Utanför en affär vid ett hörn stod några barn och sög på klubbor. En pojke i utkanten av gruppen – han var säkert inte mer än fyra eller fem år gammal – kastade sin klubba på bilen. Ett överraskande kraftigt kast. Klubban slog i bildörren strax nedanför Jinnys arm och hon gav till ett litet skrik.

Helen stack ut huvudet genom bakrutan.

"Akta så att jag inte vrider om armen på dig!"

Barnet började tjuta. Han hade inte räknat med Helen, och han hade kanske inte heller räknat med att klubban skulle vara borta för gott.

Från baksätet sa Helen till Neal:

"Du slösar bara på bensin."

"Norr om stan?" sa Neal. "Söder om stan? Norr söder öster väst, säg vad som är bäst."

"Ni har redan gjort tillräckligt för mig idag har jag ju sagt."

"Och jag har sagt att vi ska hämta de där skorna innan vi åker hem."

Oavsett hur bestämd Neal lät, log han. Ansiktet hade ett lätt fånigt uttryck, medvetet hjälplöst. Han var fylld av lycksalighet. Neals hela varelse svämmade över av fånig lycksalighet.

"Du ger dig inte", sa Helen.

"Nej, vänta bara ska du få se."

"Jag är också envis, lika envis som du."

Jinny tyckte sig känna Helens blossande kind nära sin egen. Och hon kunde absolut höra flickans andning, hes och tjock av spänning och med vissa tecken på astma. Det var som om Helen var en huskatt som aldrig borde ha fått följa med i bilen, en katt som var alltför överspänd för att ha förstånd, alltför benägen att hoppa fram mellan sätena.

Solen brände till mellan molnen igen. Den stod fortfarande blänkande högt på himlen.

Neal svängde in på en gata, kantad av kraftiga gamla träd och något mer respektabla hus.

"Känns det bättre här?" sa han till Jinny. "Skönare i skuggan?" Han talade med låg och förtrolig röst, som om det som pågick med flickan bara var dumheter och ett ögonblick kunde lämnas därhän.

"Vi tar den natursköna vägen", sa han och riktade sig återigen mot baksätet. "Idag tar vi den vägen, som en hyllning till miss Helen Rosie."

"Vi skulle kanske bara åka nu", sa Jinny. "Så att vi kommer hem nån gång."

Helen avbröt henne i häftig ton: "Jag vill inte hindra nån från att komma hem."

"Då kan du bara tala om hur vi ska köra", sa Neal. Han ansträngde sig att låta behärskad och tala i nykter ton. Och att dölja leendet som hela tiden spred sig över ansiktet, hur han än försökte hindra det. "Vi åker bara dit och uträttar vårt ärende och sen fortsätter vi hem."

Ett halvt kvarter senare i långsam takt stönade Helen:

"Om jag måste så måste jag väl", sa hon.

De behövde inte åka långt. De passerade ett tomtområde och Neal vände sig till Jinny igen och sa: "Ingen bäck som jag kan se. Inga hus heller."

Jinny sa: "Va?"

"Silverbäckens bostadsområde. På skylten."

Han måste ha sett en skylt som hon inte hade lagt märke till.

"Sväng", sa Helen.

"Vänster eller höger."

"Vid bilskroten."

De körde förbi ett skrotupplag där bilvraken bara delvis doldes av ett sviktande plåtstaket. Sen fortsatte de uppför en backe och förbi grindarna in mot ett grustag som bildade ett stort hål mitt i kullen.

"Där är det. Det är deras brevlåda däruppe", ropade Helen och lät lite viktig, och när de kom tillräckligt nära läste hon namnet.

"Matt och June Bergson. Det stämmer."

Ett par hundar kom rusande nerför den korta uppfarten och skällde på dem. En var stor och svart och en var liten och ljusbrun, valpaktig. De sprang runt hjulen och Neal tutade på dem. Sen kom ännu en hund långsamt glidande genom det höga gräset, slugare och mer målmedveten, slät i pälsen och med blåaktiga fläckar.

Helen ropade åt dem att hålla tyst, lägga sig ner, dra åt helvete.

"Ni behöver inte bry er om nån annan än Pinto", sa hon. "De andra två är riktiga fegisar."

De stannade på en bred, illa avgränsad öppen plats där det låg lite grus. På ena sidan fanns en plåtklädd lada eller något slags verktygsskjul, och bortom den, i utkanten av ett majsfält, en övergiven bondgård där det mesta av teglet var borttaget och mörka träväggar lyste fram. Det hus som tjänade som bostad nu var en husvagn, prydligt iordninggjord med en uteplats, en markis och en blomsterodling bakom något som såg ut som ett leksaksstaket. Husvagnen och trädgården gav ett prydligt intryck, medan resten av tomten var översållad av föremål som antingen användes till något eller också bara fick ligga kvar och rosta eller ruttna.

Helen hade hoppat ut och gett hundarna en örfil. Men de fortsatte att springa omkring och hoppa och skälla på bilen, till dess att en man kom ut ur skjulet och ropade något till dem. Hotelserna och namnen han ropade var inte begripliga för Jinny, men hundarna lugnade sig.

Jinny satte på sig hatten. Hon hade suttit och hållit den i handen hela tiden.

"De måste bara visa sig duktiga", sa Helen.

Neal hade också gått ur bilen och pratade nu i bestämd ton med hundarna. Mannen från skjulet kom emot dem. Han hade en lila T-shirt som var våt av svett och klibbade fast vid bröstet och magen. Han var fet nog att ha bröst, och man såg hur hans navel stack ut, som på en gravid kvinna. Den vilade som en stor nåldyna på hans mage.

Neal sträckte fram handen och gick och hälsade på honom. Mannen slog sin egen hand mot arbetsbyxorna, skrattade och skakade Neals. Jinny kunde inte höra vad de sa. En kvinna kom ut ur husvagnen och öppnade leksaksgrinden och stängde den bakom sig.

"Lois gick och glömde att hon skulle ta med sig mina skor", ropade Helen till henne. "Jag ringde henne och påminde men hon gick och glömde i alla fall, så mr Lockyer körde mig hit för att hämta dem."

Kvinnan var också tjock, men inte lika tjock som mannen. Hon hade en skär tältklänning med aztekiska solar på och håret var guldstrimmigt. Hon gick över gruset med samlad och hjärtlig min. Neal vände och presenterade först sig själv och sen Jinny i bilen.

"Trevligt att träffas", sa kvinnan. "Ni är väl den damen som inte mår så bra?"

"Det är ingen fara", sa Jinny.

"Ja, nu när ni är här måste ni komma in. Slippa undan värmen lite."

"Åh, vi skulle bara åka förbi", sa Neal.

Mannen hade kommit närmare. "Vi har luftkonditionering därinne", sa han. Han inspekterade bilen och minen var fryntlig men föraktfull.

"Vi kom bara för att hämta skorna", sa Jinny.

"Ni får göra mer än det nu när ni är här", sa kvinnan – June – och skrattade, som om det var en skandalös tanke att de inte skulle komma in. "Kom bara in och vila lite."

"Vi vill inte störa er mitt i kvällsmaten", sa Neal.

"Vi har redan ätit", sa Matt. "Vi äter tidigt."

"Men vi har massor av chili con carne kvar", sa June. "Ni måste komma in och hjälpa till och äta upp maten."

Jinny sa: "Åh, tack. Men jag tror inte jag kan äta nånting. Jag blir inte hungrig när det är så här varmt."

"Då får ni dricka nånting istället", sa June. "Vi har sockerdricka, Coca-Cola. Vi har persikobrännvin."

"Öl", sa Matt till Neal. "Vill du ha en Blue?"

Jinny viftade till sig Neal.

"Jag klarar det inte", sa hon. "Säg bara det."

"Du får inte såra deras känslor", viskade han. "De vill bara vara snälla."

"Men jag orkar inte. Du kanske kan gå med."

Han böjde sig närmare. "Du vet hur det ser ut om du inte kommer. Det verkar som om du är för fin för dem."

"Gå du."

"Det blir nog bra bara du kommer in. Luftkonditioneringen skulle göra dig gott."

Jinny skakade på huvudet.

Neal rätade på sig.

"Jinny vill stanna här i skuggan och vila."

June sa: "Men hon är välkommen att vila inne i huset – "

"Jag tar gärna en Blue", sa Neal. Han vände sig mot Jinny igen med ett spänt leende. Hon tyckte att han verkade arg och ledsen. "Är det säkert att du klarar dig själv?" sa han så att de hörde. "Säkert? Kan jag gå in ett tag då?"

"Jag klarar mig fint", sa Jinny.

Han lade ena handen på Helens axel och den andra på Junes och gick sällskapligt mellan dem bort mot husvagnen. Matt gav Jinny ett nyfiket leende och följde efter.

När han ropade på hundarna den här gången kunde Jinny höra vad de hette.

Goober. Sally. Pinto.

Skåpbilen stod parkerad under en rad pilar. Träden var stora och gamla, men bladen var smala och gav bara delvis skugga. Det var i alla fall en lättnad att bli ensam.

Tidigare idag, när de körde utmed huvudleden från staden där de bodde, hade de stannat vid vägkanten och köpt lite tidiga äpplen. Jinny tog fram ett ur påsen som stod vid hennes fötter och bet i det – mest för att se om hon kunde känna smaken och svälja och behålla lite i magen. Hon behövde något som uppvägde tanken på chili och på Matts putande navel.

Det gick bra. Äpplet var fast och syrligt, men inte för syrligt, och om hon tog små bitar och tuggade ordentligt, klarade hon det.

Hon hade sett Neal uppträda så här – eller på ett likartat sätt – några gånger förut. Det kunde handla om en pojke i skolan. Ett namn som nämndes i förbigående, till och med på ett bagatellartat sätt. En känslosam min, ett ursäktande men ändå trotsigt skratt.

Men det handlade aldrig om någon som hon måste ha i sitt hem, och det kunde aldrig bli något av det. Pojkens besök tog slut, han gick sin väg.

Det här skulle också ta slut. Det spelade ingen roll.

Hon måste undra om det skulle ha spelat mindre roll igår än vad det gjorde idag.

Hon steg ur bilen och lät dörren stå öppen så att hon kunde stödja sig mot handtaget. Allting ute var för varmt att hålla i någon längre stund. Hon måste se om hon kände sig stadig nog. Sen gick hon lite i skuggan. En del av pilbladen höll redan på att gulna. Det låg många på marken.

Hon höll sig i skuggan och tittade ut på allt som låg på gårdsplanen.

En bucklig varubil med båda lyktorna borta och namnet på sidan övermålat. En sulkyvagn med trasig sits som hundarna hade tuggat sönder, ett lass ved som bara låg dumpat på marken, en hög jättelika däck, ett stort antal plastdunkar och några oljekannor och gamla brädbitar och vid skjulet ett par hopskrynklade, orangefärgade plastpresenningar. I själva skjulet stod en stor GM-lastbil, en liten medfaren Mazda och en trädgårdstraktor, och där fanns också verktyg som var hela eller trasiga, plus lösa rattar, handtag och stänger som kanske vid behov kunde komma till användning. Så mycket prylar människor sparade på. Precis som hon haft hand om alla de där fotografierna, officiella breven, mötesprotokollen, tidningsurklippen, ett helt system som hon hade hittat på och fört över på diskett, när hon plötsligt blev tvungen att börja med cellgifter och allt fick plockas bort. Kanske slutade det med att man kastade ut hela rasket. Så kunde det gå med alla grejer här också, om Matt dog.

Det var till majsfältet hon ville gå. Majsen var så hög att den nådde henne över huvudet nu, kanske nådde den också Neal över huvudet – hon ville in i skuggan där. Med denna enda tanke i huvudet tog hon sig över gårdsplanen. De måste tack och lov ha tagit in hundarna.

Där fanns inget staket. Majsfältet tog bara slut vid gårdsplanen. Hon gick rakt in i det och följde en smal stig mellan två rader. Bladen flaxade mot ansikte och armar som remsor av oljeduk. Hon var tvungen att ta av sig hatten. På varje strå satt en kolv, som en liten inlindad baby. Där vilade en kraftig, nästan vämjelig lukt av växande grönsaker, grön stärkelse och het sav.

Det hon hade tänkt göra när hon väl kom hit in var att lägga sig ner. Ligga i skuggan av dessa stora grova blad och inte komma fram förrän hon hörde Neal ropa. Kanske inte ens då. Men raderna stod alldeles för tätt för att hon skulle kunna göra det, och hon var alldeles för upptagen av andra tankar för att göra sig besväret. Hon var alldeles för arg.

Det handlade inte om något som hänt på senare tid. Hon kom ihåg hur ett antal personer en kväll hade suttit på golvet i hennes vardags-

73

rum – eller mötesrum – och lekt en av de där allvarsamma psykologiska lekarna. En lek som skulle göra människor ärligare, få dem att tåla mer. Man skulle titta på var och en av de övriga och säga precis vad som föll en in. Och en vithårig kvinna som hette Addie Norton, en god vän till Neal, hade sagt: "Jag avskyr att behöva säga det, Jinny, men när jag tittar på dig kan jag inte låta bli att tänka – Fjäskfia."

Jinny mindes inte att hon svarade något den gången. Det skulle man kanske inte göra. Det hon nu sa, i tankarna, var: "Du säger att du avskyr att behöva säga det. Har du inte märkt att när folk påstår sig avsky att säga något, är det egentligen tvärtom? Och eftersom vi nu ska vara så ärliga, ska vi då i alla fall inte börja med att erkänna det?"

Det var inte första gången hon i tankarna gjorde denna invändning. Och dessutom påpekade för Neal vilken fars leken var. För när turen kom till Addie, var det då någon som vågade säga obehagliga saker om henne? Åh, nej. "Modig", sa de eller "Ärlig som en kalldusch". De var rädda för henne, så var det bara.

"Kalldusch", sa hon högt för sig själv i svidande ton.

Andra hade sagt vänligare saker till henne. "Blomsterbarn" eller "Madonnans källa". Hon råkade veta att den som sa det tänkte på "Manons källa" och inte Madonnans men hon rättade henne inte. Hon var ursinnig över att tvingas sitta där och lyssna på vad folk tyckte om henne. Alla hade fel. Hon var varken blyg eller fjäskig eller naturlig eller ren.

När man dog var förstås de felaktiga uppfattningarna det enda som fanns kvar.

Medan dessa tankar for genom hennes huvud hade hon gjort det man lätt gör i ett majsfält – gått vilse. Hon hade passerat en rad och ytterligare en och troligen snurrat runt några gånger. Hon försökte ta sig tillbaka samma väg som hon kommit, men det var tydligen inte rätt. Solen hade återigen gått i moln, så hon kunde inte säga i vilken riktning väster låg. Hon hade inte heller haft någon uppfattning om väderstrecken när hon kom in på fältet, så det skulle ändå inte ha hjälpt. Hon stod stilla och hörde ingenting annat än det viskande majsfältet och avlägsen trafik.

Hennes hjärta dunkade, precis som vilket hjärta som helst som hade åratals liv framför sig.

Då öppnades en dörr, hon hörde hundarna skälla och Matt ropa och en dörr som slog igen. Hon banade sig väg mellan majsplantorna i riktning mot ljudet.

Och det visade sig att hon inte alls hade gått långt. Hon hade hela tiden snott runt i ett litet hörn av fältet.

Matt vinkade åt henne och kallade till sig hundarna.

"Ta det lugnt, ta det lugnt", hojtade han. Han var på väg mot bilen precis som hon, fast från ett annat håll. När de kom närmare varandra sa han med lägre och kanske förtroligare röst:

"Du borde ha kommit och knackat på."

Han trodde att hon hade gått ut på fältet för att kissa.

"Jag sa just till din man att jag skulle gå och se hur du hade det."

Jinnny sa: "Det är bra, tack." Hon satte sig i bilen men lät dörren stå öppen. Han skulle kanske bli sårad om hon stängde den. Dessutom orkade hon inte.

"Han fick i sig den där chilin."

Vem talade han om?

Neal.

Hon darrade och svettades och det surrade i huvudet, som om hon hade en ståltråd spänd mellan öronen.

"Jag kan hämta lite, om du vill."

Hon skakade på huvudet och log. Han höjde ölflaskan han hade i handen – som om han skålade för henne.

"Vill du ha nåt att dricka?"

Hon skakade på huvudet igen och log.

"Inte ens vatten? Vi har gott vatten här."

"Nej, tack."

Om hon vände på huvudet och tittade på hans lila navel skulle hon må illa.

"Har du hört den här", sa han i en annan ton. En lättsam, skrockande ton. "Det var en kille som gick ut genom dörren med en hästsko i handen. Och så sa pappan till honom: 'Vart ska du ta vägen med den hästskon?'

'Jo, jag ska fånga en ko', säger killen.

'Du kan väl inte fånga en ko med en hästsko.'

Och nästa morgon kommer killen tillbaka med den finaste ko man nånsin sett. 'Titta, här kommer jag med en ko.' Och så ställer han den i ladan."

Jag vill inte väcka falska förhoppningar. Vi får inte bli för optimistiska. Men det ser ut som om vi har fått en del oväntade svar här.

"Dan därpå är killen på väg ut igen med en fälg under armen. 'Vart är du nu på väg', frågar pappan.

'Jo, jag hörde att mamma ville ha älg till middag.'

'Din satans idiot, tror du att du kan fånga älg med en fälg?'

'Vänta och se.'

Nästa morgon kommer killen tillbaka med en älgstek till middan."

Det ser ut som om tumören har krympt avsevärt. Det var förstås det vi hoppades men vi vågade uppriktigt sagt inte vänta oss något. Och jag menar inte att kampen är över, bara att det är ett gott tecken.

"Pappan vet inte vad han ska säga. Nästa kväll ser han sonen ge sig iväg med en bunt sälg i handen."

Ett ganska gott tecken. Vi kan inte säkert säga om det blir problem längre fram, men vi kan säga att vi är försiktigt optimistiska.

"'Vad är det du har i handen?'

'Jo, det är sälg.'

'Okej', säger pappan. 'Du kan väl i alla fall inte fånga älg med sälg? Men vänta på mig, jag ska bara hämta mössan så följer jag med!'"

"Jag orkar inte", sa Jinny högt.

Det var doktorn hon tilltalade, i tanken.

"Va?" sa Matt. En förorättad och barnslig min spred sig över hans ansikte medan han ännu skrockade. "Vad är det nu för fel?"

Jinny skakade på huvudet och tryckte handen för munnen.

"Det var bara en rolig historia", sa han. "Det var inte meningen att du skulle bli ledsen."

Jinny sa: "Nej, nej. Jag — nej."

"Strunt samma, jag går in. Jag ska inte hindra dig längre." Och så vände han henne ryggen utan att ens bry sig om att kalla på hundarna.

Hon hade inte sagt något till doktorn. Varför skulle hon ha gjort det? Ingenting var hans fel. Men det var sant. Hon orkade inte. Det han sa gjorde allting svårare. Det tvingade henne att gå tillbaka ett år i tiden och börja om igen. Det raderade ut en viss blygsam frihet. En matt, skyddande hinna som hon inte ens visste fanns hade ryckts undan och lämnat henne naken.

Att Matt trodde att hon gått ut på majsfältet för att kissa fick henne att inse att hon faktiskt behövde göra det. Hon gick ur bilen, ställde sig försiktigt med benen isär och lyfte på den vida bomullskjolen. Nu i sommar hade hon börjat gå i långa kjolar utan trosor under, eftersom hon inte längre hade full kontroll över blåsan.

En mörk ström sipprade ur henne och bort genom gruset. Solen hade gått ner, kvällen kom smygande. Himlen var klar och molnen hade skingrats.

En av hundarna skällde halvhjärtat för att tala om att någon närmade sig, men det var någon de kände. De hade inte kommit bort och stört henne när hon gick ur bilen — de var vana vid henne nu. De sprang iväg och mötte utan upphetsning den som kom.

Det var en pojke eller yngling som kom på cykel. Han svängde in mot skåpbilen och Jinny gick fram och mötte honom med ena handen som stöd mot den avsvalnade men ännu varma plåten. Hon ville inte att han skulle tilltala henne över pölen som hon hade lämnat efter sig. Det var hon som först sa något, kanske för att avleda hans blick från marken.

Hon sa: "Hej, ska du leverera nånting?"

Han skrattade, hoppade av cykeln och lade den på marken, allt i en rörelse.

"Jag bor här", sa han. "Jag kommer just från jobbet."

Hon tyckte att hon borde förklara vem hon var, berätta hur hon hade kommit hit och hur länge hon skulle stanna. Men det var för komplicerat. När hon stod där och hängde mot skåpbilen, såg hon säkert ut som någon som just stigit ur ett bilvrak.

"Jo, jag bor här", sa han. "Men jag jobbar på en restaurang i stan. På Sammy's."

Var han kypare? Den kritvita skjortan och de svarta byxorna tydde på det. Och minen var typisk, tålmodig och alert.

"Jag heter Jinny Lockyer", sa hon. "Helen. Helen är – "

"Visst, jag vet", sa han. "Det är dig Helen ska jobba hos. Var är Helen?"

"I huset."

"Har de inte bjudit in dig?"

Han var ungefär i Helens ålder, trodde hon. Sjutton eller arton. Smal och charmig och lite stöddig, med en frimodig entusiasm som säkert inte skulle få honom att komma så långt som han hoppades. Hon hade sett en del sådana som slutat som ungdomsbrottslingar.

Men han tycktes ha en förmåga att förstå. Han förstod tydligen att hon var utmattad och hade det jobbigt på något sätt.

"Är June också därinne?" sa han. "June är min mamma."

Hans hår var som Junes, guldstrimmor i det mörka. Det var ganska långt, med mittbena som fick det att falla åt båda håll.

"Matt också?" sa han.

"Och min man. Ja."

"Det var synd om dig."

"Nejdå", sa hon. "De frågade om jag ville komma in. Jag sa att jag hellre väntar här."

Neal brukade ibland ta med sig några av UB-killarna hem så att de fick klippa gräset eller måla eller snickra med något enkelt. Han tyckte att det var bra för dem att få komma hem till folk. Jinny hade ibland flörtat med dem på ett sätt som hon aldrig kunde anklagas för. Hon talade bara i vänlig ton, markerade sina mjuka kjolar och sin doft av äppeltvål. Det var inte därför Neal hade slutat ta hem dem. Han hade fått veta att det var emot reglementet.

"Hur länge har du väntat då?"

"Jag vet inte", sa Jinny. "Jag har ingen klocka."

"Inte?" sa han. "Det har inte jag heller. Men det är sällan jag träffar någon annan som inte har det. Har du aldrig haft klocka?"

"Nej, aldrig", sa hon.

"Inte jag heller. Aldrig. Jag har aldrig velat ha nån. Jag vet inte varför. Aldrig velat ha nån. Jag har liksom ändå alltid vetat vad klockan är. På några minuter när. Högst fem. Och jag vet var det finns klockor. När jag cyklar in till jobbet, tänker jag att jag måste kolla vad klockan är, bara för att vara säker. Jag vet precis var jag ser första skymten av klockan på domstolsbyggnaden. Och det stämmer alltid på tre, fyra minuter när. Ibland kan det vara nån gäst som frågar om jag vet hur mycket klockan är, och då talar jag om det. De märker inte ens att jag inte har nån klocka på mig. Jag kollar så fort jag kan på klockan i köket. Men jag har aldrig behövt gå in och säga att jag hade fel, inte en enda gång."

"Så har jag också gjort ibland", sa Jinny. "Man utvecklar nog en känsla om man aldrig har klocka på sig."

"Visst gör man det."

"Hur mycket tror du klockan är nu då?"

Han skrattade och tittade på himlen.

"Den närmar sig åtta. Sex, sju minuter i åtta? Fast jag har ett övertag. Jag vet när jag slutade jobba och sen köpte jag lite cigarretter på 7-Eleven och snackade med några killar ett tag innan jag cyklade hem. Du bor inte i stan va?"

Jinny sa nej.

"Så var bor du då?"

Hon talade om det.

"Är du trött? Vill du åka hem? Ska jag gå in och säga till din man att du vill hem?"

"Nej. Gör inte det", sa hon.

"Okej då. Då gör jag inte det. June håller säkert på att spå dem därinne. Hon kan läsa i handen."

"Kan hon?"

"Visst. Hon är inne på restaurangen ett par gånger i veckan. Te också. Teblad."

Han lyfte upp cykeln och ledde den ur vägen för bilen. Sen tittade han in genom rutan på förarsidan.

"Nycklarna sitter i", sa han. "Vill du att jag ska köra hem dig, eller? Jag kan lägga min cykel därbak. Din man kan få Matt att köra hem honom och Helen när de är klara. Eller om det ser ut som om Matt inte kan, gör June det. June är min mamma men Matt är inte min pappa. Du kör inte själv, va?"

"Nej", sa Jinny. Hon hade inte kört på månader.

"Nej. Jag trodde väl det. Men jag kör dig om du vill."

"Det här är en väg jag brukar ta. Den är lika snabb som motorvägen."

De hade kört förbi tomtområdet och till och med svängt åt andra hållet, in på en väg som tycktes leda runt grustaget. Nu var de i alla fall på väg västerut, mot den ljusaste delen av himlen. Ricky — som han sa att han hette — hade ännu inte tänt billyktorna.

"Här behöver man inte riskera att möta nån", sa han. "Jag tror inte att jag nånsin har mött en enda bil på den här vägen. Det är inte så många som ens känner till den. Och om jag skulle sätta på ljuset, skulle himlen mörkna och allting omkring också så att man inte ser var man är. Vi väntar lite till, och sen när det blir så mörkt att vi ser stjärnorna, då tänder vi lyktorna."

Himlen var som mycket svagt färgat rött eller gult eller grönt eller blått glas, beroende på vart man vände blicken.

"Är det okej?"

"Visst", sa Jinny.

Buskarna och träden skulle flyta ihop när lyktorna väl tändes. De skulle bara se svarta konturer utmed vägen och mörka träd som skockade sig i bakgrunden istället för, som nu, en och annan urskiljbar gran och ceder, ett fjädrigt lärkträd eller en vildbalsamin med blommor som blinkande eldslågor. Det såg ut som om de var så nära att man kunde röra vid dem. Hon stack ut handen.

Inte riktigt. Men nära. Vägen verkade inte bredare än bilen.

Hon tyckte sig se ett fyllt dike glänsa längre fram.

"Finns det vatten därnere?" frågade hon.

"Därnere?" sa Ricky. "Både där och överallt. Vi har vatten på båda sidor om oss och under också på flera ställen. Vill du se?"

Han saktade farten. Han stannade. "Titta nu på din sida", sa han. "Öppna dörren och titta ner."

När hon gjorde det, såg hon att de befann sig på en bro. En liten bro som inte var mer än tre meter lång, gjord av korslagda plankor. Inga räcken. Och orörligt vatten under.

"Här finns broar överallt", sa han. "Och där det inte är broar är det kulvertar. För vattnet flyter ständigt av och an under vägen. Eller ligger bara där utan att flyta någonstans."

"Hur djupt?" sa hon.

"Inte djupt. Inte så här års. Inte förrän vi kommer till den stora dammen – den är djupare. Och sen på våren är vägen översvämmad, då kan man inte köra här, då är det djupt. Den här vägen är platt kilometer efter kilometer och leder rakt fram från den ena änden till den andra. Här finns inte ens några vägar som korsar den. Det är den enda vägen jag känner till genom Borneo-träsket."

"Borneo-träsket?" upprepade Jinny.

"Det kallas visst så."

"Det finns en ö som heter Borneo", sa hon. "Den ligger halvvägs runt jordklotet."

"Den känner jag inte till. Det enda jag har hört talas om är Borneo-träsket."

Utmed mitten av vägen växte nu en mörk remsa av gräs.

"Dags att tända lyktorna", sa han. Han slog på dem och det blev som en tunnel i den plötsliga natten.

"En gång gjorde jag det", sa han. "Tände lyktorna, och så var där en igelkott. Den satt bara där mitt på vägen. Den satt liksom upprätt på bakbenen och tittade rakt på mig. Som en liten gubbe. Den var vettskrämd och kunde inte röra sig. Jag såg se de små tänderna skallra."

Hon tänkte: *Det är hit han kör med tjejerna.*

"Och vad gör jag då? Jag försökte tuta men den rörde sig ändå inte. Jag hade inte lust att stiga ur och jaga bort den. Så jag parkerade bara där. Jag hade gott om tid. När jag tände lyktorna igen var den borta."

Nu nådde trädgrenarna så nära att de nuddade vid dörren, men om det fanns blommor kunde hon inte se dem.

"Jag ska visa dig en sak", sa han. "Jag ska visa dig något som jag slår vad om att du aldrig har sett förut."

Om detta hade hänt i hennes gamla, normala tillvaro, skulle hon kanske vid det här laget börja känna sig lite rädd. Om hon hade levt sitt gamla, normala liv skulle hon inte alls vara här.

"Du ska visa mig en igelkott", sa hon.

"Nix. Ingenting sånt. Något som det inte finns så många av som igelkottar. Vad jag vet så finns det i alla fall inte det."

Några hundra meter längre fram släckte han lyktorna.

"Ser du stjärnorna?" sa han. "Jag sa ju det. Stjärnor."

Han stannade skåpbilen. Överallt härskade en djup tystnad. Sen fylldes tystnaden ut av någon sorts surrande som skulle ha kunnat vara avlägsen trafik och små ljud som försvann innan man riktigt uppfattat dem och som kunde ha kommit från nattätande djur eller fåglar eller fladdermöss.

"Om du kommer hit på våren", sa han, "hör du inget annat än grodor. Man kan nästan bli döv av ljudet."

Han öppnade dörren på sin sida.

"Följ med."

Hon gjorde som hon blev tillsagd. Hon gick i ett av hjulspåren och han i det andra. Himlen verkade ljusare längre fram och det hördes ett annat ljud – ungefär som ett stilla och rytmiskt samtal.

Vägen blev plötsligt av trä och träden på båda sidor var borta.

"Gå ut på den", sa han. "Gå bara."

Han kom närmare och rörde vid hennes midja, som om han ville styra henne. Sen tog han bort handen och lät henne gå på plankorna, som var som däcket på en båt. Som däcket på en båt steg och föll plankorna. Men det var inte vågorna som orsakade rörelsen, det var deras steg, hans och hennes, som fick bräderna under dem att sakta gunga.

"Vet du nu var du är?" sa han.

"På en brygga?" sa hon.

"På en bro. Det här är en flytande bro."

Nu kunde hon urskilja vad det var — en väg av plankor bara några centimeter ovanför det stilla vattnet. Han drog henne med sig åt ena sidan och de tittade ner. Där var stjärnor som flöt på vattnet.

"Vattnet är väldigt mörkt", sa hon. "Inte bara för att det är kväll, eller hur?"

"Det är alltid mörkt", sa han. "Det är för att det är ett träsk. Det har samma ämnen i sig som te och det ser ut som svart te."

Hon kunde se vassen i strandlinjen. Det som åstadkom det mumlande ljudet var vatten, vatten inne bland vassruggarna.

"Garvsyra", sa han stolt, som om han hade fiskat upp ordet ur mörkret.

Brons lätta rörelser fick henne att fantisera om att alla träden och vassruggarna stod på små jordplättar och att vägen var ett flytande band av jord med bara vatten under sig. Och vattnet verkade så stilla, men det kunde egentligen inte vara stilla, för om man försökte hålla ögonen på en stjärna som speglade sig där, såg man hur den blinkade och ändrade form och gled utom synhåll. Sen kom den tillbaka igen — men kanske var det inte samma stjärna.

Det var inte förrän i det ögonblicket som hon insåg att hon saknade sin hatt. Hon hade inte bara tagit den av sig, hon hade den inte ens med sig i bilen. Hon hade inte haft den på sig när hon steg ur bilen för att kissa och när hon började prata med Ricky. Hon hade inte haft den när hon satt i bilen med huvudet mot sätet och ögonen slutna, när Matt berättade sin roliga historia. Hon måste ha tappat den på majsfältet och i paniken glömt den där.

När hon kände sig äcklad över att se hans navel spänna under den lila tröjan, hade han inte haft något emot att titta på hennes kala hjässa.

"Det är synd att månen inte har kommit fram än", sa Ricky. "Det är jättefint här när månen lyser."

"Det är fint nu också."

Han smög armen om henne, som om det inte alls var konstigt och som om han kunde ta all tid i världen på sig att göra det. Han kysste henne på munnen. Det kändes som om det var första gången någonsin som hon var med om en kyss som i sig var en händelse. Sig själv nog, helt av egen kraft. En öm början, ett skickligt tryck, ett intensivt inträngande och mottagande, ett dröjande tack och en tillfredsställd upplösning.

"Åh", sa han. "Åh."

De vände och gick tillbaka samma väg de kommit.

"Var det första gången nånsin du stod på en flytande bro?"

Hon sa att det var det.

"Och nu ska vi köra över den bron."

Han tog hennes hand och gungade den. "Och det var första gången jag kysste en gift kvinna."

"Du kommer säkert att kyssa fler", sa hon. "Innan du är färdig."

Han suckade. "Ja", sa han. Förvånad och dämpad inför tanken på vad som låg framför honom. "Ja, det kommer jag säkert att göra."

Jinny tänkte plötsligt på Neal, borta på torra land. Neal, skrattande och tveksam, som öppnade handen för kvinnan med det guldstrimmiga håret, sierskan. Gungande på kanten till sin framtid.

Det spelade ingen roll.

Det hon kände var ett slags sorglöst medlidande, nästan som skratt. Ett stråk av öm munterhet som för ögonblicket övervann alla hennes sår och håligheter.

Släktklenoder

ALFRIDA. PAPPA KALLADE henne Freddie. De var kusiner och bodde på gårdarna intill varandra och senare ett tag i samma hus. En dag var de ute på stubbåkrarna och lekte med pappas hund, som hette Mack. Den dagen lyste solen men den smälte inte isen i plogfårorna. De stampade på isen och hade roligt åt det knakande ljudet när den sprack sönder.

Hur kunde hon minnas en sådan sak? undrade pappa. Hon hittade på det, sa han.

"Det gjorde jag inte", sa hon.

"Det gjorde du visst."

"Nej, det gjorde jag inte."

Plötsligt hörde de klockor som klingade och visslor som tjöt. Stadshusklockan och kyrkklockorna ringde och fabrikspiporna i stan en halvmil därifrån visslade. Världen höll på att spricka av glädje, och Mack rusade ut på vägen, för han var säker på att det skulle komma en parad. Det var slutet på första världskriget.

Tre gånger i veckan kunde vi läsa Alfridas namn i tidningen. Bara förnamnet – Alfrida. Det var tryckt som om det hade varit skrivet för hand, med en driven signatur. "I och kring staden – med Alfrida". Den stad som åsyftades låg längre söderut, där Alfrida bodde och dit min familj kom på besök en gång vartannat eller vart tredje år.

Nu är det dags för alla er blivande junibrudar att börja anteckna vad ni vill ha för porslin från China Cabinet, och jag måste säga att om jag vore en blivande brud – vilket jag tyvärr inte är – skulle jag kanske stå emot alla de mönstrade

middagsserviserna, hur utsökta de än är, och välja det pärlvita och ultramoder-
na Rosenthal...

   Det må vara hur det vill med skönhetsbehandlingar, men på Fantine's Salon
lägger man ansiktsmasker som — på tal om brudar — garanterat får hyn att
blomstra som apelsinträd i flor. Och som får brudens mamma — och brudens
mostrar och säkert också mormor — att känna sig som om de just tagit ett bad
i Ungdomens källa...

Med tanke på Alfridas sätt att prata hade ingen kunnat vänta sig att
hon skulle skriva på det viset.

Hon tillhörde också dem som skrev under namnet Flora Simpson i
Flora Simpsons Husmorsspalt. Kvinnor över hela landsbygden trodde
att de skrev brev till den fylliga kvinnan med det lockiga grå håret och
det förlåtande leendet som var avbildad längst uppe på sidan. Men
sanningen — som jag inte fick avslöja — var att breven besvarades av Al-
frida och en man som hon kallade Horse Henry och som annars bru-
kade skriva dödsrunor. Kvinnorna använde ofta signaturer som Mor-
gonstjärna och Liljekonvalje och Gröna fingrar och Lilla Annie Roo-
ney och Disktrasans drottning. En del namn var så populära att man
fick sätta nummer på dem — Gudlock 1, Guldlock 2, Guldlock 3.

   Kära Morgonstjärna, kunde Alfrida eller Horse Henry skriva:
   Eksem är en fasansfull åkomma, särskilt i den värme som råder nu, och jag hop-
   pas att natriumbikarbonat ger lite lindring. Man ska verkligen ha all respekt för
   huskurer, men det skadar aldrig att höra vad doktorn säger. Roligt att höra att er
   gubbe är på benen igen. Det kan inte ha varit roligt när båda var krassliga...

I småstäderna i den delen av Ontario brukade husmödrar som tillhör-
de Flora Simpson Club ha en årlig sommarpicknick. Flora Simpson
framförde alltid sina särskilda hälsningar men förklarade att hon helt
enkelt inte hann ta del av alla evenemang och inte gärna favoriserade
någon. Alfrida sa att man hade pratat om att skicka dit Horse Henry i
peruk och lösbröst eller kanske henne själv med lysten blick, som den

babyloniska häxan (vid mina föräldrars bord kunde inte ens hon cite-ra Bibeln korrekt och säga "skökan") med en cigg instucken mellan de målade läpparna. Men oj, sa hon, tidningen skulle mörda oss. Och förresten vore det alltför elakt.

Hon sa alltid cigg istället för cigarrett. När jag var femton eller sexton lutade hon sig fram över bordet och frågade: "Vill du också ha en cigg?" Vi hade ätit färdigt, och mina yngre syskon hade lämnat bordet. Pappa skakade på huvudet. Han hade börjat rulla sina egna.

Jag tackade ja och lät Alfrida tända cigarretten och rökte sen för första gången inför mina föräldrar.

De låtsades som om det var ett stort skämt.

"Titta på din dotter", sa mamma till pappa. Hon himlade med ögonen och slog händerna för bröstet, medan hon i konstlad, för-smäktande ton sa: "Jag tror jag svimmar."

"Jag får hämta piskan", sa pappa och reste sig till hälften från stolen.

Det var ett förbluffande ögonblick, som om Alfrida hade förvand-lat oss. I vanliga fall skulle mamma ha sagt att hon inte tyckte om att se kvinnor röka. Hon sa inte att det var oanständigt eller okvinnligt – bara att hon inte tyckte om det. Och när hon i en viss ton sa att hon ogillade något, verkade det inte som om hon gjorde en irrationell be-kännelse utan som om hon hämtade visdom ur en privat källa som var oantastlig och nästan helig. Det var när hon använde den tonen och samtidigt gjorde sken av att lyssna på inre röster som jag särskilt hata-de henne.

Och pappa hade för sin del slagit mig just i det rummet, inte med piska utan med sitt bälte, för att jag hade trotsat mammas regler, sårat hennes känslor och svarat uppnosigt. Nu verkade det som om sådan aga bara kunde existera i en annan värld.

Alfrida – och också jag – hade satt mina föräldrar i knipa, men de-ras reaktion var så målmedvetet lättsam att det kändes som om vi alla tre – mamma och pappa och jag – hade förflyttats till en högre tole-ransnivå. I det ögonblicket insåg jag att de – särskilt mamma – var i stånd till en sorglöshet som annars nästan aldrig kom i dagen.

Allt tack vare Alfrida.

Vi talade alltid om Alfrida som den karriärinriktade. Det fick henne att verka yngre än mina föräldrar, fastän hon faktiskt var ungefär lika gammal. Hon betraktades också alltid som en typisk stadsmänniska. Och när vi talade om staden, var det alltid den stad där hon bodde och arbetade. Men staden var också något annat – inte bara en distinkt samling byggnader och trottoarer och spårvagnslinjer eller ens en samling individer. Den inbegrep något mer abstrakt som kunde finnas i många former, som ett bisamhälle, den var kaotisk men ändå organiserad, inte precis meningslös eller illusorisk men oroande och ibland farlig. Man begav sig till staden bara när man var tvungen och kände sig lättad när man kom därifrån. Vissa människor blev dock bergtagna – som Alfrida för länge sen måste ha blivit och som jag nu blev, där jag satt och puffade på min cigarrett och försökte hålla den på ett nonchalant sätt, trots att den kändes stor som ett basebollträ mellan fingrarna.

I min familj förekom inte något regelbundet sällskapsliv – vi hade sällan gäster på middag och absolut aldrig fest. Det var kanske en klassfråga. Föräldrarna till mannen jag gifte mig med ungefär fem år efter scenen vid middagsbordet, brukade bjuda hem folk på middag, även om de inte var släkt, och de var ofta borta på något som de aningslöst beskrev som cocktailpartyn. Ett sådant liv hade jag bara läst om i tidskriftsnoveller, och för mig placerade det de nya släktingarna i en sagoboksprivilegierad värld.

Det vår familj gjorde var att lägga i extraskivor i matsalsbordet två eller tre gånger om året för att bjuda hem farmor och fastrarna – pappas äldre systrar – och deras män. Det gjorde vi när det var vår tur till Thanksgiving eller jul och kanske också när det dök upp någon släkting på besök långt bortifrån. Besökaren var alltid någon som liknade fastrarna och deras män, aldrig Alfrida.

Mamma och jag brukade börja förbereda sådana tillställningar ett par dagar i förväg. Vi strök den fina bordduken, som var tung som ett överkast, och diskade finporslinet som hade stått i skåpet och samlat damm, torkade av benen på matsalsstolarna och gjorde sallad i gelé, pajer och kakor som skulle åtfölja den stekta kalkonen, skinkan och grönsakerna. Det fick aldrig vara för lite att äta, och större delen av bordssamtalet handlade om maten, om hur god den var och om att alla måste ta mer, fastän de påstod sig vara proppmätta. Till slut gav dock fastrarnas män efter och tog om, medan fastrarna själva lade för sig en liten bit till och sa att de inte borde, att de var nära att spricka.

Och då hade efterrätten ännu inte kommit.

Det var aldrig fråga om något egentligt samtal utan snarare var det så att all konversation som överskred en viss införstådd gräns uppfattades som ett avbrott, en sorts skryt. Mamma var inte pålitlig när det gällde att hålla på gränserna, och hon kunde ibland inte vänta ut pauserna eller stå emot den kompakta oviljan att brodera ut ämnet. Så när någon sa: "Jag såg Harley ute på gatan igår", kunde hon mycket väl säga: "Tror ni att en man som Harley är inbiten ungkarl? Eller har han bara inte träffat den rätta än?"

Som om man absolut måste ha något mer att säga när man nämnde att man träffat en person, något intressant.

Då kunde det bli alldeles tyst, inte för att de som satt vid bordet ville vara oartiga utan för att de blev totalt ställda. Tills pappa generad och indirekt förebrående kanske svarade: "Det går visst ingen nöd på han."

Om han inte hade haft sina släktingar där skulle han säkert ha sagt "honom".

Och alla slamrade vidare med knivar och skedar och svalde sin mat i glansen från den nystrukna bordduken, medan ljuset strömmade in genom de nytvättade fönstren. Dessa middagar ägde alltid rum mitt på dagen.

Gästerna kunde egentligen samtala. När fastrarna diskade och torkade porslinet ute i köket brukade de prata om vem som hade fått en tumör, en halsinfektion eller en rejäl omgång bölder. De berättade om hur deras egen matsmältning, njurar och nerver fungerade. Att tala om intima kroppsliga frågor var aldrig så malplacerat eller misstänkt som att omnämna något man läst i en tidskrift eller i dagstidningen – på något sätt var det olämpligt att ägna sin uppmärksamhet åt sådant som inte fanns inom räckhåll. Under tiden kunde fastrarnas män sitta ute på verandan eller ta en promenad för att se på skörden, och då passade de ofta på att vidarebefordra uppgifter om att någon låg illa till på banken eller fortfarande var skyldig pengar för dyrbar maskinell utrustning eller hade investerat i en tjur som visat sig vara en besvikelse.

Kanske berodde tunghäftan vid bordet på den stela matsalen eller på att man hade tallrikar för bröd och smör och skedar till efterrätten, medan det vid andra tillfällen var brukligt att man lade pajbiten direkt på middagstallriken som var avtorkad med en bit bröd. (Det skulle dock ha varit en förolämpning att inte duka ordentligt. När släktingarna i sin tur bjöd på middag hemma hos sig, var proceduren densamma.) Eller också ägnade man sig åt en sak i taget, först maten och sen pratandet.

När Alfrida kom togs den fina duken också fram, liksom bästa porslinet, men mamma gjorde sig extra besvär med maten och var nervös över resultatet – för det mesta övergav hon den vanliga matsedeln med fylld-kalkon-och-potatismos och lagade istället något i stil med kycklingsallad med ris och pimiento samt efter det en dessert som innehöll gelatin, äggvitor och vispgrädde som tog nervpåfrestande lång tid att stelna, eftersom vi inte hade något kylskåp utan fick ställa den på källargolvet. Men den spända stämningen, skuggan över bordet, var borta. Alfrida tackade inte bara ja till att ta om, hon bad om mer. Och hon gjorde det nästan tankspritt och kastade ur sig komplimanger på samma sätt, som om maten, själva ätandet, var en sekundär men behaglig företeelse och hon egentligen var där för att prata och få andra att prata, om vad som helst – eller åtminstone nästan.

Hon kom alltid på sommaren, och för det mesta var hon klädd i någon sorts randig, silkig solklänning med ett liv som lämnade ryggen bar. Hon hade inte någon vacker rygg, översållad som den var av små mörka födelsemärken, och axlarna var magra och bröstet nästan platt. Pappa kommenterade alltid det faktum att hon kunde äta så mycket men ändå vara smal. Eller också ställde han sanningen på huvudet genom att notera att hon hade lika dålig aptit som vanligt men att det inte hindrade henne från att bli fetare och fetare. (I vår familj ansågs det inte fel att notera att någon var tjock eller mager eller blek eller blomstrande eller skallig.)

Hennes mörka hår var uppsatt i valkar över hjässan och på sidorna, i den tidens stil. Den brunaktiga hyn var översållad av fina rynkor, och munnen var bred, med ganska tjock, nästan hängande underläpp, och målad med smetigt läppstift som lämnade märken efter sig på tekoppen eller vattenglaset. När hon öppnade munnen på vid gavel – som ofta när hon pratade eller skrattade – kunde man se att en del av tänderna längre bak i käken var utdragna. Ingen kunde säga att hon såg bra ut – alla kvinnor över tjugofem tycktes i mina ögon gott och väl ha passerat gränsen för att se bra ut och förlorat rätten att göra det, kanske också lusten – men hon var intensiv och livlig. Pappa sa fundersamt att det var fart på henne.

Alfrida talade med pappa om sådant som hände i världen, om politik. Pappa läste tidningen, lyssnade på radio och hade uppfattningar om mycket som han sällan fick chans att diskutera. Fastrarnas män hade också åsikter, men de var ofta samstämmiga och uttryckte en ständig misstro mot alla offentliga gestalter, framförallt utlänningar, och därför kunde man för det mesta bara få ur dem ogillande grymtanden. Farmor var döv – ingen kunde veta hur mycket hon visste eller vad hon tyckte om någonting, och fastrarna själva verkade ganska stolta över allt de inte visste och slapp bry sig om. Mamma hade varit lärare, och hon skulle lätt ha kunnat peka ut Europas alla länder på kartan, men hon såg allting ur sin egen synvinkel, där det brittiska imperiet och den kungliga familjen befann sig i förgrunden och allt annat var förminskat och slängt i en hög som hon lätt kunde ignorera.

Alfridas åsikter skilde sig egentligen inte så mycket från fastrarnas mäns. Så verkade det i alla fall. Men istället för att grymta och låta ämnet passera, gav hon till sitt skallande skratt och berättade historier om premiärministrar och den amerikanske presidenten och John L.

Lewis och borgmästaren i Montreal – historier där alla utgjorde släta figurer. Hon berättade historier om den kungliga familjen också, men där drog hon en linje mellan de goda, som kungen och drottningen och den vackra hertiginnan av Kent, och de förskräckliga, som paret Windsor och gamle kung Edward som – påstod hon – hade en viss sjukdom och satte märken på sin hustrus hals genom att försöka strypa henne, vilket var skälet till att hon alltid måste ha pärlhalsband. Denna distinktion stämde ganska väl överens med vad mamma tyckte men sällan talade om, så hon protesterade inte – fastän talet om syfilis fick henne att rygga tillbaka.

Jag log åt det, insiktsfullt och med nonchalant lugn.

Alfrida hade lustiga namn på ryssarna. Mikojan-skij. Farbror Joe-skij. Hon ansåg att de slog blå dunster i ögonen på alla och att Förenta nationerna var en fars som aldrig skulle komma att fungera, att Japan återigen skulle resa sig och att man borde ha utplånat landet när chansen gavs. Hon litade inte heller på Quebec. Eller påven. Hon hade problem med senator McCarthy – hon ville gärna vara på hans sida, men att han var katolik var ett hinder. Hon ansåg att påven var en stolle. Hon njöt av tanken på alla de rackare och skurkar som kunde avslöjas i världen.

Ibland verkade det som om hon spelade ut hela sitt register, kanske för att reta pappa. Irritera honom, som han själv skulle ha sagt, gå honom på nerverna. Men inte för att hon tyckte illa om honom eller ens ville få honom att känna sig illa till mods. Tvärtom. Hon plågade honom ungefär på samma sätt som unga flickor plågar pojkar i skolan, när båda kontrahenterna njuter av disputen och förolämpningar uppfattas som smicker. Pappa argumenterade alltid med mild och stadig röst, och ändå var det uppenbart att han gärna ville sporra henne att fortsätta. Ibland kunde han göra en helomvändning och säga att hon kanske hade rätt – att hon genom sitt arbete på tidningen måste ha informationskällor som han inte hade tillgång till. Du har gjort det här klart för mig, kunde han säga, och om jag hade minsta vett skulle jag vara tacksam mot dig. Och då svarade hon: "Kom nu inte med en massa skitsnack."

"Ni är inte kloka", sa mamma då i låtsad förtvivlan, fast hon kanske var dödstrött på dem, och Alfrida sa till henne att gå och vila sig lite, det hade hon gjort sig förtjänt av efter denna storslagna middag, hon och jag skulle ta hand om disken. Mamma led av en darrning i höger arm, en stelhet i fingrarna som hon fick när hon tog ut sig för mycket, trodde hon.

Medan Alfrida och jag arbetade i köket berättade hon om berömda människor – skådespelare, också mindre kända filmstjärnor som gjorde scenframträdanden i staden där hon bodde. Med sänkt röst som fortfarande var respektlöst skrattlysten drog hon historier om deras vilda leverne och återgav rykten om privata skandaler som aldrig hittade vägen till tidskrifterna. Hon talade om homosexuella, om falska bröst och triangeldramer – sådant som jag glimtvis stött på i böcker men blev upprymd över att höra talas om i verkliga livet, trots att det var i tredje eller fjärde hand.

Jag kunde aldrig låta bli att stirra på Alfridas tänder, och därför tappade jag ibland tråden också i dessa förtroliga samtal. De tänder hon hade kvar i framkäken hade alla skiftande färg, det fanns inte två som var lika. Några med stark emalj stötte åt mörkt elfenben, andra var genomskinliga, lilaskuggade med fiskfjällsliknande blänk av silver, ibland en glimt av guld. Om det inte handlade om lösa garnityr var tänder då för tiden sällan något som gjorde ett så solitt och stiligt intryck som de gör numera. Men Alfridas tänder var ovanliga på det viset att alla hade sitt individuella utseende, satt långt isär och var stora. När Alfrida kläckte ur sig något som var medvetet skandalöst, var det som om tänderna flockades framtill i munnen, som en bataljon med svärdet i beredskap.

"Hon har verkligen haft problem med sina tänder", sa fastrarna. "Ni minns väl att hon fick bölder, och giftet spred sig i hela kroppen på henne."

Så typiskt dem, tänkte jag, att negligera Alfridas slagfärdighet och stil och göra tänderna till ett tråkigt problem.

"Att hon inte bara drar ut dem och slipper alltihop?" sa de.

"Hon har säkert inte råd", sa farmor, som ibland förvånade alla genom att visa att hon hela tiden hade följt med i samtalet.

Och som också förvånade mig med det nya och vardagliga ljus som den kommentaren spred över Alfridas liv. Jag hade trott att Alfrida var rik – åtminstone i jämförelse med resten av släkten. Hon bodde i en lägenhet – jag hade aldrig sett den, men i mina ögon framstod det som ett mycket civiliserat liv – hennes kläder var inte hemsydda och hon hade inte kraftiga snörskor på fötterna, som alla andra vuxna kvinnor jag kände, utan sandaler med färgglada plastremmar. Det var svårt att veta om farmor bara levde i det förgångna, när det där med att skaffa löständer var en högtidlig utgift, kronan på verket i livet, eller om hon verkligen kände till saker och ting om Alfrida som jag aldrig hade kunnat ana.

Resten av släkten var aldrig med när Alfrida åt middag hemma hos oss. Däremot brukade hon besöka farmor, som var syster till Alfridas mamma. Farmor bodde inte längre kvar i sitt hus utan alternerade mellan båda fastrarna, och Alfrida gick till det hus där hon för tillfället bodde men besökte inte fastrarna, fastän de var lika mycket kusiner till henne som pappa var. Och hon åt aldrig middag hemma hos någon av dem. För det mesta kom hon först till oss och stannade ett tag, innan hon liksom motvilligt samlade sig för att avlägga det andra besöket. När hon senare kom tillbaka och vi satte oss till bords, fälldes det inga förklenande kommentarer om fastrarna och deras män och ingen yttrade något respektlöst om farmor. Alfridas sätt att tala om farmor – med en röst som plötsligt lät nykter och bekymrad, till och med lite rädd (hur var det med hennes blodtryck, hade hon varit hos doktorn på sista tiden, vad sa han?) – gjorde mig faktiskt medveten om att hon inte alls lät lika vänlig när hon frågade efter de andra utan snarare sval och ovillig. Det var en motvilja som bemöttes av liknande återhållsamhet i mammas svar och ett extra allvar i pappas – ett karikerat allvar, skulle man kunna säga – och som visade att de alla var överens om något som de inte kunde säga rakt ut.

En dag när jag rökte min cigarrett, bestämde Alfrida sig för att gå ett steg längre och sa i högtidlig ton: "Hur är det med Asa? Är han fortfarande lika pratsam?"

Pappa skakade sorgset på huvudet, som om tanken på denne farbrors talträngdhet verkligen tyngde oss alla.

"Ja, absolut", sa han. "Det är han verkligen."

Då tog jag chansen.

"Ser ut som om svinen har fått mask", sa jag. "Jepp."

Med undantag för "jepp" var det just så farbrodern sagt, och han hade yttrat orden just här vid bordet, överväldigad av ett föga karakteristiskt behov av att bryta tystnaden eller ge luft åt något viktigt som just hade slagit honom. Och jag sa det med exakt samma pompösa grymtanden och oskuldsfulla högtidlighet.

Alfrida gav till ett gillande gapskratt och visade sina festliga tänder. "Just det, det var på pricken."

Pappa böjde sig över tallriken, som för att dölja att också han skrattade, och mamma skakade på huvudet, bet sig i läppen och log. Jag kände en djup triumf. Ingen sa någonting för att sätta mig på plats, jag blev inte klandrad för att jag var sarkastisk, eller slug och förslagen, som man ibland sa. När någon i familjen använde ordet "slug" om mig, kunde det betyda intelligent, och då var tonen ofta lite missunnsam — "åh, hon är minsann slug hon" — eller också innebar det att jag var framfusig och envis. *"Du behöver inte alltid vara så slug och förslagen."*

Ibland sa mamma: "Du har en skarp tunga."

Ibland blev pappa missnöjd med mig, och det var betydligt värre.

"Hur kan du tro att du har rätt att ge dig på hyggliga människor?"

Idag hände ingenting sådant — jag kände mig fri som en gäst vid bordet, nästan lika fri som Alfrida och jag stoltserade under den fana som var min egen personlighet.

Men en spricka höll på att vidgas, och kanske var det där sista gången, allra sista gången, som Alfrida satt vid vårt bord. Vi fortsatte att skicka julkort, kanske till och med brev — så länge som mamma klarade att hålla i en penna — och vi såg fortfarande Alfridas namn i tid-

95

ningen, men jag minns inte att hon besökte oss under de sista åren jag bodde hemma.

Det kan ha berott på att Alfrida frågat om hon fick ta med sig sin vän och de sa nej. Om hon redan bodde ihop med honom, kunde det ha varit ett skäl, och om det var samme man som senare, skulle det faktum att han var gift också ha spelat in. Mina föräldrar var säkert överens om den saken. Mamma hade skräck för fri sex, sex som visades upp – eller för den delen vad för slags sex som helst, för den vanliga varianten inom äktenskapet räknades inte alls – och också pappa var vid den tidpunkten i livet sträng när det gällde sådana frågor. Dessutom hade han kanske speciella invändningar inför en man som kunde få makt över Alfrida.

I deras ögon blev hon billig. Jag kan tänka mig någon av dem säga: Hon hade väl inte behövt uppträda så billigt.

Men hon frågade kanske aldrig, hon kunde ha varit för klok för det. Under de livliga besöken tidigare hade hon kanske inte någon man i sitt liv, och när det sedan kom en, riktade hon säkert uppmärksamheten åt annat håll. Hon blev kanske en helt annan person, som hon sannerligen var när jag senare träffade henne.

Eller också var hon rädd för den särskilda stämningen i ett hem där det finns en sjuk människa som bara blir sämre, aldrig bättre. Vilket var fallet med mamma, vars symptom blev mer entydiga och kom in i en ny fas, och istället för att vara ett orosmoment, ett obekvämt hinder, kom sjukdomen att bli hennes öde.

"Den stackarn", sa fastrarna.

Och medan mamma förvandlades från att vara mamma till att bli en olycksdrabbad varelse hemma i huset, tycktes de övriga, tidigare så återhållsamma kvinnorna i familjen blomma upp och bli lite livligare och dugligare inför världen. Farmor skaffade sig hörapparat – något som ingen skulle ha vågat föreslå. Den ena fasterns man dog – inte Asa utan han som hette Irvine – och den faster som hade varit gift med honom lärde sig köra bil, skaffade sig jobb som ändringssömmerska i en klädaffär och slutade bära hårnät.

De kom och hälsade på mamma och såg alltid samma sak – att den av dem som varit sötast, som aldrig riktigt hade låtit dem glömma att hon varit lärare, månad för månad bara blev långsammare och stelare i kroppen och otydligare och mer pockande i sitt sätt att tala, att ingenting kunde hjälpa henne.

De sa åt mig att ta väl hand om henne.

"Hon är din mamma, glöm inte det", påminde de.

"Den stackarn."

Alfrida skulle inte ha kunnat säga sådana saker, och det är inte säkert att hon hade kunnat hitta på något annat att säga istället.

Det gjorde mig ingenting att hon inte kom och hälsade på. Jag ville inte ha besök. Det hade jag inte tid med, jag hade blivit en husmor som ursinnigt bonade golven och till och med strök diskhanddukarna, kanske för att hålla någon sorts skamkänsla på avstånd (allteftersom mamma blev sämre kändes det som om vi alla drabbades av en sällsam skamkänsla). Jag ville att det skulle se ut som om vi, mina föräldrar, min bror, min syster och jag, levde i en normal familj i ett vanligt hus, men så fort någon steg in genom dörren och såg mamma, förstod de att det inte var så och de tyckte synd om oss. Det var något som jag inte stod ut med.

Jag fick ett stipendium och stannade inte kvar hemma för att ta hand om mamma eller något annat. Jag började på college. Det låg i den stad där Alfrida bodde. Efter några månader bjöd hon mig på middag, men jag kunde inte gå, eftersom jag arbetade alla kvällar i veckan, utom på söndagar. Jag arbetade på stadsbiblioteket nere i stan och på collegebiblioteket, som båda höll öppet till nio på kvällen. Lite senare, under vintern, blev jag ditbjuden igen, och den här gången var det på en söndag. Jag sa att jag inte kunde komma för att jag skulle gå på en konsert.

"Åh, har du träff?" sa hon, och jag sa ja, men den gången var det inte sant. För att ha något att göra och i hopp om att träffa killar brukade jag gå på söndagens gratiskonserter i hörsalen på college i sällskap med en annan flicka eller ibland två, tre andra.

"Ja, du får ta med dig honom hit nån gång", sa Alfrida. "Jag vill så gärna träffa honom."

Mot slutet av året hade jag faktiskt någon att ta med mig, en kille som jag träffat på en av konserterna. Han hade i alla fall sett mig där och sen ringt och bjudit ut mig. Men jag skulle aldrig ha tagit honom med mig hem till Alfrida. Jag hade aldrig velat ta hem några av mina nya vänner till henne. De nya vännerna var av den sorten som kunde säga: "Har du läst *Se hemåt, ängel*? Åh, det måste du göra. Har du läst *Huset Buddenbrook* då?" Med dem gick jag och såg filmer som *Förbjuden lek* och *Paradisets barn* när Filmsällskapet visade dem. Killen jag hade träffat och senare förlovade mig med, brukade ta mig med till musikbyggnaden på collegeområdet, där man kunde lyssna på skivor under lunchen. Han fick mig att lära känna Gounod, och tack vare Gounod kom jag att älska opera, och tack vare opera älskade jag Mozart.

När Alfrida lämnade ett meddelande på mitt studenthem och bad mig ringa henne, gjorde jag aldrig det. Efter det ringde hon inte igen.

Hon skrev fortfarande för tidningen – ibland såg jag något av hennes kåserier om Royal Doulton-statyetter eller importerade pepparkakor eller smekmånadsnegligéer. Säkert besvarade hon samma sorts brev från husmödrarna i Flora Simpson-klubben, och säkert skrattade hon ännu åt dem. Nu när jag bodde i den stan läste jag sällan tidningen som en gång hade tyckts mig vara stadslivets medelpunkt – och på sätt och vis till och med medelpunkten för vårt liv hemma, tio mil därifrån. Skämten och den tvångsmässiga falskheten hos människor som Alfrida och Horse Henry gjorde nu bara ett trist och billigt intryck, tyckte jag.

Jag oroade mig knappast för att stöta på henne, även om stan egentligen inte var särskilt stor. Jag gick aldrig in i de affärer som hon nämnde i sin spalt. Jag hade ingen anledning att gå förbi tidningshuset, och hon bodde långt från mitt studenthem, någonstans i den södra delen av stan.

Inte heller tror jag att Alfrida var den typen som kunde dyka upp på biblioteket. Själva ordet "bibliotek" fick henne säkert att dra ner mungiporna och se låtsat panikslagen ut, som hon alltid gjorde när hon såg böckerna i hyllan hemma hos oss – böcker som inte kommit dit under min tid. En del hade mina föräldrar fått i stipendium under skoltiden (i några hade mamma skrivit sitt namn som ogift med den vackra handstil som nu gått förlorad), och det var böcker som inte tycktes vara inköpta i en affär utan snarare utgjorde en sorts närvaro i huset, precis som träden utanför fönstret som inte bara var träd utan något som alltid fanns där och som hade sina rötter i marken. *Kvarnen vid Floss*, *Skriet från vildmarken*, *Midlothians hjärta*. "Där har du en del mästerverk att läsa", hade Alfrida sagt. "Jag kan slå vad om att du inte ägnar dig åt dem särskilt ofta." Och pappa hade svarat nej, det gjorde han inte, och instämt i hennes kamratliga och avfärdande eller till och med föraktfulla ton, fastän han i viss utsträckning ljög, för då och då, när han hade tid, öppnade han verkligen någon av de där böckerna.

Det var den sortens lögner som jag hoppades att jag aldrig mer skulle behöva ta till, ett förakt som jag aldrig ville behöva visa inför sådant som verkligen var viktigt för mig. Och för att undvika det, var jag egentligen tvungen att hålla mig undan de människor jag dittills känt.

Efter två år slutade jag på college – mitt stipendium gällde inte längre. Det spelade ingen roll – jag tänkte ändå bli författare. Och jag skulle gifta mig.

Alfrida hade hört talas om det och tog kontakt med mig igen.

"Du hann väl inte ringa eller också fick du inte meddelandet", sa hon.

Jag sa att så var det säkert.

Den här gången tackade jag ja. Eftersom jag i framtiden inte skulle bo i den här stan kunde det inte skada att hälsa på. Jag valde en söndag, när terminsproven var över och min fästman var i Ottawa på en anställningsintervju. Det var en klar och solig dag – ungefär i början av maj. Jag bestämde mig för att promenera dit. Jag hade nästan aldrig varit söder om Dundas Street eller öster om Adelaide, och därför fanns det delar av stan som var mig helt främmande. Träden som hade planterats för att ge skugga utmed gatorna i norr hade just spruckit

ut, syrenerna, vildaplarna och tulpanerna stod i full blom och gräs-
mattorna lyste gröna. Men efter ett tag kom jag in på gator där det in-
te fanns några skuggande träd, gator där husen låg på knappt en arm-
längds avstånd från trottoaren och där de syrener som överhuvudtaget
fanns – syrener växer överallt – var ljusa och nästan doftlösa, som om
de blekts av solen. På dessa gator fanns både villor och flerfamiljshus i
två eller tre våningar – en del torftigt dekorerade med en tegelkant
runt dörren och andra med uppdragna fönster där slaka gardiner föll
ut över fönsterbrädan.

Alfrida bodde i övervåningen på en villa. Bottenvåningen, åtmin-
stone den delen som vette mot framsidan av huset, var omgjord till af-
fär, men eftersom det var söndag, var den stängd. Det var en second
hand-affär – genom de smutsiga rutorna såg jag överallt en massa dif-
fusa möbler med travar av gammalt porslin och hushållsföremål. Det
enda som fångade min blick var en honungsbytta som såg precis lika-
dan ut som den bytta med blå himmel och guldfärgad bikupa som jag
hade med mig skolmat i när jag var sex eller sju år gammal. Jag minns
att jag om och om igen läste texten på ena sidan.

All äkta honung granulerar.

Då hade jag ingen aning om vad "granulera" betydde, men jag
tyckte om ordet. Det lät sirligt och gott.

Det tog längre tid att hitta dit än vad jag hade väntat, och jag var väl-
digt varm. När Alfrida bjöd mig på lunch trodde jag inte att hon skul-
le servera mat som liknade söndagsmiddagarna hemma, men när jag
var på väg uppför trappan kände jag lukten av stekt kött och grönsaker.

"Jag trodde att du hade gått vilse", ropade Alfrida däruppe. "Jag
skulle just skicka ut en räddningspatrull."

Istället för solklänning hade hon en skär blus med en svajig rosett i
halsen och till det en veckad brun kjol. Hon hade inte längre håret i
valkar utan kortklippt och burrigt runt ansiktet, och den mörkbruna
färgen hade nu skarpa inslag av rött. Och ansiktet, som jag mindes
som smalt och solbränt, hade blivit rundare och på något sätt pussigt.
Den orangerosa makeupen skar sig mot huden i det klara dagsljuset.

Men den största skillnaden var att hon hade skaffat löständer i enhetlig färg, och det nya garnityret fyllde upp munnen en aning för mycket och gav en ängslig anstrykning åt det lite vårdslöst ivriga uttryck som tidigare hade präglat hennes ansikte.

"Oj – du har verkligen blivit rundare", sa hon. "Du som alltid var så mager förr."

Det var sant, men jag ville inte gärna höra det. Jag och alla de andra flickorna på studenthemmet åt billig mat – stora portioner med makaroner och ostsås i halvfabrikat, syltkakor. Min fästman, som så orubbligt och härsklystet gillade allt hos mig, sa att han föredrog kvinnor med former och tyckte att jag påminde honom om Jane Russell. Jag hade ingenting emot att han sa så, men för det mesta tog jag illa upp när folk kommenterade mitt utseende. Särskilt när det var någon som Alfrida – en människa som hade förlorat all betydelse i mitt liv. Jag ansåg inte att sådana personer hade någon rätt att titta på mig eller bilda sig åsikter om mig, och de hade definitivt ingen anledning att ge uttryck för dem.

Huset där hon bodde hade en smal fasad mot gatan men var djupt inuti. Där fanns ett vardagsrum med snedtak på sidorna och fönster utåt gatan, en matsal som var ungefär som en hall och som saknade fönster, eftersom sovrum med mansardfönster mynnade ut i den, ett kök, ett tillika fönsterlöst badrum som fick ljus genom en råglasruta i dörren, och på baksidan av huset ett inglasat uterum.

Det sluttande taket fick rummen att se provisoriska ut, som om de bara låtsades vara något annat än sovrum. Men där fanns mängder av bastanta möbler – matsalsbord och stolar, köksbord och stolar, soffa och vilstol – allt avsett för stora rejäla rum. Spetsdukar på borden, broderade antimakasser på rygg och armstöd till soffa och stolar, genomskinliga gardiner över fönstren och tunga blommiga draperier på sidorna – det var mer likt fastrarnas hem än vad jag trodde var möjligt. Och på matsalsväggen – inte i badrummet eller sovrummet utan i matsalen – hängde en bild av en flicka i silhuett, klädd i styv kjol helt gjord av rosa sidenband.

En remsa seg linoleum var utlagd över matsalsgolvet, på vägen från köket till vardagsrummet.

Alfrida anade tydligen vad jag tänkte.

"Jag vet att jag har alldeles för mycket saker här", sa hon. "Men det är mina föräldrars möbler. Det är släktklenoder, jag kunde inte låta dem försvinna."

Jag hade aldrig tänkt på att hon hade föräldrar. Hennes mor dog för länge sedan, och hon fick växa upp hos min farmor, som var hennes moster.

"Pappas och mammas", sa Alfrida. "När pappa gav sig av behöll din farmor sakerna, för hon sa att jag borde få dem när jag blev vuxen, så här är nu alltsammans. Jag kunde inte säga nej när hon hade gjort sig så mycket besvär."

Nu mindes jag – det som jag hade glömt om Alfridas liv. Hennes pappa hade gift om sig. Han lämnade gården och tog jobb vid järnvägen. Han fick fler barn, familjen flyttade från stad till stad, och ibland talade Alfrida i skämtsam ton om dem, om hur många barn det var och hur tätt de kom och hur mycket familjen tvingades flytta omkring.

"Kom så ska du få träffa Bill", sa Alfrida.

Bill var i det inglasade uterummet. Det såg ut som om han väntade på att bli inropad där han satt på en låg soffa eller dagbädd som var täckt av en brunrutig filt. Filten var tillskrynklad – han måste ha legat på den nyss – och rullgardinerna för fönstren var helt nerdragna. Ljuset i rummet – den varma solen som silade in genom de regnfläckade gula rullgardinerna, den grova, skrynkliga filten och den blekta, knöliga kudden, ja, till och med lukten av filten och de typiska herrtofflorna, slitna gamla tofflor som hade tappat all färg och form – kom mig att tänka på fastrarnas hem, precis som spetsdukarna, de tunga blanka möblerna och sidenbandsflickan gjort. Också där kunde man hitta något sjabbigt gömställe för mannen i huset, en plats med hemlighetsfull men påträngande doft, där de kvinnliga domänerna trotsades av en anspråkslös men envis särprägel.

Bill reste sig i alla fall och skakade hand med mig, något som fastrarnas män aldrig skulle ha gjort med en främmande flicka. Eller med någon flicka överhuvudtaget. Det var inte direkt oartighet som höll dem tillbaka, bara en skräck för det formella.

Bill var lång och hade vågigt grått hår som blänkte och ett slätt men inte ungdomligt ansikte. En stilig man vars utseende på något sätt tappat kraften – på grund av medioker hälsa, otur eller brist på företagsamhet. Men han hade en sorts sliten ridderlighet, ett sätt att böja sig fram mot en kvinna som antydde att det var ett nöje att träffas, för henne och för honom.

Alfrida gick före in i den fönsterlösa matsalen där ljuset var tänt mitt på ljusa dagen. Jag fick intrycket att maten hade varit färdig ett tag och att jag genom min sena ankomst hade fördröjt deras vanliga rutiner. Bill serverade den ugnsstekta kycklingen med fyllning, Alfrida grönsakerna. Alfrida sa till Bill: "Älskling, vad tror du det är som ligger vid din tallrik?" och då kom han ihåg att ta sin servett.

Han hade inte mycket att säga. Han räckte mig såsen, frågade om jag ville ha pickles eller salt och peppar och följde samtalet genom att vända huvudet mot mig eller Alfrida. Allt emellanåt gav han ifrån sig ett litet visslande ljud mellan tänderna, ett darrigt ljud som tydligen skulle vara jovialiskt och uppskattande och som jag först trodde var inledningen till någon kommentar. Men det var det aldrig, och Alfrida låtsades som ingenting. Jag har senare sett nyktra alkoholister som uppträtt ungefär som han och vänligt blandat sig i samtalet men sedan inte kunnat gå vidare, hjälplöst tankspridda. Jag fick aldrig veta om Bill hade en sådan historia, men det verkade onekligen som om han gick och bar på ett nederlag, problem som han tvingats leva med och läxor som han lärt. Han tycktes också på något sätt ridderligt ha accepterat de valmöjligheter som hade gått snett eller chanser som försuttits.

Ärtorna och morötterna var frysta, sa Alfrida. Frysta grönsaker var något ganska nytt då.

"De slår burkkonserverna", sa hon. "De är nästan lika goda som färska."

Då kom Bill med ett eget inlägg. Han sa att de var bättre än färska.

Färgen, smaken, allt var bättre än de färska. Det var fantastiskt vad man kunde åstadkomma nuförtiden och vilka möjligheter framtiden skulle kunna erbjuda när det gällde sådana saker.

Alfrida lutade sig fram och log. Det verkade nästan som om hon höll andan, som om han var hennes barn och för första gången tog några steg utan stöd eller ensam vinglade iväg på cykel.

Det fanns en metod att injicera något i kycklingen, berättade han, en ny process som innebar att alla kycklingar blev lika välgödda och smakrika. Nu behövde man inte längre riskera att få undermålig kyckling.

"Bill är kemist", sa Alfrida.

När jag inte svarade, tillade hon: "Han har arbetat på Gooderhams."

Jag reagerade fortfarande inte.

"Bränneriet", sa hon. "Gooderhams Whisky."

Skälet till att jag inte sa något var inte att jag var oartig eller uttråkad (eller oartigare än jag av naturen var vid den tiden, eller mer uttråkad än jag hade väntat mig att bli) utan att jag inte förstod att jag borde ställa frågor – nästan vilka frågor som helst, för att locka med en blyg man i samtalet, skaka om honom så att han slapp ur tankspriddheten och upphöja honom till en person med viss auktoritet, det vill säga husets härskare. Jag begrep inte varför Alfrida tittade på honom med ett så intensivt uppmuntrande leende. Jag hade ännu ingen erfarenhet av hur kvinnan lyssnar på mannen och innerligt hoppas att han ska visa upp sig som någon hon kan vara lite stolt över, allt det där låg i framtiden för min del. Min enda erfarenhet av par var mina fastrar, deras män och mina föräldrar, och de var inte uppenbart beroende av varandra utan mellan dem fanns ett slags formellt avstånd.

Bill fortsatte att äta som om han inte hade hört henne nämna hans yrke och arbetsgivare, och Alfrida började fråga ut mig om mina kurser. Hon log fortfarande, men hennes leende hade förändrats. Det fanns något lätt otåligt och osympatiskt över det, som om hon bara väntade på att jag skulle komma till slutet av mina utläggningar så att hon kunde säga: "Om jag så fick en miljon dollar skulle jag inte slösa tid på sådant." Och det sa hon också.

"Livet är för kort", sa hon. "Nere på tidningen får vi ibland någon som har skaffat sig en massa utbildning. Högsta betyg i engelska. Högsta betyg i filosofi. Man vet inte vad man ska ta sig till med dem. De är usla på att skriva. Det har jag väl berättat, har jag inte det?" sa hon till Bill, och Bill tittade upp och gav henne ett plikttroget leende.

Hon lät det lägga sig.

"Vad brukar du roa dig med då?" sa hon.

Linje Lusta gavs just då på en teater i Toronto, och jag berättade att jag hade åkt ner med tåget och sett den tillsammans med några vänner.

Alfrida lade med ett skrammel ifrån sig kniv och gaffel.

"Den smörjan", skrek hon. Hon stack ansiktet inpå mig, och minen var stel av vämjelse. Sedan sa hon i lugnare men fortfarande starkt ogillande ton:

"Åkte ni *hela vägen till Toronto* för att se den smörjan."

Vi hade avslutat efterrätten, och Bill valde det ögonblicket att ursäkta sig. Han vände sig först till Alfrida och så med en lätt bugning till mig. Han gick tillbaka till det inglasade uterummet och efter ett tag kände vi lukten från hans pipa. Alfrida tycktes glömma bort mig och pjäsen när hon såg honom gå. Det fanns en så bedrövad ömhet över hennes ansikte att jag trodde att hon skulle följa efter honom. Men hon hämtade bara sina cigarretter.

Hon bjöd mig, och när jag tog en gjorde hon ett målmedvetet försök att låta munter och sa: "Jag ser att du har kvar en dålig vana som jag fick dig att börja med." Hon hade kanske insett att jag inte längre var ett barn och att jag inte måste hälsa på henne, att det inte var någon idé att göra sig till ovän med mig. Och jag tänkte inte säga emot — jag brydde mig inte om vad Alfrida tyckte om Tennessee Williams. Eller vad hon tyckte om någonting annat.

"Ja, det är väl din sak", sa Alfrida. "Du kan ju göra vad du vill." Och hon tillade: "Du är ju faktiskt snart gift."

Att döma av tonen kunde det antingen innebära "Jag måste väl erkänna att du är vuxen nu" eller "Snart nog måste du hålla dig på mattan".

Vi reste oss och började duka av. När vi arbetade tätt inpå varandra i det lilla utrymmet mellan köksbordet och bänken och kylskåpet, var vi snart igång med att på ett samspelt och effektivt sätt skrapa av tallrikar, trava dem och lägga överbliven mat i förvaringsburkar och fylla diskhon med varmt, löddrigt vatten och ta undan alla bestick som inte hade använts och lägga ner dem i den filtklädda lådan i matsalsskåpet. Vi tog ut askfatet i köket och stannade då och då upp för att ta ett stärkande bloss på cigarretten. När kvinnor arbetar tillsammans på det sättet finns det saker och ting de är eller inte är överens om – huruvida det går an att röka till exempel, eller om man bör låta bli, eftersom en askflaga kan leta sig ner på en ren tallrik, och huruvida man måste diska vartenda föremål som stått på bordet, även om det inte har varit använt – och det visade sig att Alfrida och jag var överens. Dessutom kunde jag känna mig mer avslappnad och generös, eftersom jag visste att det var fritt fram att gå sin väg så snart disken var klar. Jag hade redan sagt att jag skulle träffa en kamrat den eftermiddagen.

"De här tallrikarna är vackra", sa jag. De var gräddvita, aningen gulaktiga, med en kant av blå blommor.

"Ja, det är mammas bröllopsservis", sa Alfrida. "Det var också din farmors förtjänst. Hon packade in allt mammas porslin och ställde undan det åt mig tills det blev dags att använda det. Jeanie hade ingen aning om att det fanns. Det skulle inte ha hållit länge, i den familjen."

Jeanie. Den familjen. Hennes styvmor och halvsyskon.

"Du vet väl om det där?" sa Alfrida. "Du vet väl vad som hände med min mamma?"

Det är klart att jag visste. Alfridas mamma dog när en lampa exploderade i händerna på henne – det vill säga, hon dog av brännsåren hon fick när lampan exploderade – och mina fastrar och mamma hade ofta talat om det. Man kunde inte säga något om Alfridas mamma eller pappa och mycket lite om Alfrida själv utan att nämna det där dödsfallet. Det var skälet till att Alfridas pappa lämnade gården (att göra det var alltid lite av ett nerköp moraliskt, om än inte ekonomiskt). Och det var också skäl nog att alltid vara mycket försiktig med fotogen och tacksam för elektriciteten, hur mycket den än kostade. Och det var en förfärlig händelse för ett barn i Alfridas ålder, hur det nu än blev. (Det vill säga – vad hon än gjorde med sitt liv efter det.)

Om det inte hade varit för åskvädret skulle hon aldrig ha tänt en lampa mitt på eftermiddagen.

Hon levde hela den natten och nästa dag och nästa natt, och det hade varit det bästa som kunnat hända om hon hade sluppit.

Och bara ett år senare kom Hydro dit ner, och de behövde inte längre använda fotogenlampor.

Fastrarna och mamma hade sällan samma åsikter om någonting, men inför den händelsen kände de likadant. Det hördes på deras röster närhelst de nämnde Alfridas mamma. Det var som om den där historien var oskattbar för dem, som om den var något som bara vår släkt kunde göra anspråk på, ett särmärke som vi aldrig skulle släppa ifrån oss. När jag lyssnade på dem kändes det alltid som om det pågick någon sorts obscen sammansvärjelse, ett förtjust ältande av allt som var kusligt eller katastrofalt. Deras röster var som maskar som ålade omkring inne i mig.

Män var enligt min erfarenhet inte sådana. Män vände så snart de kunde bort blicken från skrämmande händelser och uppträdde som om det var meningslöst att någonsin tala om dem eller tänka på dem när de väl var ett faktum. De ville inte hetsa upp sig eller göra andra upprörda.

Om Alfrida tänkte tala om den händelsen, tyckte jag att det var skönt att min fästman inte var med. Det var bra att han slapp höra om Alfridas mamma och om andra olyckliga omständigheter i släkten. Han tyckte om opera och beundrade Laurence Olivier i *Hamlet*, men han hade ingenting till övers för det tragiska – för tragedins elände – i det vanliga livet. Hans föräldrar var vid god hälsa, såg bra ut och hade det gott ställt (även om han förstås tyckte att de var tråkiga), och det verkade inte som om han hade behövt känna någon som levde under mindre gynnsamma omständigheter. Om turen, hälsan eller ekonomin svek en och man misslyckades i livet, var det ens eget fel, tyckte han, och hans positiva uppfattning om mig sträckte sig inte till min mindre privilegierade bakgrund.

"Jag fick inte hälsa på henne på sjukhuset, de ville inte släppa in mig", sa Alfrida, men hennes ton var i alla fall normal, inte laddad med vördnad eller smetig upphetsning. "Det hade jag säkert inte gjort heller om jag hade varit i deras skor. Jag har ingen aning om hur hon såg ut. Hon hade säkert bandage över hela kroppen, inlindad som en mumie. Och hade hon det inte, borde hon ha haft det. Jag var inte hemma när det hände, jag var i skolan. Det blev väldigt mörkt, och läraren tände lamporna – vi hade elektriskt ljus i skolan då – och alla fick stanna tills åskan var över. Då kom min moster Lily – din farmor – och mötte mig och tog mig med hem till sig. Och jag fick aldrig mer träffa mamma."

Jag trodde inte att hon skulle säga något mer, men strax därpå fortsatte hon i en ton som faktiskt var lite gladare, som om hon var lite skrattlysten.

"Jag skrek och skrek och ville träffa henne. Jag gav mig inte, och till slut, när de inte lyckades få tyst på mig, sa din farmor: 'Det är nog bäst för dig att inte träffa henne. Om du visste hur hon ser ut nu, skulle du inte vilja se henne. Du skulle inte vilja minnas henne så.'

Men vet du vad jag sa då? Jag minns att jag sa: 'Men hon vill ju träffa mig. *Hon vill säkert träffa mig.'*"

Då gav hon till ett skratt, en sorts föraktfullt frustande.

"Jag måste verkligen ha trott att jag var speciell! *Hon vill säkert träffa mig.*"

Den delen av historien hade jag aldrig hört.

Och i samma ögonblick som jag hörde hennes säga det, hände något. Det var som om en fälla slog igen och orden fastnade i mitt huvud. Jag förstod egentligen inte vad jag skulle ha för användning av dem. Det enda jag visste var att de gav mig en kick och befriade mig, så att jag omedelbart andades en annan sorts luft som bara var tillgänglig för mig.

Hon vill säkert träffa mig.

Den novell där jag hade med de orden skulle inte komma att bli skriven förrän många år senare, inte förrän det inte längre hade någon betydelse vem som först hade gett mig idén.

Jag tackade Alfrida och sa att jag måste gå. Alfrida gick för att hämta Bill men kom tillbaka och talade om att han hade somnat.

"Han blir säkert arg på sig själv när han vaknar", sa hon. "Han tyckte det var roligt att träffa dig."

Hon tog av sig förklädet och följde mig hela vägen nerför yttertrappan. Vi kom ut på en grusgång och fortsatte mot trottoaren. Gruset knastrade under våra fötter och hon snubblade till i sina tunnsulade inneskor.

Hon sa: "Aj! Satan också", och grep tag i min axel.

"Hur mår din pappa?" sa hon.

"Han mår bra."

"Han jobbar för mycket."

"Det måste han", sa jag.

"Jo, jag vet. Och din mamma?"

"Det är ungefär likadant."

Hon vände sig mot skyltfönstret.

"Tror du nån kommer på tanken att köpa sånt här skräp? Titta på den där honungsbyttan. Din pappa och jag brukade alltid ha med oss mat till skolan i en sådan bytta."

"Det hade jag också", sa jag.

"Hade du?" Hon kramade mig. "Ja, hälsa nu hem, lova det."

Alfrida kom inte till pappas begravning. Jag undrade om det var för att hon inte ville träffa mig. Såvitt jag vet hade hon aldrig öppet berättat varför hon var arg på mig; ingen annan kunde rimligen veta om det. Men pappa visste. När jag var hemma på besök och fick veta att Alfrida bodde i närheten – i farmors hus, som hon till slut hade ärvt – föreslog jag att vi skulle hälsa på henne. Det var under den intensiva perioden mellan mina två äktenskap, när jag kände mig öppen och generös, nyligen befriad och redo att ta kontakt med vemhelst jag ville.

Pappa sa: "Jo, du förstår, Alfrida blev lite upprörd."

Han kallade henne Alfrida nu. När började han göra det?

Jag förstod först inte vad Alfrida kunde vara upprörd över. Pappa fick påminna mig om novellen som kommit ut flera år tidigare, och jag blev förvånad, till och med otålig och lite arg, över att Alfrida protesterade mot något som nu tycktes ha så lite koppling till henne.

"Det handlade inte alls om Alfrida", sa jag till pappa. "Jag ändrade alltsammans, jag tänkte inte ens på henne. Det var en fiktiv person. Det kan vem som helst inse."

Men den exploderande lampan fanns där, liksom mamman i liksvepning, det hårdnackade sörjande barnet, den saken kunde man inte komma ifrån.

"Ja", sa pappa. Han var i stort sett ganska nöjd med att jag hade blivit författare, men han hade vissa invändningar mot min karaktärsfasthet, som han kallade det. Mot det faktum att jag av personliga – det vill säga godtyckliga skäl – hade gjort slut på mitt äktenskap, och att jag kom med undanflykter. Han sa det inte rent ut – det var inte längre hans sak.

Jag frågade hur han visste att Alfrida kände det så.

Han sa: "Hon skrev."

Ett brev, fastän de inte bodde långt ifrån varandra. Det gjorde mig ont att han fått bära skulden för något som kunde uppfattas som tanklöshet eller till och med kränkande uppträdande från min sida. Och att hans och Alfridas vänskapsförhållande nu verkade så formellt. Jag undrade vad det var han inte berättade. Hade han känt sig tvungen att försvara mig inför Alfrida, så som han fått försvara mitt skrivande för andra? Han gjorde det numera, även om det aldrig var lätt för honom. I sitt osäkra självförsvar hade han kanske sagt något oöverlagt.

Han hade fått en del svårigheter att tampas med på grund av mig.

Det fanns en fara varje gång jag var hemma. Det var faran att se mitt liv genom andra ögon än mina egna. Se det som en ständigt växande rulle med ord, som ståltråd, komplicerat, förvirrande, olustigt – i kontrast till andra kvinnors huslighet, till mat, blommor och stickning. Det blev svårare att hävda att det var värt besväret.

Kanske för min del, men hur var det med andra?

Pappa hade sagt att Alfrida levde ensam nu. Jag frågade vart Bill hade tagit vägen. Han sa att han inte kunde yttra sig om det. Men han trodde att det hade förekommit någon sorts räddningsoperation.

"Av Bill? Hur så? Av vem?"

"Ja, jag tror att det fanns en hustru inblandad."

"Jag träffade honom hos Alfrida en gång. Jag tyckte om honom."

"Det gjorde många. Särskilt kvinnor."

Jag måste komma ihåg att brytningen inte nödvändigtvis behövde ha med mig att göra. Min styvmor hade fått pappa att leva en annan sorts liv. De ägnade sig åt bowling och curling och var ofta ute med andra par och drack kaffe och åt munkar på Tim Horton's. Hon hade varit änka länge innan hon gifte sig med honom, och hon hade många vänner från den tiden som nu också blev hans. Det som hänt mellan honom och Alfrida kunde mycket väl ha berott på att saker och ting förändrades, att gamla relationer ersattes av nya, något som jag så väl förstod i mitt eget liv men inte räknade med att äldre personer skulle påverkas av — särskilt inte min egen familj.

Min styvmor dog strax före pappa. Efter sitt korta, lyckliga äktenskap skickades de till olika kyrkogårdar, där de fick ligga bredvid den tidigare partnern från ett mindre lyckligt förhållande. Innan de dog hade Alfrida flyttat tillbaka till staden. Hon sålde inte huset, hon reste bara sin väg och lämnade det. Pappa skrev till mig: "Det är ganska underligt att göra så."

Det kom många människor till pappas begravning, många jag inte kände. En kvinna kom gående över gräset på kyrkogården och tilltalade mig — först trodde jag att det var en god vän till min styvmor. Sedan såg jag att kvinnan bara var några år äldre än jag. Den bastanta figuren i blommig kavaj och de gråblonda lockarna på hjässan gjorde att hon såg mycket äldre ut.

"Jag kände igen dig från fotot", sa hon. "Alfrida skröt alltid om dig."

Jag sa: "Alfrida är väl inte död?"

"Nej, då", sa kvinnan och berättade att Alfrida bodde på ett vård-hem i en stad strax norr om Toronto.

"Jag flyttade henne dit, så att jag skulle kunna hålla ett öga på henne."

Nu märkte jag – också på rösten – att hon tillhörde min egen gene-ration, och det slog mig att hon måste komma från den andra släkten, att hon kanske var halvsyster till Alfrida och född när Alfrida nästan var vuxen.

Hon sa vad hon hette, och det var naturligtvis inte samma namn som Alfridas – hon var säkert gift. Jag kunde inte heller minnas att Al-frida någonsin hade nämnt någon från den andra halvan av familjen vid namn.

Jag frågade hur Alfrida mådde, och kvinnan sa att hennes syn var så dålig att hon praktiskt taget var blind. Hon hade också haft allvarliga njurproblem, vilket innebar att hon måste genomgå dialys två gånger i veckan.

"Men för övrigt –" sa hon och skrattade. Säkert var det en halvsys-ter, tänkte jag, för jag tyckte mig höra ett eko av Alfrida i kvinnans obekymrade sätt att skratta.

"Nej, hon reser inte gärna", sa hon. "Annars skulle jag ha tagit hen-ne med mig. Hon får fortfarande dagstidningen härifrån, och jag läser ibland för henne. Det var där jag såg att din pappa var död."

Jag undrade högt och impulsivt om jag kanske skulle besöka henne på vårdhemmet. Det var stämningen kring begravningen – de varma känslor av lättnad och försoning som öppnats hos mig genom att min far dött vid en lagom ålder – som fick mig att komma med förslaget. Det skulle ha varit svårt att leva upp till det. Min man – min andre man – och jag skulle om två dagar flyga till Europa på en redan förse-nad semester.

"Jag vet inte om du skulle få ut något av det", sa kvinnan. "Hon har sina goda dagar. Men också dåliga. Man vet aldrig. Ibland tror jag att hon driver med oss. Hon kan till exempel sitta där hela dan och svara på samma sätt vad folk än säger. *Pigg som en mört och kär som en klockarkatt.* Det är det enda hon säger dagen i ända. *Pigg-som-en-mört-och-kär-som-*

en-klockarkatt. Hon gör en vansinnig. Andra dagar kan hon vara som vanligt."

Rösten och skrattet – som den här gången var lite dämpat – påminde mig återigen om Alfrida och jag sa: "Jag tror att vi måste ha träffats, jag minns en gång när Alfridas styvmor och hennes pappa tittade in, eller kanske var det bara pappan och några av barnen – "

"Åh, nej, det stämmer inte", sa kvinnan. "Du trodde kanske att jag var syster till Alfrida? Hjälp, ser jag så gammal ut?"

Jag började förklara att jag inte såg henne särskilt väl, och det var sant. Eftermiddagssolen stod lågt nu i oktober och stack mig rakt i ögonen. Kvinnan befann sig i motljus, och därför var det svårt att urskilja hennes drag eller ansiktsuttryck.

Hon ryckte lite nervöst på axlarna och sa: "Alfrida är min biologiska mamma."

Mamma. Mor.

Utan att gå för mycket in i detalj berättade hon sedan den historia som hon ofta måste ha redogjort för, eftersom det handlade om en avgörande händelse i hennes liv och ett äventyr som hon ensam hade gett sig in i. Hon hade blivit adopterad av en familj i östra Ontario; det var den enda familj hon någonsin haft ("och jag älskar dem innerligt") och sedan hade hon gift sig och fått barn som hunnit växa upp innan hon kände behov av att utforska vem som var hennes mor. Det var inte särskilt lätt, eftersom arkiven var bristfälliga och hemligstämplade ("Det hölls totalt hemligt att hon hade fått mig"), men för några år sen hade hon spårat upp Alfrida.

"I sista minuten dessutom", sa hon. "Det var ju faktiskt på tiden att någon kom och tog hand om henne. Så gott det nu går."

Jag sa: "Jag hade ingen aning."

"Nej. Det var väl inte många som hade det på den tiden. Man blir varnad när man börjar med sådana här efterforskningar, chocken kan bli för stor när man dyker upp. Äldre personer är plikttyngda. Men jag tror inte att hon hade något emot det. Tidigare skulle hon kanske ha haft det."

Det var som om hon kände ett slags triumf, och det var inte svårt att förstå varför. Om man har något omskakande att berätta och märker att man når sitt syfte, måste det uppstå ett slags känsla av makt. I det här fallet var det så tydligt att hon kände behov av att be om ursäkt.

"Förlåt mig, här talar jag bara om mig själv och glömmer att beklaga att din pappa är död."

Jag tackade henne.

"Alfrida berättade för mig om när hon och din pappa var på väg hem från skolan en dag, det var i high school. De kunde inte ha sällskap hela vägen, för på den tiden blev man så fruktansvärt retad. Om han slutade först brukade han vänta på henne där stora vägen gick över i deras mindre väg, utanför stan, och om hon slutade först väntade hon på honom. Så en dag när de gick där tillsammans hörde de hur alla klockor började ringa, och vet du vad det var? Det var första världskriget som hade tagit slut."

Jag sa att jag också hade hört den historien.

"Fast jag trodde att de var mycket yngre då."

"Men om de var på väg hem från high school kunde de inte vara så små väl?"

Jag sa att jag trodde att de hade varit ute och lekt på fälten. "De hade med sig pappas hund. Han hette Mack."

"Ja, det kan ju hända att hunden var med. Han kanske sprang och mötte dem. Men jag tror inte att hon rörde till det när hon berättade. Hon kom ihåg allt som hade med din pappa att göra."

Nu kom jag att tänka på två saker. Först att pappa var född 1902 och att Alfrida var ungefär lika gammal. Därför var det mer sannolikt att de var på väg hem från high school än att de lekte ute på fälten, och det var konstigt att jag aldrig hade tänkt på det förut. De hade kanske sagt att de var ute på fälten, det vill säga på väg hem över fälten. Kanske hade de aldrig talat om att de "lekte".

Dessutom märkte jag att den ursäktande vänlighet och harmlöshet som förut präglat kvinnan nu var borta.

Jag sa: "Saker och ting blir förvanskade."

"Det stämmer", sa kvinnan. "Folk förvanskar allting. Vill du veta vad Alfrida sa om dig?"

Nu. Jag visste att det skulle komma.

"Vadå?"

"Hon sa att du var klyftig, men att du inte var riktigt så klyftig som du trodde att du var."

Jag tvingade mig att titta på det mörka ansiktet i motljus.

Klyftig, för klyftig, inte tillräckligt klyftig.

Jag sa: "Var det allt?"

"Hon sa att du var kall som en fisk. Det var hon som sa det, inte jag. Jag har ingenting emot dig."

Den söndagen efter lunchen hos Alfrida, bestämde jag mig för att promenera hela vägen tillbaka till mitt studentrum. Om jag gick båda vägarna borde det motsvara ungefär femton kilometer, och då skulle effekten av det jag hade ätit motverkas. Jag kände mig övermätt, inte bara på mat utan på allt som jag hade sett och anat i lägenheten. De hopträngda, gammaldags möblerna. Bills tystnad. Alfridas kärlek, envis som dy, malplacerad och – såvitt jag kunde bedöma – hopplös, om inte annat på grund av åldern.

När jag hade gått ett tag kändes magen inte längre lika tung. Jag gav ett löfte att inte äta något på tjugofyra timmar. Jag gick norrut och västerut, norrut och västerut, på gatorna i den prydligt rektangulära staden. Så här på söndag eftermiddag var det knappast någon trafik, utom på de stora genomfartslederna. Ibland sammanföll min väg under några kvarter med en bussrutt. En buss kunde köra förbi med bara två, tre personer i. Folk jag inte kände och som inte kände mig. Vilken välsignelse.

Jag hade ljugit, jag skulle inte träffa några vänner. Mina vänner hade nästan alla åkt hem. Min fästman skulle inte komma förrän nästa dag – på väg hem från Ottawa skulle han besöka sina föräldrar i Cobourg. Det skulle inte finnas någon på studenthemmet när jag kom dit – ingen jag behövde prata med eller lyssna på. Jag hade ingenting att göra.

När jag hade gått i över en timme såg jag en glassbar som var öppen. Jag gick in och tog en kopp kaffe. Kaffet var återuppvärmt, svart och bittert – smaken var medicinsk, precis vad jag behövde. Jag var redan lättad, och nu började jag känna mig lycklig. Vilken lycka att vara ensam. Att se det varma eftermiddagsljuset över trottoaren utanför, se grenarna på ett träd som slagit ut kasta sin bleka skugga. Att inifrån baren höra ljudet av en match som mannen som serverade lyssnade på i radio. Jag tänkte inte särskilt på den novell jag skulle skriva om Alfrida utan på arbetet jag ville utföra, som snarare var att gripa något ur luften än att sätta samman berättelser. Ropen från publiken nådde mig som tunga hjärtslag, fyllda av sorg. Sköna vågor som lät högtidliga med sina avlägsna, nästan omänskliga yttringar av bifall och klagan.

Det var det jag ville ha, det var det jag tyckte att jag skulle lyssna på, det var så jag ville att mitt liv skulle vara.

Tröst

DEN EFTERMIDDAGEN HADE Nina varit och spelat tennis på skolans bana. Sedan Lewis slutade arbeta på skolan hade hon ett tag bojkottat banan, men nu hade det gått nästan ett år, och hennes väninna Margaret — också pensionerad lärare, fast hon till skillnad från Lewis hade blivit avtackad på traditionellt sätt — hade övertalat henne att spela där igen.

"Man får se till att komma ut medan man kan."

Margaret hade redan slutat när det började bli jobbigt för Lewis. Hon hade skrivit från Skottland och försvarat honom. Men hon var en människa med stor vänskapskrets och vidsträckta sympatier, öppen och förstående, och därför fick brevet kanske inte så stor genomslagskraft. Margarets goda hjärta förnekade sig inte.

"Hur mår Lewis?" frågade hon när Nina körde henne hem den eftermiddagen.

Nina sa: "Han tar en dag i taget."

Solen var redan nära att gå ner över sjön. Några träd som ännu hade löven kvar flammade i guld, men eftermiddagens sommarvärme var borta. Buskarna framför Margarets hus var alla insvepta i säckväv, som mumier.

Den här stunden på dagen påminde Nina om promenaderna hon och Lewis alltid tagit efter skolan och före middagen. Promenader på vägar utanför stan och utmed gamla järnvägsvallar, med nödvändighet kortare allteftersom dagarna mörknade. Men fulla av alla de uttalade eller outtalade observationer som hon hade lärt sig göra eller tagit till sig genom Lewis. Skalbaggar, larver, sniglar, mossor, ogräs i diket och snårskuggor över gräset, djurspår, olvon, tranbär – olika iakttagelser som växlade från dag till dag. Och för varje dag som gick ännu ett steg mot vinter, mot ett kargare landskap, vissnande.

Huset Nina och Lewis bodde i var byggt på 1840-talet och låg enligt den tidens sed alldeles intill vägen. Om man befann sig i vardagsrummet eller i matsalen hörde man inte bara steg utan också samtal utanför. Nina var säker på att Lewis hade hört bildörren stängas.

Hon visslade så gott hon kunde när hon kom in. *Se den segrande hjälten kommer.*

"Jag vann. Jag vann. Hallå?"

Men medan hon var ute dog Lewis. I själva verket tog han livet av sig. På nattygsbordet låg fyra små plastförpackningar med foliebaksida. Var och en hade innehållit två starka smärtlindrande tabletter. Bredvid låg två extra förpackningar som inte var öppnade. De vita kapslarna stack fortfarande upp under plasten. När Nina tog bort dem skulle hon senare se att det fanns ett märke i folien på den ena, som om han hade börjat sticka nageln i den men kanske insett att han redan tagit en tillräckligt stark dos och gett upp eller blivit medvetslös just i det ögonblicket.

Dricksglaset var nästan tomt. Inget vatten utspillt.

De hade talat om detta. De hade varit överens, men alltid om att det var något som kunde – skulle – inträffa i framtiden. Nina hade trott att hon skulle vara med och att de på något sätt skulle göra ögonblicket högtidligt. Musik. Prydligt ordnade kuddar och en stol framdragen, så att hon kunde sitta och hålla honom i handen. Två saker hade hon inte tänkt på – att han avskydde alla slags ceremonier och att det skulle vara påfrestande för henne att vara med. Man skulle undra och lägga sig i, ifrågasätta hennes del i det hela.

Genom att göra det på det här sättet hade han sett till att hon hade så lite som möjligt att dölja.

Hon letade efter ett brev. Vad trodde hon att det skulle innehålla? Hon behövde inga instruktioner. Hon behövde verkligen ingen förklaring och absolut ingen ursäkt. Det fanns ingenting som hon inte redan visste. Hon kunde till och med på egen hand besvara frågan: Varför redan nu? De hade pratat – eller han hade pratat – om tröskeln till outhärdlig hjälplöshet eller smärta eller själväckel och hur viktigt det var att känna när man kom till den tröskeln, inte bara glida över den. Förr snarare än senare.

Ändå verkade det ofattbart att han inte skulle ha något mer att säga henne. Hon letade först på golvet och tänkte att han kanske hade sopat till papperet med pyjamasärmen när han ställde ner vattenglaset på nattygsbordet för sista gången. Eller också hade han kanske varit noga med att inte göra det – hon tittade under lampfoten. Så i bordslådan. Sedan under och i hans tofflor. Hon lyfte på boken som han höll på att läsa och skakade på den, en bok om paleontologi och det hon trodde kallades "den kambriska fossilexplosionen".

Ingenting.

Hon började rafsa i sängkläderna. Hon drog av duntäcket, sedan överlakanet. Där låg han, i den mörkblå sidenpyjamasen som hon hade köpt åt honom för några veckor sedan. Han hade klagat över att han frös – han som aldrig förr hade frusit i sängen – och därför gick hon ut och köpte den dyraste pyjamasen som fanns i affären. Hon köpte den för att siden var både lätt och varmt och för att alla andra pyjamasar hon såg – med ränder och fåniga eller småfräcka tryck – fick henne att tänka på serieteckningar med gamla gubbar eller äkta män som resignerat hasade omkring. Den här pyjamasen hade nästan samma färg som lakanen, och därför såg hon inte mycket av honom. Fötter, vrister, vader. Händer, handleder, hals, huvud. Han låg på sidan med huvudet bortvänt. Hon rotade fortfarande efter något meddelande och drog omilt undan kudden under hans huvud.

Nej. Nej.

När huvudet flyttades från kudden till madrassen gav det ifrån sig ett särskilt ljud, ett ljud som var kraftigare än vad hon hade väntat. Och det var det, lika mycket som det sträckta lakanet, som sa henne att sökandet var förgäves.

Tabletterna fick honom säkert att domna bort, så att han slapp bli förvriden av smärta medan kroppen gradvis slutade fungera. Munnen var en aning öppen men torr. Under de senaste månaderna hade han förändrats en hel del – det var först nu som hon såg hur mycket. När han hade ögonen öppna och också när han sov, hade han genom någon sorts ansträngning hållit uppe illusionen att skadan bara var tillfällig – att den kraftfulle och ofta aggressive sextiotvååringens ansikte fortfarande fanns där, under den blåaktiga hudens veck, under sjukdomens stenhårda vaksamhet. Det hade aldrig varit kindbenens struktur som gjort hans ansikte så intensivt och livligt – det var helt och hållet de djupt liggande, klara ögonen, den otåliga munnen och det lättrörliga ansiktet, som snabbt kunde förändras och rynka ihop sig i spefullhet, skepsis, ironisk tålmodighet, plågsamt missnöje. En klassrumsrepertoar – och inte alltid begränsad dit.

Men inte längre. Inte längre. På några få timmar (för han måste ha satt igång så fort hon gav sig av, eftersom han säkert inte velat riskera att hon kom tillbaka innan han hunnit fullfölja sina planer) hade nedbrytningen vunnit, det stod nu helt klart, kroppen hade gett upp och ansiktet sjunkit in, blivit stängt, avlägset, åldrat och infantilt – kanske som ansiktet på ett dödfött barn.

Sjukdomen hade tre anfallssätt. Det ena inbegrep händerna och armarna. Fingrarna hade blivit stumma och okänsliga, det blev först svårt, sedan omöjligt att greppa med dem. Det kunde också vara benen som tappade kraften först och fötterna som började snubbla och snart vägrade att lyfta sig uppför ett trappsteg eller ens över mattkanten. Den tredje och troligen värsta angreppspunkten var halsen och tungan. Det blev vanskligt att svälja, skräckinjagande, ett kvävningsdrama, och talet förvandlades till en obegriplig ström av besvärliga stavelser. Det var alltid de viljestyrda musklerna som angreps först, och det lät ju som ett mindre bekymmer. Inga feltändningar i hjärtat eller hjärnan, inga signaler som löpte amok, ingen ondskefull förändring av personligheten. Synen och hörseln och smaken och känseln och framför allt intelligensen förblev lika livfulla och starka som nå-

gonsin. Hjärnan arbetade för högtryck och styrde allt det som var av-
stängt, kompenserade det som strejkade och det som var förbrukat.
Var inte det vida bättre?

Naturligtvis, hade Lewis sagt. Men bara för att det ger en chansen
att själv agera.

Själv hade han först fått problem med benmusklerna. Han började
gymnastisera i en seniorgrupp (fastän han avskydde tanken) för att se
om han kunde träna upp styrkan. Under ett par veckor tyckte han att
det fungerade. Men så kom blytyngden i fötterna, han började hasa
och snava och det dröjde inte länge förrän diagnosen ställdes. Så snart
de fick vetskapen, började de tala om vad som skulle göras när den ti-
den kom. I början av sommaren gick han med hjälp av två käppar. Mot
slutet av sommaren gick han inte alls. Men händerna kunde fortfaran-
de vända sidor i en bok och med svårighet manövrera en gaffel eller
sked eller penna. Nina tyckte inte att hans tal var särskilt påverkat, men
utomstående hade svårigheter med det. Han hade i alla fall bestämt sig
för att bannlysa besök. Han fick ändra sin diet för att göra det lättare
att svälja, och ibland gick det dagar utan några större problem.

Nina hade förhört sig om en rullstol. Han protesterade inte. De ta-
lade inte längre om det de kallade det totala sammanbrottet. Hon hade
till och med undrat om de – eller han – kanske var på väg in i en fas
som hon hade läst om och som ibland fick en dödlig sjukdom att änd-
ra förlopp. En sorts optimism började spira, inte för att den var befo-
gad utan för att hela erfarenheten hade blivit påtaglig och inte abstrakt,
för att det var nödvändigt att inse att sjukdomen var bestående, inte ba-
ra ett övergående irritationsmoment.

Slutet har inte kommit än. Lev i nuet. Grip dagen.

Den sortens resonemang tycktes inte stämma in på Lewis. Nina
skulle inte ha ansett honom kapabel till något som helst självbedräge-
ri, hur användbart det än hade varit. Men hon skulle heller aldrig ha
kunnat föreställa sig honom drabbad av fysiskt sammanbrott. Och nu
när en osannolik sak hade inträffat, kunde det då inte ske igen? Varför
skulle det inte kunna inträffa förändringar i hans fall när det gjorde

det i andras? Hemliga förhoppningar, förträngningar, förstulna förhandlingar?

Nej.

Hon tog telefonkatalogen vid sängen och letade under "Begravningsentreprenörer" som var en rubrik som förstås inte fanns. "Gravsättningsbyråer." Han och hon brukade känna samma vanmakt över sådant. Vad i hela friden var det för fel på ordet begravningsentreprenör? Hon vände sig mot honom och såg att hon hade låtit honom ligga hjälplöst oskyddad. Innan hon slog numret lade hon på honom lakanet och duntäcket igen.

En ung manlig röst frågade henne om läkaren var där, hade han kommit än?

"Han behövde ingen läkare. När jag kom hem hittade jag honom död."

"När var det?"

"Jag vet inte – för tjugo minuter sen?"

"Ni hittade honom död? Men – vad heter er läkare? Jag ringer och ber honom komma."

I sina sakliga självmordsdiskussioner hade Nina och Lewis såvitt hon kunde minnas aldrig talat om huruvida man skulle hålla saken hemlig eller ej. På sätt och vis var hon säker på att Lewis hade velat lägga fakta på bordet. Han hade säkert velat offentliggöra att det var hans sätt att på ett hederligt och förnuftigt sätt hantera den situation han befann sig i. Men det fanns en annan anledning till att han kanske skulle ha föredragit tystnad. Han skulle inte ha velat att någon uppfattade självmordet som en följd av att han blivit av med sitt jobb, att han misslyckats i sin kamp i skolan. Om folk trodde att han hade säckat ihop på grund av nederlaget där skulle han ha blivit rasande.

Hon föste ner förpackningarna från nattygsbordet, både de fulla och de tomma, och spolade ner dem i toaletten.

Begravningsentreprenören representerades av ett par storvuxna killar från trakten, före detta studenter, lite mer uppskärrade än de ville visa.

Läkaren var också ung, en främling – Lewis vanliga doktor var på semester i Grekland.

"Egentligen en välsignelse", sa läkaren när han hade fått alla fakta. Hon blev lite förvånad över att höra honom medge det så öppet. Om Lewis hade hört det, skulle han kanske ha misstänkt en koppling till religionen, tänkte hon. Det läkaren sa därnäst var mindre förvånande.

"Vill ni tala med någon? Vi har folk som kan hjälpa er att reda ut era känslor, ni vet."

"Nej. Nej tack. Det går bra ändå."

"Har ni bott här länge? Har ni vänner som ni kan vända er till?"

"Oh, ja, visst."

"Har ni någon ni kan ringa till nu?"

"Ja", sa Nina. Hon ljög. Så snart läkaren och de unga bärarna och Lewis hade lämnat huset – Lewis som bars ut som en möbel, insvept för att skyddas mot stötar – var hon tvungen att återta sitt letande. Hon hade varit en idiot som bara hållit sig i närheten av sängen. Hon gick igenom fickorna på sin morgonrock som hängde på baksidan av sängkammardörren. En utmärkt plats, eftersom det var ett plagg som hon satte på sig varje morgon innan hon skyndade iväg för att koka kaffe, och när hon letade i fickorna hittade hon alltid sådant som pappersnäsdukar, läppstift. Fast för att lägga något där skulle han ha varit tvungen att stiga ur sängen och korsa rummet – han som under de senaste veckorna inte kunnat ta ett steg utan hennes hjälp.

Men varför måste brevet ha skrivits och lagts på plats just igår? Skulle det inte ha varit vettigare att skriva och gömma undan det för flera veckor sedan, särskilt som han inte visste hur snabbt hans skrivförmåga skulle försämras? Och om det var så, kunde brevet ligga var som helst. I någon av hennes skrivbordslådor – där hon just nu letade. Eller under champagneflaskan som hon hade köpt för att drickas på hans födelsedag och ställt på byrån för att påminna honom om detta datum två veckor längre fram – eller mellan sidorna på någon av de böcker som hon höll på att läsa. Han hade faktiskt nyligen frågat henne: "Vad läser du själv just nu?" Han menade då inte den bok som hon just läste för honom – *Fredrik den store* av Nancy Mitford. Hon hade valt lättläst historia – han klarade inte skönlitteratur – och låtit honom själv ta hand om de vetenskapliga böckerna. På hans fråga hade hon svarat: "Bara några japanska noveller", och hållit upp boken. Hon kastade undan en del andra böcker och letade sig fram till just den, höll upp den och skakade sidorna. Varenda bok som hon lagt åt sidan fick sedan gå igenom samma behandling. Kuddarna i stolen där hon brukade sitta hamnade på golvet när hon skulle undersöka vad som fanns bakom. Till slut gick alla kuddarna i soffan samma väg. Kaffebönorna hälldes ut ur burken för den händelse att han (förvirrat?) hade gömt ett avskedsbrev där.

Hon hade inte velat ha något vittne till detta letande – som hon dock hade genomfört med alla lampor tända och gardinerna frångdragna. Ingen skulle uppmana henne att samla ihop sig. Det hade varit mörkt ett bra tag och hon insåg att hon borde äta något. Hon skulle kunna ringa Margaret. Men hon gjorde ingetdera. Hon reste sig och tänkte dra för gardinerna men släckte istället lamporna.

Nina var över en och åttio lång. Redan när hon var i tonåren hade gymnastiklärare, skolkuratorer, bekymrade vänner och mamman uppmanat henne att räta på ryggen. Hon gjorde sitt bästa, men när hon tittade på foton av sig själv såg hon fortfarande hur fogligt hon hade anpassat sig, hur hon kurade med axlarna, lade huvudet på sned och log tjänstvilligt. När hon var ung vande hon sig vid att vännerna sammanförde henne med långa män. Det var som om annat inte hade så stor betydelse – bara en man var tillräckligt lång skulle han paras ihop med Nina. Ofta var mannen i fråga inte heller särskilt förtjust över situationen – en lång man kunde ju faktiskt välja och vraka – och den leende och kutryggiga Nina ville bara sjunka genom jorden.

Hennes föräldrar var i alla fall angelägna om att hon skulle sköta sitt eget liv. De var båda läkare och bodde i en liten stad i Michigan. Nina bodde hemma efter det att hon gick ut college. Hon undervisade i latin på stans high school. På loven reste hon till Europa med de collegevänner som ännu inte hade gått åt på äktenskapsmarknaden och troligen inte skulle komma att göra det. På en vandring i Cairngorms träffade hon och hennes sällskap på ett gäng australiensare och nyzeeländare, tillfälliga hippies där Lewis tydligen var ledare. Han var några år äldre än de övriga, mindre av hippie än van vandrare och definitivt den som man vände sig till när det uppstod dispyter och problem. Han var inte särskilt lång – säkert en decimeter kortare än Nina. Ändå fäste han sig vid henne, övertalade henne att ändra sina resplaner och följa med honom – och lämnade muntert sina egna kamrater att ta hand om sig själva.

Det visade sig att han var trött på att vandra och att han hade en akademisk examen i biologi samt en lärarutbildning från Nya Zeeland. Nina berättade om staden på den östra stranden av Huronsjön i Kanada, där hon hade besökt släktingar när hon var barn. Hon beskrev de höga träden utmed gatorna, de enkla gamla husen, solnedgångarna över sjön – en utmärkt plats för dem att bo på och ett ställe där Lewis lättare skulle kunna få jobb med tanke på kontakterna inom brittiska samväldet. Båda fick också jobb på stans high school – fast Nina slutade undervisa några år senare, då latinet gradvis avvecklades. Hon skulle ha kunnat komplettera sin utbildning för att undervisa i något annat ämne, men hon var i hemlighet lika glad om hon slapp arbeta på samma plats och med samma sorts jobb som Lewis. Med sin kraftfulla personlighet och sitt okonventionella sätt att undervisa skaffade han sig fiender såväl som vänner, och det var skönt för henne att slippa vara med i händelsernas centrum.

De väntade lite för länge med att få barn. Och hon misstänkte att båda var lite för bekväma – de tilltalades inte av tanken på att helt och fullt gå upp i den lätt komiska och förkrympta rollen som mamma och pappa. Studenterna beundrade dem för att de – särskilt Lewis – skilde sig från andra vuxna. De var fysiskt och mentalt mer energiska, hade fler intressen och såg till att få ut något av livet.

Hon gick med i en kör. Många av konserterna hölls i kyrkor, och det var då hon förstod hur främmande Lewis var för sådana platser. Hon invände att det ofta inte fanns någon annanstans att hålla konsert och att det inte innebar att musiken behövde ha religiös anknytning (även om det var lite svårt att hävda den saken när man till exempel framförde *Messias*). Hon tyckte att han var gammalmodig och att religionen ändå inte kunde ställa till någon större förtret nuförtiden. Det resulterade i ett stort gräl. De fick rusa runt och dra ner fönstren, så att det inte skulle höras ut på trottoaren hur de skrek åt varandra i den varma sommarkvällen.

Det var ett förlamande gräl som inte bara avslöjade hur lätt han hade att skaffa sig fiender utan också hur stenhårt hon höll fast vid sina argument och lät dispyten trappas upp till kokpunkten. Ingen av dem gav sig, båda var bittert fastlåsta i sina positioner.

Kan du inte tolerera att människor är olika, varför är det här så viktigt?

Om det här inte är viktigt, är ingenting viktigt.

Avskyn växte till en tät vägg mellan dem. Och det över en fråga som aldrig kunde få sin lösning. De gick till sängs utan att säga ett ord, skildes åt nästa morgon utan att säga ett ord och blev under dagen utom sig av rädsla – hon för att han aldrig skulle komma hem igen, han för att hon inte skulle finnas där när han väl gjorde det. Men lyckan stod dem bi. De förenades på eftermiddagen, bleka av ånger, darrande av kärlek, som om de med nöd och näppe hade undkommit en jordbävning och vandrat omkring i naken förtvivlan.

Och det hände fler gånger. Nina, som hade uppfostrats till att bli så fridsam, undrade om det var normaltillståndet. Hon kunde inte diskutera saken med honom – det var för ljuvt och fånigt att återförenas, de kände alltför stor tacksamhet. Han kallade henne söta Nina-hyenan, och hon kallade honom vackert-väder-Lewis.

För några år sedan började en ny sorts reklam dyka upp längs vägarna. Man hade länge sett affischer med uppmaningar till omvändelse och abortmotståndarnas stora plakat med rosa hjärtan och ett avstannande EKG. På senare tid hade man börjat se texter ur Första Moseboken.

I begynnelsen skapade Gud himmel och jord.
Och Gud sade: "Varde ljus"; och det vart ljus.
Och Gud sade: "Låt oss göra människor till vår avbild."
Till man och kvinna skapade han dem.

Oftast fanns där också en regnbåge eller en ros eller någon sort symbol för paradisisk härlighet.

"Vad är det för mening med allt det här?" undrade Nina. "En förändring är det i alla fall. Från 'Så älskade Gud världen.'"

"Det är kreationism."

"Det kan jag räkna ut. Men varför har man satt upp skyltar överallt?"

Lewis sa att det hade uppstått en rörelse som ville betona biblisk bokstavstro.

"Adam och Eva. Samma gamla historia."

Han verkade inte särskilt störd över detta — inte mer upprörd än vad han brukade bli över krubban som varje jul ställdes upp, inte framför en kyrka utan på gräsmattan utanför Stadshuset. Det var en helt annan sak att placera den på stans mark än på kyrkans, sa han. Nina, som vuxit upp bland kväkare, hade inte uppfostrats med berättelsen om Adam och Eva, och när hon kom hem tog hon därför fram King James bibel och läste hela det avsnittet. Hon blev hänförd över de storslagna framsteg som skett under skapelsens första sex dagar — då vattnen delades, då Gud skapade sol och måne och allt som rör sig på jorden och i luften.

"Det här är vackert", sa hon. "Det är stor poesi. Det borde människor läsa."

Han sa att det varken var bättre eller sämre än någon annan av de skapelsemyter som hade uppstått i jordens alla hörn och att han var utled på att höra hur vackert det var, att det var poesi.

"Det är en rökridå", sa han. "De skiter fullständigt i det poetiska."

Nina skrattade. "Jordens alla hörn", sa hon. "Så talar väl inte en vetenskapsman? Jag slår vad om att det är ett citat ur bibeln."

Hon tog ibland chansen att reta honom när ämnet kom på tal. Men hon fick akta sig för att gå för långt. Hon måste se upp för den punkt där han kände sig dödligt hotad, skymfad och förolämpad.

Då och då hittade hon en stridsskrift i posten. Hon läste dem inte utan trodde ett tag att alla fick sådana tillsammans med broschyrer om semester i tropikerna och annan gräll reklam. Sedan förstod hon att Lewis fick sådant i skolan också – "kreationistisk propaganda" som han kallade det – skrifter som man lade på hans bord eller i hans postfack.

"Ungdomarna har tillgång till mitt bord, men vem i helvete är det som stoppar sånt här i postfacket?" hade han frågat rektorn.

Rektorn svarade att han inte hade en aning, också han fick sådana. Lewis nämnde namnet på ett par av lärarna vid skolan, några kryptokristna, som han kallade dem, och rektorn sa att det inte var värt att bry sin hjärna, man kunde ju alltid kasta broschyrerna.

Det kom frågor på lektionerna. Det hade det förstås alltid gjort. Man kunde räkna med det, sa Lewis. Ett äckligt litet dygdemönster eller någon viktigpetter som försökte sätta en käpp i hjulet på evolutionen. Lewis hade sitt beprövade sätt att tackla sådant. Om de ville ha en religiös tolkning av jordens historia, sa han till fridstörarna, fanns det en kristen friskola i stan intill, dit de var mycket välkomna. Och när det blev fler frågor, tillade han att det fanns bussar som gick dit och om de hade lust kunde de samla ihop sina böcker och ge sig av på fläcken.

"Och ni kan ta er i – " sa han. Senare blev det diskussion om huruvida han verkligen hade sagt ordet "häcken" eller bara låtit det hänga i luften. Men även om han inte hade uttalat ordet, hade han väckt anstöt, för alla visste hur man avslutade meningen.

Numera hade eleverna slagit in på en annan väg.

"Det är inte det att vi absolut vill ha en religiös syn på saken. Vi undrar bara varför ni inte ger en neutral tolkning."

Lewis lät sig dras med i diskussionen.

"Det är för att jag är här för att lära er naturvetenskap, inte religion."

Det var det han sa att han hade sagt. Det fanns de som rapporterade att han sa: "Jag är inte här för att lära ut sådan smörja." Och Lewis tillstod att det ordet skulle ha kunnat undslippa honom efter fjärde eller femte avbrottet, då frågan formulerats på ett lite annorlunda sätt ("Tror ni det skadar oss att få höra den andra versionen av berättelsen? Om vi undervisas i ateism, är det då inte också nån sorts religion?"). Och om han nu verkligen använt ordet "smörja" under provokation, tänkte han inte be om ursäkt.

"Det råkar vara jag som är chef här i klassrummet, och det är jag som bestämmer vad som ska läras ut."

"Jag trodde att det var Gud som var chef, sir."

Det förekom utvisning ur klassrummet och föräldrar ville prata med rektorn. Kanske hade de tänkt tala med Lewis, men rektorn såg till att det inte blev så. Först senare fick Lewis höra talas om de där samtalen genom kommentarer som mer eller mindre skämtsamt fälldes i kollegierummet.

"Du behöver inte oroa dig för den saken", sa rektorn – han hette Paul Gibbings och var bara några år yngre än Lewis. "De vill bara känna att man lyssnar på dem. Man får stryka dem medhårs lite grand."

"Det kunde jag ha gjort", sa Lewis.

"Visst, men kanske inte på det sättet jag hade tänkt mig."

"Det borde finnas ett anslag. Hundar och föräldrar får ej beträda lokalerna."

"Det ligger nånting i det", sa Paul Gibbings och suckade vänligt. "Men de har väl sina rättigheter."

Det började dyka upp insändare i lokaltidningen. Var och varannan vecka förekom brev med signaturen "Bekymrad förälder", "Kristen skattebetalare" eller "Var ska det sluta?". De var alla välskrivna, prydligt uppställda, kompetent formulerade, som om en enda person hade delegerats till att vara språkrör. Breven framhöll att alla föräldrar inte hade råd med avgifterna i den kristna privatskolan, trots att man betalade skatt. Därför hade barnen rätt till en kommunal undervisning som inte präglades av en kränkande eller målmedvetet destruktiv inställning till den kristna tron. På ett vetenskapligt språk analyserades hur man hade missförstått dokumentationen och hur upptäckter som tycktes stödja evolutionsteorin i själva verket bekräftade den bibliska berättelsen. Så följde bibelcitat som förutspådde dagens falska vittnesbörd och den förödande inverkan de hade på vanlig hygglig livsmoral.

Så småningom förändrades tonen och blev vredgad. Antikrists företrädare hade tagit kommandot över regeringen och skolundervisningen. Satan sträckte ut sina klor mot barnsjälar som till och med tvingades rabbla fördömelsens doktriner vid skriftliga prov.

"Vad är det för skillnad mellan Satan och Antikrist, eller finns det ingen?" sa Nina. "Kväkarna var inte så noga med sånt."

Lewis sa att det inte var något att skämta om.

"Förlåt", sa hon nyktert. "Vem tror du det är som skriver? Nån präst?"

Han sa att det säkert var mer organiserat än så. Det fanns antagligen en hjärna bakom kampanjen, något slags central instans som tillhandahöll brev som sedan sändes från privatadresser. Han trodde inte att det hela hade startat i hans klassrum. Man hade omsorgsfullt planerat sin taktik och riktat in sig på vissa skolor, troligen i områden där det fanns gott hopp om sympati från allmänhetens sida.

"Då är det inte personligt menat?"

"Det är ingen tröst."

"Inte? Det trodde jag."

Någon skrev "Helveteseld" på Lewis bil, men inte med sprejfärger – bara genom att dra fingret genom dammet.

Hans avgångsklass började bojkottas av en liten grupp elever som satt på golvet utanför, beväpnade med brev från föräldrarna. När Lewis undervisade satte de igång att sjunga psalmen "All things bright and beautiful".

Allt som är vist och skönt,
allt som vittnar om Ditt ord,
allt som är ljust och grönt,
Herren Gud har skapat vår jord.

Rektorn utfärdade förbud mot att sitta på golvet i korridoren, men han gav inte eleverna order att återvända till klassrummet. De fick gå till ett förvaringsrum vid gymnastiksalen, där de fortsatte att sjunga – de hade också andra psalmer till hands. Deras röster blandade sig på ett förvirrande sätt med gymnastiklärarens bistra kommandon och dunset av fötter mot golvet i salen.

En måndagsmorgon damp det ner en skrivelse på rektorns bord, och samtidigt lämnade man in en kopia till lokaltidningsredaktionen. Man hade samlat in underskrifter inte bara från barnens föräldrar utan också från olika kyrkliga församlingar i stan. De flesta kom från fundamentalistiska samfund, men där fanns också några från Brödraförsamlingen, liksom från den anglikanska och presbyterianska kyrkan.

Man nämnde ingenting om helveteselden i skrivelsen. Överhuvudtaget ingenting om Satan eller Antikrist. Det enda som betonades var att man måste visa respekt för den bibliska skapelseversionen och ge den lika stort utrymme som övriga alternativ.

"Vi som undertecknat denna skrivelse anser att Gud har varit borta ur bilden alltför länge."

"Det är bara struntprat", sa Lewis. "De vill inte alls ge lika stort utrymme åt övriga alternativ – de tror inte på valfrihet. De är fanatiker. Fascister."

Paul Gibbings kom hem till Lewis och Nina. Han ville inte diskutera saken på en plats där det kunde finnas spioner. (En av sekreterarna var medlem av Bibelsällskapet.) Han trodde inte att han skulle kunna övertala Lewis, men han var tvungen att försöka.

"De har ta mig tusan fått mig i underläge", sa han.

"Ge mig sparken", sa Lewis. "Anställ någon kreationistisk idiot."

Den saten njuter av det här, tänkte Paul. Men han behärskade sig. Det var visst det han ägnade sig mest åt numera, självbehärskning.

"Jag kom inte för att prata om det. Du vet ju att många människor är helt inne på den här linjen. Inte minst folk i styrelsen."

"Gör dem lyckliga. Sparka mig. In med Adam och Eva."

Nina kom med kaffe. Paul tackade och försökte fånga hennes blick för att se var hon stod i den här frågan. Ingen kontakt.

"Visst", sa han. "Det skulle jag kunna göra om jag ville. Men jag vill inte. Då får jag facket på mig. Vi skulle bli en visa över hela distriktet, det kunde till och med framkalla strejk, och vi måste tänka på ungdomarna."

Det borde ju vara ett argument för Lewis – att tänka på ungdomarna. Men han var som vanligt envis som synden.

"In med Adam och Eva. Med eller utan fikonlöv."

"Det enda jag vill är att du håller ett litet anförande där du framhåller att det här är en annan tolkning och att vissa människor tror på en sak och andra på en annan. Korta ner berättelsen i Första Mosebok till femton eller tjugo minuter. Läs den högt. Fast gör det med respekt. Du vet ju vad det handlar om, eller hur? Människor som känner sig åsidosatta. Ingen gillar att känna sig åsidosatt."

Lewis satt tyst länge nog för att väcka förhoppningar – hos Paul och kanske också hos Nina, vem vet? – men det visade sig att den långa pausen bara var ett sätt att låta det ondskefulla förslaget sjunka in ordentligt.

"Nå, vad säger du?" undrade Paul försiktigt.

"Jag läser gärna hela Första Mosebok högt, om du vill, och sen talar jag om att det rör sig om ett enda mischmasch av folkstamsförhävelse och teologiska föreställningar som till större delen är inlånade från andra och mer framstående kulturer – "

"Myter", sa Nina. "En myt är ju faktiskt inte osann, den är bara – "

Paul förstod att det inte var någon idé att lyssna på henne. Lewis gjorde det inte.

Lewis skrev ett brev till tidningen. Första delen av brevet var vetenskaplig och sansad och beskrev hur kontinenterna försköts och hur haven svällde och krympte, hur ogynnsamt livet började. Uråldriga mikrober, oceaner utan fisk och himlar utan fåglar. Blomstring och destruktion, amfibier, reptiler och dinosaurier som härskade över världen, klimatet som förändrades, de första oansenliga små däggdjuren. Liv som prövades och inte höll måttet, primater som sent och föga lovande dök upp på scenen, människoliknande varelser som reste sig på bakbenen och kom underfund med elden, som slipade stenar, markerade sitt territorium och till sist i stor brådska byggde båtar och pyramider och bomber, skapade språk och gudar och offrade och mördade varandra. Grälade om huruvida Gud hette Jehova eller Krishna (här började tonen skärpas), huruvida det gick bra att äta fläsk eller lägga sig på knä och skrika ut sina böner till någon gammal vitskäggig gubbe i himlen som förmodades ha stort intresse av vem som vann krigen och fotbollsmatcherna. Människorna som till slut förbluffande nog räknade ut en del sammanhang och började begripa lite om sig själva och det universum de befann sig i men strax därpå bestämde sig för att strunta i all denna surt förvärvade kunskap och ta tillbaka den vitskäggige gamle gubben och tvinga ner alla på knä igen, så att de fick lära sig att tro på det gamla svamlet på nytt, och varför inte gå tillbaka till teorin om att jorden var platt när man ändå var igång?

Högaktningsfullt, Lewis Spiers.

Tidningens redaktör var inte från stan och hade nyligen avlagt journalistexamen. Han var nöjd med upproret och tog in alla insändare (från "Gud låter sig inte luras" till inlägg från varenda medlem av Bibelsällskapet, som till exempel "Artikelförfattare med torftiga argument", samt ett svar från den tolerante men sorgsne präst i Brödraförsamlingen som tagit anstöt av talet om svammel och gammal vitskäggig gubbe) till dess att tidningens utgivare förklarade att det fick vara slut på detta gammaldags ståhej som avskräckte annonsörerna. Lägg locket på, sa han.

Lewis skrev ytterligare ett brev, där han begärde avsked. Det accepterades motvilligt av Paul Gibbings — som även han publicerade sitt svar i tidningen och angav sviktande hälsa som skäl.

Det var visserligen sant, men själv hade Lewis inte velat offentliggöra anledningen. I flera veckor hade han känt sig svag i benen. Just när det var som viktigast för honom att stå upp inför klassen och gå av och an framför den, började han darra och längta efter att sätta sig ner. Han gav aldrig efter, men ibland blev han tvungen att ta tag i ryggstödet på stolen, som för att betona det han sa. Och ibland insåg han att han inte kände var fötterna fanns. Om där hade legat en matta, skulle han ha kunnat snava över minsta veck, och till och med i klassrummet, där det inte fanns någon matta, kunde en penna eller krita som hamnat på golvet ha kunnat innebära katastrof.

Han var ursinnig över sin åkomma och trodde att den var psykosomatisk. Han hade aldrig tidigare varit nervös inför en klass eller grupp av något slag. När han fick sin rätta diagnos hos neurologen, blev han först löjligt lättad, berättade han för Nina.

"Jag var rädd att jag hade blivit neurotisk", sa han, och båda skrattade.

"Jag var rädd att jag hade blivit neurotisk, men det är bara ALS." De skrattade och snubblade iväg över den tjocka mattan i den tysta korridoren. I hissen stirrade folk förbluffat på dem – det var högst ovanligt att någon skrattade på det här stället.

LakeShore Begravningsbyrå var inrymd i ett stort nytt hus av gult tegel – så nytt att det ännu inte fanns några gräsmattor eller buskar runt huset. Om det inte hade varit för skylten skulle man ha kunnat tro att det var en läkarmottagning eller statlig byggnad. Namnet LakeShore innebar inte att huset hade utsikt över sjön utan var istället ett vitsigt sätt att få med begravningsentreprenörens efternamn i firmanamnet – Bruce Shore. En del tyckte att det var smaklöst. När verksamheten bedrevs i ett av de stora viktorianska husen i stan och sköttes av Bruces far, hade den bara hetat Shore Begravningsbyrå. Och på andra och tredje våningen i huset bodde Ed och Kitty Shore med sina fem barn.

I den nya byggnaden bodde det ingen, men där fanns ett sovrum med pentry och dusch, för den händelse att Bruce Shore hellre stannade över natten än körde de dryga två milen hem till lantstället där han och hans fru födde upp hästar.

Igår kväll hade det varit en sådan kväll med anledning av olyckshändelsen norr om stan. En bil full av tonåringar hade kört rakt in i ett

134

brofäste. Den typen av händelser – en nybliven körkortsinnehavare eller en som inte alls hade körkort och en bil full av berusade ungdomar – inträffade för det mesta om våren, vid examenstid, eller under de första spännande skolveckorna i september. Så här års var det annars mest nykomlingar som drabbades av olycksfall – till exempel sköterskor som året före flyttat hit från Filippinerna och som överraskades av den första obekanta snön.

Men en vanlig kväll med torrt väglag hände det ändå två sjuttonåringar som båda hörde hemma i stan. Och strax innan dess kom Lewis Spiers in. Bruce hade händerna fulla – han var tvungen att jobba hårt för att göra ungdomarna presentabla och arbetade långt in på natten. Han ringde sin far. Ed och Kitty, som fortfarande bodde i huset inne i stan under somrarna, hade ännu inte rest till Florida, och Ed åkte ut för att ta hand om Lewis.

Bruce gav sig ut och sprang, för att piggna till. Han hade inte ens hunnit äta frukost och hade fortfarande joggingkläder på sig då han såg mrs Spiers komma körande i sin gamla Honda Accord. Han skyndade ut i väntrummet för att öppna.

Hon var lång och mager, gråhårig men ungdomligt snabb i rörelserna. Hon verkade inte alltför uppriven nu på morgonen, men han märkte att hon inte hade brytt sig om någon kappa.

"Förlåt mig", sa han. "Jag kom just hem från en liten motionsrunda. Shirley har inte kommit än, är jag rädd. Vi beklagar verkligen sorgen."

"Ja", sa hon.

"Jag hade mr Spiers i naturvetenskap sista året i skolan, och det var en lärare jag aldrig glömmer. Varsågod och sitt. Ni var säkert på sätt och vis förberedd, men man kan ändå aldrig riktigt förstå att det händer. Vill ni att vi ska gå igenom handlingarna nu eller vill ni se er make?"

Hon sa: "Det enda vi ville ha var kremering."

Han nickade. "Då blir det kremering senare."

"Nej. Han skulle kremeras omedelbart. Det var det han ville. Jag tänkte att jag skulle kunna hämta askan."

"Vi har inte fått några sådana instruktioner", sa Bruce bestämt. "Vi har gjort i ordning kroppen för visning. Han ser väldigt fin ut. Ni blir nog nöjd."

Hon stod och stirrade på honom.

"Vill ni inte sitta ner?" sa han. "Ni har väl tänkt ha någon sorts visning? Någon form av högtidlighet? Det blir säkert många som vill hedra mr Spiers. Vi har faktiskt haft en del begravningar där den döde inte tillhört något religiöst trossamfund. Med någon som hållit ett minnestal, istället för präst. Och om man inte vill ha det så formellt, kan man bara låta folk ställa sig upp och tala spontant. Ni bestämmer själv om ni vill ha kistan öppen eller stängd. Väljer man kremering är utbudet av kistor naturligtvis inte lika stort. Vi har kistor som ser fina ut men bara kostar en bråkdel."

Stod och stirrade.

Faktum var att arbetet blivit utfört och det hade inte sagts något om att det inte skulle göras. Arbete som måste betalas, som allt annat arbete. För att inte tala om materialet.

"Jag talar bara om det jag tror att ni vill ha när ni väl har haft tid att tänka över saken. Vi är här för att uppfylla era önskemål –"

Att säga det var kanske att gå lite för långt.

"Men vi gjorde som vanligt, för det var ingen som gav oss några andra instruktioner."

En bil stannade utanför, en bildörr stängdes och Ed Shore kom in i väntrummet. Bruce kände sig enormt lättad. Han hade fortfarande mycket att lära i den här branschen. Inte minst när det gällde kontakten med de sörjande.

Ed sa: "Hej, Nina. Jag såg bilen. Jag tänkte bara komma in och beklaga sorgen."

Nina hade stannat kvar i vardagsrummet under natten. Hon hade kanske sovit lite men så ytligt att hon hela tiden varit medveten om var hon var – på soffan i vardagsrummet – och var Lewis var – hos begravningsentreprenören.

När hon nu försökte säga något, skallrade tänderna. Det var en fullständig överraskning för henne.

"Jag ville att han skulle kremeras omedelbart", var det hon försökte säga och det hon började säga, i tanke att hon lät som vanligt. Så hörde eller snarare kände hon hur hon stammade och kippade efter luft utan att kunna kontrollera rösten.

"Jag vill – jag vill – han ville – "

Ed Shore tog henne om armen och lade sin andra arm om hennes axlar. Bruce gjorde en ansats att hjälpa till men rörde henne inte.

"Jag visste inte vad jag skulle göra", sa han i klagande ton.

"Det är ingen fara", sa Ed. "Ska vi gå ut till min bil, Nina? Du behöver lite frisk luft."

Ed körde med rutorna nerrullade, upp till den gamla delen av stan och vidare in på en återvändsgata där det fanns en vändplats med utsikt över sjön. På dagen brukade folk köra hit och se på utsikten – ibland köpte de med sig lunchmat – men på kvällen var detta en plats för älskande par. Kanske var det något som gick upp för Ed, liksom också för henne, när han parkerade där.

"Har du fått frisk luft så det räcker nu?" sa han. "Akta så att du inte blir förkyld, du har ju ingen kappa på dig."

Hon sa försiktigt: "Det blir varmare nu. Som igår."

De hade aldrig suttit tillsammans i en parkerad bil vare sig efter mörkrets inbrott eller i dagsljus, aldrig letat upp en plats att vara ensamma på.

Det kändes tarvligt att tänka så nu.

"Förlåt mig", sa Nina. "Jag tappade kontrollen. Jag hade bara tänkt säga att Lewis – att vi – att han – "

Och då hände det igen. Tänderna började skallra på nytt, hon darrade, orden stockade sig. Så förfärligt ömkansvärt. Det var inte ens ett uttryck för det hon verkligen kände. Förut hade hon känt vrede och vanmakt av att tala med – eller lyssna på – Bruce. Den här gången kände hon sig ganska lugn och sansad, eller trodde i alla fall att hon gjorde det.

Och den här gången, eftersom de var ensamma, rörde han inte vid henne. Han började bara prata. Oroa dig inte över allt det där. Jag ska

137

ta hand om det. Genast. Jag ska se till att det blir rätt. Jag förstår. Kre-
mering.

"Andas", sa han. "Andas in. Håll andan. Släpp andan nu."

"Jag mår bra."

"Visst."

"Jag fattar inte vad som hände."

"Chocken", sa han i saklig ton.

"Jag är inte sån."

"Titta på horisonten. Det hjälper också."

Han tog upp något ur fickan. En näsduk? Men hon behövde ingen
näsduk. Hon hade inga tårar. Hon skakade bara.

Det var ett hårt hopvikt papper.

"Jag lade undan det här åt dig", sa han. "Det låg i hans pyjamas-
ficka."

Hon stoppade ner papperet i väskan, lugnt och noggrant, som om
det var ett recept. Sen insåg hon vidden av det han sa.

"Du var där när de kom med honom."

"Jag tog hand om honom. Bruce ringde mig. Det hade varit en bil-
olycka och han hade mer än vad han klarade av."

Hon sa inte ens: Vad då för olycka? Hon brydde sig inte om det.
Nu ville hon bara vara ensam och läsa brevet.

Pyjamasfickan. Det enda stället hon inte hade letat på. Hon hade
inte rört vid hans kropp.

Hon körde själv hem när Ed satt av henne vid bilen. Så snart han hade
vinkat iväg henne och försvunnit ur sikte, körde hon in till trottoar-
kanten. Med ena handen plockade hon upp papperet ur väskan innan
hon ens hade hunnit stanna. Hon läste det som stod där med motorn
igång och körde sen vidare.

På trottoaren utanför huset hade någon skrivit igen.

Guds vilja.

Tunt ditklottrat med krita. Lätt att torka bort.

Det Lewis hade skrivit ner åt henne var en dikt. Flera strofer på dräpande ironisk vers. Dikten hette "Slaget mellan genesisiterna och Darwins söner för den ryggradslösa generationens själar".

> Det stod ett kunskapens hus
> på stranden av Huronsjön.
> Där samlades inga ljus
> och lektorn blev plågad i lönn.
>
> Lektorn var hygglig och snäll,
> höll god min i elakt spel.
> Han tänkte: Det blir väl en skräll,
> men visa att de har fel.

En vinter hade Margaret fått idén att ordna sammankomster där folk skulle få prata om ett ämne som de kunde och var intresserade av, dock utan att hålla på för länge. Hon hade tänkt sig att det skulle vara för lärare. ("Lärare står alltid och babblar inför en publik som inte kan stänga av dem", sa hon. "De behöver för omväxlings skull få sätta sig ner och lyssna på någon *annan*.") Men sen bestämdes det att man skulle bjuda in också ickelärare, det var intressantare. Och man började alltid med knytkalas och vin hemma hos Margaret.

Det var så Nina en klar kall kväll fann sig stå framför Margarets köksdörr i den mörka hallen full av rockar och skolväskor och hockey-klubbor som tillhörde Margarets söner – det var på den tiden de fortfarande bodde hemma. Det trängde inte ut några ljud från vardags-rummet, där Kitty Shore talade om det ämne hon hade valt, nämligen helgon. Kitty och Ed Shore tillhörde de "vanliga människor" som bjudits in till gruppen – de var också grannar till Margaret. Ed hade talat om bergsklättring en kväll. Han hade själv ägnat sig en del åt det, i Klippiga bergen, men mest beskrev han de farliga och tragiska expe-ditioner som han gärna läste om. (När de drack kaffe den kvällen sa Margaret till Nina: "Jag var lite orolig att han skulle börja prata om balsamering", och Nina fnissade och sa: "Men det är inte det bästa han vet. Det är inget man gör som *amatör*. Och det är väl inte så många som ägnar sig åt balsamering som hobby.")

Ed och Kitty var ett prydligt par. Margaret och Nina var i hemlighet överens om att Ed skulle ha varit mycket attraktiv om det inte hade varit för yrket. De långa, kompetenta händerna var blekt välansade på ett sätt som fick en att undra: Var kan de där händerna ha befunnit sig? Och den kurviga Kitty var omtyckt av alla – en kort, bystig, varmögd brunett med andlöst entusiastisk röst. Entusiastisk över sitt äktenskap, sina barn, årstiderna, stan och särskilt den kyrka hon tillhörde. Sådana entusiaster var ovanliga i den anglikanska kyrkan, och det ryktades att hon var prövande med sin rigorösa inställning, sin pretentiösa stil och sin böjelse för hemlighetsfulla ceremonier som till exempel kyrktagning av kvinnor. Nina hade liksom Margaret svårt för henne, och Lewis tyckte att hon var pest. Men de flesta var betagna.

Ikväll hade hon en mörkröd ylleklänning och örhängen som ett av hennes barn hade gjort åt henne i julklapp. Hon satt i ena hörnet av soffan med benen uppdragna under sig. Så länge som hon höll sig till historiska och geografiska fakta kring helgon gick det rätt bra – åtminstone för Nina, som hoppades att Lewis inte skulle känna sig tvungen att gå till angrepp.

Kitty sa att hon inte hann tala om östeuropeiska helgon utan måste koncentrera sig på de brittiska öarna, särskilt då Cornwall och Wales och Irland, och främst tala om de keltiska helgon med underbara namn som var hennes favoriter. När hon kom in på underverk klirrade örhängena, och rösten blev glättigare och mer förtrolig. Nina anade oråd. Kitty visste att en del människor ansåg det frivolt av henne att vända sig till ett helgon när hon hade misslyckats i köket, men det var faktiskt det hon trodde helgonen var till för. De var inte alltför höga och mäktiga för att intressera sig för alla de prövningar och motgångar, alla de detaljer i våra liv som vi var för blyga att störa universums Gud med. Med hjälp av helgonen kunde man delvis stanna kvar i barnets värld, med barnets förhoppningar om hjälp och tröst. *Ni måste bli såsom barnen.* Och det var de små underverken – nog var det de små underverken som hjälpte oss att bli redo för de stora miraklen?

Nå. Fanns det några frågor?

Någon frågade om helgonens status i en anglikansk kyrka. I en protestantisk kyrka.

"Ja, jag tror noga räknat inte att den anglikanska kyrkan är protestantisk", sa Kitty. "Men jag vill inte gå in på det. När vi säger 'Jag tror på en helig allmännelig kyrka' uppfattar jag det som hela den stora universella kristna kyrkan. Och sen säger vi 'Jag tror på de heligas samfund'. Vi har förstås inte statyer i kyrkan, fast personligen tycker jag att det skulle vara fint om vi hade det."

Margaret sa: "Kaffe?" och menade underförstått att den formella delen av kvällen var över. Men Lewis flyttade sin stol närmare Kitty och sa nästan vänligt: "Nå? Ska vi då sluta oss till att du tror på dessa underverk?"

Kitty skrattade. "Absolut. Jag skulle inte kunna leva om jag inte trodde på underverk."

Då visste Nina vad som väntade. Lewis som tyst och obarmhärtigt närmade sig bytet, Kitty som glatt övertygad kontrade med det som hon kanske trodde var charmerande och kvinnlig inkonsekvens. Men Lewis skulle inte låta sig charmas. Han skulle vilja veta: Vilken gestalt tar helgonen i detta ögonblick? Upptar de samma plats i himlen som de som bara har dött, de rättskaffens förfäderna? Och hur utser man dem till helgon? Är det inte genom de omvittnade underverken, de bevisade underverken? Och hur ska man kunna bevisa underverk som skett för femtonhundra år sen? Hur kan man överhuvudtaget bevisa underverk? I fallet med bröden och fiskarna, genom att räkna. Men handlar det om verklig räkning eller perception? Tro? Aha. Alltsammans handlar om tro. I det dagliga livet, i den vanliga tillvaron, lever Kitty då genom tron?

Det gör hon.

Förlitar hon sig inte på något sätt på vetenskapen? När hennes barn är sjuka, ger hon dem då inte medicin? Hon bryr sig inte om att fylla på bensin i bilen, hon har sin tro —

Ett dussin samtal har uppstått omkring dem men ändå kommer deras ordväxling hela tiden att höras överallt i rummet – eftersom Kittys röst nu hoppar omkring som en fågel på en telefontråd och säger var inte dum och tror du att jag är en fullkomlig idiot?, och Lewis retsamma röst blir allt mer föraktfull, allt mer dödlig.

Nina har en bitter smak i munnen. Hon går ut i köket för att hjälpa Margaret. De passerar varandra, Margaret med kaffekannan i handen. Nina går rakt genom köket och ut i hallen. Genom den lilla rutan i dörren tittar hon ut över den mörka kvällen, snödrivorna utmed gatan, stjärnorna. Hon lägger sin heta kind mot glaset.

Hon rätar genast på sig när dörren från köket öppnas, och hon vänder sig om och ler och tänker just säga: "Jag ville bara kolla vad det var för väder." Men när hon ser Ed Shores ansikte i ljusskenet sekunden innan han stänger dörren, inser hon att hon inte behöver säga något. De hälsar på varandra med ett kort, sällskapligt och lätt ursäktande och avfärdande skratt som tycks förmedla mycket som är underförstått.

De överger Kitty och Lewis. Bara en liten stund – Kitty och Lewis kommer inte att märka det. Lewis ger sig inte i första taget och Kitty hittar säkert någon väg ut ur dilemmat att bli uppslukad – ett sätt skulle kunna vara att hon tycker synd om Lewis. Kitty och Lewis kommer inte att bli utleda på sig själva.

Känner Ed och Nina det så? Är de utleda på de andra eller i alla fall utleda på argument och övertygelse. Trötta på dessa stridiga personligheter som aldrig ger upp?

De skulle inte riktigt uttrycka det så. De skulle bara säga att de är trötta.

Ed Shore lägger en arm om Nina. Han kysser henne – inte på munnen, inte på ansiktet utan på halsen. På den plats där en upprörd puls kanske slår.

Han måste böja sig för att göra det. För många män skulle det vara den naturliga platsen att kyssa Nina när hon står upp. Men han är så lång att han måste böja sig för att målmedvetet kyssa henne på den utsatta och mjuka platsen.

"Det blir för kallt för dig härute", sa han.

"Jag vet. Jag ska gå in."

Nina har aldrig i hela sitt liv legat med någon annan man än Lewis. Aldrig kommit i närheten.

Ligga. Ligga med. Länge kunde hon inte säga det. Hon sa älska. Lewis sa ingenting. Han var en atletisk och uppfinningsrik partner och i fysisk mening inte omedveten om henne. Inte utan omtanke. Men han var på sin vakt mot allt som gränsade till sentimentalitet, och ur hans synvinkel var det mycket som gjorde det. Hon kom att bli känslig för denna motvilja, kom nästan att dela den.

Minnet av Ed Shores kyss utanför köksdörren blev dock en skatt som hon vårdade. När Ed sjöng tenorpartierna i körsällskapets framförande av *Messias* varje jul, kom det ögonblicket alltid tillbaka till henne. "Trösta, trösta mitt folk" genomborrade med stjärnstyng hennes strupe. Som om allting hos henne gick i uppfyllelse då, högaktades och lystes upp.

Paul Gibbings hade inte väntat sig att Nina skulle krångla. Han hade alltid uppfattat henne som en varm människa, på ett reserverat sätt. Inte sarkastisk som Lewis. Men intelligent.

"Nej", sa hon. "Han skulle inte ha velat det."

"Nina. Lärarjobbet var hans liv. Han gav mycket. Det är så många människor, jag vet inte ens om du anar hur många, som säger att de satt som trollbundna i hans klassrum. De minns nog ingenting från high school lika mycket som de minns Lewis. Han hade total närvaro, Nina. Det är något som man antingen har eller inte har. Lewis hade det i övermått."

"På den punkten har jag inga invändningar."

"Därför är det massor av människor som på något sätt vill ta farväl. Vi behöver alla ta farväl. Också för att hedra honom. Du vet ju vad jag menar? Efter allt det som hände. Ett avslut."

"Ja, jag hör. *Avslut.*"

En bitsk ton, tyckte han. Men han ignorerade den. "Det behöver inte vara någon som helst religiös anknytning. Inga böner. Ingenting sånt. Jag vet likaväl som du att han skulle avsky det."

"Det skulle han."

"Jag vet. Jag kan åta mig att vara någon sorts ceremonimästare, om det inte låter som fel ord. Jag har ganska god uppfattning om vilka personer man kan be uttrycka sin uppskattning. Det kan bli ett halvdussin, med mig som siste talare. 'Minnesord' kallas det väl, men jag kallar det hellre 'uppskattande ord'."

"Lewis skulle helst inte vilja ha något alls."

"Och du kan också delta, på det sätt du själv väljer –"

"Paul. Lyssna. Hör nu på mig."

"Javisst. Jag lyssnar."

"Om du tänker genomföra detta, ska jag delta."

"Bra."

"När Lewis dog lämnade han efter sig – en dikt. Om du genomför det, tänker jag läsa den."

"Ja?"

"Jag menar att jag tänker läsa den högt. Du ska få höra lite nu."

"Sätt igång."

> *Det stod ett kunskapens hus*
> *på stranden av Huronsjön.*
> *Där samlades inga ljus*
> *och lektorn blev plågad i lönn.*

"Det låter absolut som Lewis."

> *Lektorn var hygglig och snäll,*
> *höll god min i elakt spel.*
> *Han tänkte: Det blir väl en skräll,*
> *men visa att de har fel.*

"Okej, Nina, jag hör. Jaså, är det så du vill ha det? Harper Valley Hem och Skola?"

"Det kommer mer."

"Visst, det tvivlar jag inte på. Jag tror att du är ur gängorna, Nina. Om du inte hade varit det, skulle du nog resonera annorlunda. Och du kommer säkert att ångra dig när du mår bättre."

"Nej."

"Jag tror att du kommer att ångra dig. Jag lägger på luren nu. Jag måste säga adjö."

"Oj", sa Margaret. "Hur tog han det?"

"Han sa att han måste säga adjö."

"Vill du att jag ska komma över? Och hålla dig sällskap?"

"Nej. Tack."

"Vill du inte ha sällskap?"

"Nej, jag tror inte det. Inte just nu."

"Är du säker? Klarar du dig?"

"Javisst."

Hon var inte särskilt nöjd med sitt sätt att sköta samtalet. Lewis hade sagt till henne: "Om de envisas med att ha en minnesstund måste du lova att sätta stopp. Den där hycklaren har säkert mage till det." Därför var det nödvändigt att på något sätt hejda Paul, men hon hade låtit grovt teatralisk på något sätt. Indignationen var det enda Lewis haft kvar, och vedergällning var hans specialitet – det enda hon lyckats med var att citera honom.

Hon kunde inte fatta hur hon skulle kunna leva vidare, med bara sina gamla försonliga vanor. Kall och stum, berövad honom.

Strax efter mörkrets inbrott knackade Ed Shore på hennes köksdörr. I handen hade han en låda med askan och en bukett vita rosor.

Han gav henne askan först.

"Åh", sa hon. "Det är gjort."

Hon anade en värme genom den kraftiga kartongen. Den kändes

inte genast utan gradvis, som blodets värme genom huden.

Var skulle hon ställa den? Inte på köksbordet, invid sin sena och nästan orörda middag. Äggröra och salsa, en kombination som hon alltid såg fram emot de kvällar då Lewis av någon anledning måste stanna kvar sent och åt ute med de andra lärarna på Tim Horton's eller puben. Ikväll smakade det dock inte särskilt gott.

Inte på köksbänken heller. Där skulle den se ut som en stor förpackning med matvaror. Och inte på golvet, där man lättare kunde bortse från lådan men skulle känna det som om den degraderats till en oansenlig plats – och som om den innehöll något i stil med kattsand eller trädgårdsgödsel, något som inte borde stå alltför nära tallrikar och mat.

Hon ville egentligen ta in den i ett annat rum, placera den någonstans i de oupplysta rummen på framsidan av huset. Eller ännu hellre ställa den på en hylla i en garderob. Men det var på något sätt för tidigt att förvisa den dit. Och med tanke på att Ed Shore stod där och såg på skulle det se ut som en vulgär invitation, som om hon snabbt och brutalt ville göra sig fri.

Till slut ställde hon ner lådan på det låga telefonbordet.

"Men sätt dig för all del. Förlåt min tankspriddhet."

"Jag stör dig visst mitt i maten."

"Nej, det är ingen fara, jag vill inte ha mer."

Han hade fortfarande blommorna i handen. Hon sa: "Var det till mig?" Åsynen av honom när hon öppnade dörren och han stod där med buketten, med askan i en låda och blomsterbuketten i handen, verkade grotesk nu när hon tänkte på det, grotesk och fruktansvärt lustig. Det var sådant som hon kunde få ett hysteriskt anfall över om hon berättade det för någon, till exempel för Margaret. Hon hoppades att hon aldrig skulle göra det.

Var det till mig?

Blommorna kunde lika gärna vara till den döde. Blommor till sorgehuset. Hon började leta efter en vas och fyllde sen vattenkitteln och sa: "Jag hade tänkt göra i ordning lite te", men fortsatte leta efter vasen och hittade den, fyllde den med vatten, tog fram saxen hon behövde för att snitta stjälkarna och befriade honom till slut från blommorna. Sen såg hon att hon inte hade satt på plattan under vattenkitteln. Hon hade med nöd och näppe läget under kontroll. Det kändes som om hon lätt skulle kunna kasta rosorna i golvet, krossa vasen, krama den stelnade röran på middagstallriken mellan fingrarna. Men varför? Hon var inte arg. Det var bara en sådan vansinnig ansträngning att fortsätta utföra en syssla i taget. Nu måste hon värma kannan, mäta upp te.

Hon sa: "Läste du det du hittade i Lewis ficka?"

Han skakade på huvudet och lät bli att se på henne. Hon visste att han ljög. Han ljög, han var skakad, hur långt in i hennes liv hade han tänkt gå? Tänk om hon bröt ihop och berättade för honom hur förvånad hon blev när hon såg vad Lewis hade skrivit? Och hur iskallt det kändes i hjärtat när hon såg att det var allt han hade skrivit.

"Strunt samma", sa hon. "Det var bara några verser."

De var två människor utan neutral grund, ingenting mellan artig formalitet och uppslukande intimitet. Det som under alla dessa år funnits mellan dem hade bara kunnat balanseras av de båda äktenskapen. Äktenskapen var det som verkligen styrde livet – hennes äktenskap med Lewis, det ibland svåra och förvirrande, oumbärliga innehållet i hennes liv. Det där andra var med sin sötma, sin trösterika hoppfullhet beroende av att båda var gifta på var sitt håll. Det var inte sannolikt att det skulle kunna hålla av egen kraft, även om de hade varit fria. Ändå var det inte ingenting. Faran låg i att pröva det och se det falla i bitar och sen inse att det varit ingenting.

Hon hade satt på plattan, hon hade tagit fram tekannan så att den var redo att värmas. Hon sa: "Du har varit så snäll och jag har inte ens tackat dig. Nu måste du ha lite te."

"Det vore gott", sa han.

Och när de satt vid bordet med kopparna fyllda och mjölk och socker framför sig – i det ögonblick då paniken kunde ha brutit ut – fick hon en mycket egendomlig ingivelse.

Hon sa: "Vad är det egentligen du gör?"

"Vad jag gör?"

"Jag menar – vad gjorde du med honom, igår kväll? Eller brukar du inte få den frågan?"

"Inte uttryckt i ord."

"Gör det något att jag frågar? Du behöver inte svara."

"Det gör inget, jag blev bara förvånad."

"Jag är förvånad över att jag frågade."

"Jo", sa han och ställde ner koppen på fatet. "Det man gör är i princip att tömma blodkärlen och kroppshåligheterna, och där kan man stöta på problem med koagulerat blod och så vidare, och därför måste man försöka komma runt det. För det mesta använder man sig av jugularvenen, men ibland måste man tappa ut blodet via hjärtat. Kroppshåligheterna tappas med hjälp av något som kallas trokar, det är som en lång tunn nål med en rörlig slang. Men det är förstås annorlunda om kroppen har blivit obducerad och organen är uttagna. Då får man stoppa upp kroppen för att återställa den naturliga konturen ..."

Medan han talade höll han hela tiden ett öga på henne och uttryckte sig försiktigt. Det gick bra – det enda hon kände inom sig var en sval och spirande nyfikenhet.

"Var det det du ville veta?"

"Ja", sa hon stadigt.

Han såg att hon klarade det. Han var lättad. Lättad och kanske tacksam. Han måste vara van vid att människor helt tog avstånd från det han höll på med eller kanske skämtade bort det.

"Och sen injicerar man vätskan, som är en lösning av formaldehyd och fenol och alkohol, ofta med tillägg av något färgmedel till händerna och ansiktet. Alla tycker att ansiktet är viktigt, och där kan man göra mycket med ögonlocken och tandköttet. Man kan massera och göra ögonfransarna fina och lägga speciell makeup. Men ofta är folk lika angelägna att händerna ser mjuka och naturliga ut och inte skrynklar sig i fingertopparna ..."

"Och allt detta arbete gjorde du."

"Det är ingen fara. Det var ju inte det du ville ha. Och det vi gör är mest kosmetiskt. Det är det det handlar om nuförtiden, snarare än någon längre tids balsamering. Till och med gamle Lenin fick de hålla på att injicera hela tiden, så att han inte skulle torka ut eller tappa färgen – jag vet inte om de håller på än."

Någon sorts öppenhet, eller otvungenhet, i kombination med ett allvar över rösten fick henne att tänka på Lewis. Hon tänkte på hur Lewis i förrgår kväll talat med henne i svag men nöjd ton om de encelliga varelser – utan cellkärna, utan kromosompar, utan vad mer? – som varit den enda formen av liv på jorden under nästan två tredjedelar av den tid då det funnits liv där.

"När det gällde de gamla egyptierna", sa Ed, "hade de uppfattningen att själen gav sig ut på en resa som tog tre tusen år, att den sen kom tillbaka till kroppen och att kroppen då borde befinna sig i hyfsat god form. Därför var de mest inriktade på balsamering, och det använder vi inte alls i samma utsträckning idag."

Inga kloroplaster och inga – mitokondrier.

"Tretusen år", sa hon. "Sen kommer den tillbaka."

"Ja, enligt dem", sa han. Han ställde ner sin tomma kopp och sa att han nog måste gå.

"Tack", sa Nina. Sen skyndsamt: "Tror du på det som kallas själ?"

Han tog stöd med händerna mot köksbordet. Han suckade och skakade på huvudet och sa: "Ja."

Strax efter det att han hade gått tog hon fram askan och ställde lådan på passagerarsätet i bilen. Sen gick hon in i huset för att hämta kappan och bilnycklarna. Hon körde tills hon kom någon kilometer utanför stan, parkerade vid en korsning och steg ur och fortsatte uppför en sidoväg med lådan. Kvällen var ganska kall och stilla, och månen stod redan högt på himlen.

Vägen förde först över sumpig mark där det växte kaveldun som nu stod hög och torr och vintrig. Där fanns också mjölktistel med tomma frökapslar som glänste som snäckskal. Allt avtecknade sig tydligt i månskenet. Hon kände lukten av häst. Jo – det stod två hästar en bit därifrån, kompakta svarta skepnader bortom mjölktisteln och bondens staket. De tryckte sina stora kroppar mot varandra och iakttog henne.

Hon fick upp lådan och stoppade handen i den svalnande askan och kastade eller släppte ut den – tillsammans med små motsträviga benrester – bland det som växte vid sidan av vägen. Det kändes som att ta sats och kasta sig i sjön det första iskalla badet i juni. Först en kväljande chock, sen förvåning över att man fortfarande kunde röra sig, buren på en våg av stålblank hängivenhet – att man överlevde, lugn ovanför livets yta, fastän den plågsamma kylan sköljde in över kroppen.

Nässlor

SOMMAREN 1979 KOM jag in i köket hos min väninna Sunny nära Ux-
bridge, Ontario, och såg en man stå vid köksbänken och breda sig en
ketchupsmörgås.

Jag har kört runt bland bergen nordost om Toronto med min man
– min andre man, inte den jag hade lämnat den sommaren – och jag
har ihärdigt letat efter huset och försökt lokalisera den väg det låg vid
men aldrig lyckats. Troligen är det rivet. Sunny och hennes man sålde
det några år efter det att jag hälsade på. De bodde i Ottawa, och huset
låg för långt därifrån för att bekvämt fungera som sommarställe. Och
när deras barn kom i tonåren ville de inte följa med dit. Dessutom var
det för mycket att ta hand om för Johnston – Sunnys man – som helst
spelade golf på helgerna.

Jag har hittat golfbanan – jag tror det är den rätta, även om ruffen
har snyggats till och det ligger ett tjusigare klubbhus där nu.

På landet där jag bodde som barn kunde brunnarna sina på somma-
ren. Det hände ungefär vart femte eller sjätte år, när det inte kom till-
räckligt mycket regn. Det var grävda brunnar, och vår brunn var dju-
pare än de flesta, men vi behövde mycket vatten – min far födde upp
silverräv och mink – så en dag kom brunnsborraren med sin impone-
rande utrustning, och brunnsröret förlängdes djupt ner i marken, tills
man träffade på vatten i berget. I fortsättningen kunde vi pumpa upp
rent, kallt vatten vilken årstid det än var och hur torrt det än blev. Det
var något att vara stolt över. Det hängde en plåtmugg på pumpen, och
när jag drack ur den en stekhet dag, tänkte jag på svarta klippor där

vattnet rann gnistrande som diamanter.

Brunnsborraren var en man vid namn Mike McCallum – han kallades ibland brunnsgrävaren, som om ingen brydde sig om exakt vad han gjorde, och den äldre titeln var naturligare. Han bodde i den stad som var närmaste granne med vår gård, men han hade inte något hus där. Han bodde på Clark Hotel – han hade kommit dit på våren och skulle stanna till dess att han hade avslutat de arbetsuppgifter som han hade åtagit sig i den här delen av landet. Sen skulle han flytta vidare.

Mike McCallum var mycket yngre än pappa, men han hade en son som var ett år och två månader äldre än jag. Pojken följde med sin pappa till de ställen där han arbetade, bodde på hotell eller pensionat med honom och gick i den skola som fanns i närheten. Han hette också Mike McCallum.

Jag vet precis hur gammal han var, för det är något som barn genast frågar om, en av de väsentliga upplysningar som de grundar en eventuell vänskap på. Han var nio och jag åtta. Han hade födelsedag i april, jag i juni. Sommarlovet hade börjat för ett bra tag sen när han och hans pappa kom till vårt hus.

Pappan hade en mörkröd lastbil som alltid var lerig och dammig. Mike och jag klättrade upp i förarhytten när det regnade. Jag minns inte om pappan gick in i köket då och rökte och drack en kopp te eller om han stod under ett träd eller bara fortsatte arbeta. Regnet forsade nerför rutorna på lastbilen och smattrade som stenar mot taket. Det vilade en lukt av karl därinne – arbetskläder och verktyg och tobak och leriga stövlar och sockor med en dunst av syrlig ost. Det luktade också fuktig, långhårig hund, eftersom vi tog med oss Ranger in. För mig var Ranger självklar, jag var van vid att han alltid följde mig överallt och utan särskild anledning kunde jag ibland befalla honom att stanna hemma, gå bort till ladan, lämna mig i fred. Men Mike var förtjust i honom och vände sig alltid vänligt till honom och sa hans namn och berättade om våra planer. Han väntade alltid på honom när han gav sig iväg på ett av sina hundärenden, som att jaga ett skogsmurmeldjur eller en kanin. Med den sortens liv som Mike levde ihop med fadern kunde han aldrig ha hund.

En dag när vi hade Ranger med oss jagade han en skunk, och skunken vände sig om och sprutade på honom. Det var delvis Mikes och mitt fel. Mamma fick genast sluta upp med det hon höll på med och köra in till stan och skaffa flera stora burkar med tomatjuice. Mike övertalade Ranger att hoppa upp i badkaret och vi hällde tomatjuice över honom och borstade in den i pälsen. Det såg ut som om vi tvättade honom i blod. Hur många människor skulle det behövas för att tillhandahålla så mycket blod? undrade vi. Hur många hästar? Elefanter?

Jag var mer förtrogen med blod och med döda djur än vad Mike var. Jag visade honom den plats i hörnet av ängen nära ladugårdsgrinden där pappa sköt och styckade hästarna som blev till mat åt räven och minken. Marken var alldeles nertrampad och verkade indränkt med blod, som en gjutform av glödande järn. Sen fick han följa med till kötthuset vid ladugårdsplanen, där hästkadavren hängde innan de maldes ner till mat. Kötthuset var bara ett skjul med ståltrådsväggar, och väggarna var svarta av flugor, berusade av kadaverlukten. Vi hämtade platta stenar och slog ihjäl dem.

Vår gård var liten – nio tunnland. Den var inte större än att jag hade kunnat utforska varje liten vrå, och ingen del var den andra lik, även om jag inte hade kunnat beskriva det med ord. Det är lätt att tänka sig hur dramatiskt det var med ståltrådsskjulet, där de långa, bleka hästkadavren hängde i brutala krokar eller med den nertrampade, blodindränkta marken där hästarna förvandlades från levande djur till blivande föda. Men det fanns annat som fascinerade mig, som till exempel stenarna i ladugårdsgången, fastän ingenting minnesvärt någonsin hade inträffat där. På ett ställe låg en stor slät vitaktig sten som stack upp och dominerade alla de andra, och jag valde alltid att gå på den sidan snarare än på den andra, eftersom stenarna där var ljusare och öppnare och inte så mörka och ondskefulla som på den andra sidan. Också träden hade en liknande utstrålning och närvaro – almen såg fridfull ut och eken hotfull, lönnen vänlig och alldaglig, hagtornen gammal och spretig. Till och med groparna i flodbankarna – där pappa för många år sen hade hämtat grus och sålt av – hade sin distinkta karaktär som kanske var lättast att urskilja om man såg dem fulla av vatten när vårfloden drog bort. Det fanns en som var liten och rund och djup och fulländad, en som såg ut som en svans och en som var bred och nyckfull till formen och alltid krabb, eftersom vattnet var så grunt.

Mike såg allt detta ur ett annat perspektiv. Och det gjorde jag också, nu när jag var tillsammans med honom. Jag såg dem både med hans och mina ögon, och eftersom mitt sätt att se var till sin natur omöjligt att förmedla, måste det förbli hemligt. Det fanns omedelbara fördelar med hans sätt att uppfatta omgivningen. Från den stora ljusa stenen i gången kunde man hoppa och med en kort språngmarsch kasta sig ut i luften för att undvika de mindre stenarna i sluttningen nedanför och landa på den stampade jorden vid stalldörren. Alla träd var till för att klättra i, särskilt lönnen vid huset, där det fanns en gren som man kunde krypa ut på och fira sig ner på verandataket från. Och grusgroparna hoppade man ner i efter att ha störtat fram genom det höga gräset, medan man gav ifrån sig utdragna tjut, som djur som kastar sig över sitt byte. Om det hade varit tidigare på året, sa Mike, och vattnet stått högre i groparna, kunde vi ha byggt en flotte.

Vi funderade på om projektet skulle kunna genomföras på floden. Men i augusti månad var floden lika mycket en stenig väg som ett vattendrag, och istället för att försöka flyta nerför den eller bada i den tog vi av oss skorna och vadade – medan vi hoppade från det ena nakna benvita stenblocket till det andra, halkade på de skumtäckta stenarna under ytan, plöjde oss fram genom mattor av näckrosor med platta blad och andra vattenväxter vars namn jag inte minns eller aldrig har kunnat (vildväxande palsternacka, vattenodört?). Dessa växte så tätt att det såg ut som om de måste vara rotade på öar på torra land, men de spirade i själva verket ur flodens dy och gillrade en fälla för våra ben med sina ormlika rötter.

Det var samma flod som rann rakt genom stan, och när vi gick uppströms kunde vi se den stora bron över vägen. När jag var ensam eller ute med Ranger hade jag aldrig gått så långt som till bron, för där brukade finnas folk från stan. De kom över för att fiska, och när vattnet var tillräckligt högt var det många pojkar som hoppade i från broräcket. Det kunde de inte göra nu, men det var mer än sannolikt att det fanns sådana som plaskade omkring under bron – högljudda och fientliga som stadsbarn alltid var.

Där kunde också finnas luffare. Men jag sa ingenting om det till Mike, som gick före mig, som om vi ofta brukade gå till bron och det inte alls vilade något otrevligt eller förbjudet över den. Röster nådde oss, och som jag väntat mig var det pojkar som skrek – man skulle kunna tro att bron tillhörde dem. Ranger hade följt oss ända hit, utan större entusiasm, men nu svängde han av åt flodstranden. Han var vid det laget gammal och hade aldrig varit överdrivet förtjust i barn.

Det stod en man och fiskade, inte från bron utan från stranden, och han svor över det ståhej Ranger åstadkom när han gick upp ur vattnet. Han frågade om vi inte kunde hålla hundrackan hemma. Mike gick rakt förbi, som om mannen bara hade visslat åt oss, och sen kom vi in i skuggan av själva bron, där jag aldrig i mitt liv hade varit.

Brons golv var vårt tak, där solen silade ner mellan plankorna. Men nu körde en bil med ett mullrande ljud över bron, och ljuset slocknade. Vi stod stilla och tittade upp. Det var en speciell atmosfär där, nere-under-bron. När bilen hade passerat och solen återigen lyste ner genom springorna, åstadkom reflexerna på vattnet ett vågmönster högt uppe på cementpelarna, som lustiga ljusbubblor. Mike ropade för att pröva ekot, och jag gjorde likadant, men svagt, för pojkarna på stranden, främlingarna på andra sidan bron, skrämde mig mer än luffare skulle ha gjort.

Jag gick i landsortsskolan bortom vår gård. Det bodde så få barn i området att jag var den enda i min klass. Men Mike hade gått i skolan i stan sen vårterminen, och de här pojkarna var inte främlingar för honom. Han skulle säkert ha lekt med dem och inte med mig, om hans pappa inte hade tagit honom med sig när han jobbade, så att han – då och då – skulle kunna hålla ett öga på honom.

Det måste ha utbytts några hälsningsord mellan stadspojkarna och Mike.

Hallå där. Vad gör ni här egentligen?

Ingenting. Vad gör ni här?

Ingenting. Vem är det du har med dig?

Ingen. Bara hon.

Ähhh, bara hon.

Det pågick faktiskt en lek som alla var engagerade i. Och den inbegrep flickor – det fanns flickor längre upp på stranden, ivrigt upptagna av sitt – även om vi alla hade passerat den ålder då pojkar och flickor naturligt lekte tillsammans. Flickorna hade kanske följt efter pojkarna från stan – men låtsats att de inte gjorde det – eller också hade pojkarna hängt efter dem i tanken att ställa till lite förtret. Till slut hade den lek som pågick tagit form, och eftersom alla behövdes, struntade man i att det annars brukade finnas vissa restriktioner. Ju fler personer som var med i leken, desto roligare, och därför var det lätt för Mike att sälla sig till den och ta mig med.

Vi lekte krig. Pojkarna hade delat upp sig i två arméer som stred mot varandra bakom primitiva barrikader av trädgrenar eller i skydd av det grova, vassa gräset och kaveldunet och vattenväxterna som reste sig högre än våra huvuden. Vapnen bestod huvudsakligen av jord, lerkulor stora som basebollar. Det råkade finnas ett särskilt jordtag, en grå urholkning som var halvt dold av ogräs en bit uppåt stranden (det var kanske det fyndet som gett idén till leken), och det var där flickorna arbetade med att tillverka ammunition. Man kramade och knådade den leriga jorden till så hårda kulor som möjligt – det kunde finnas en del grus i den, och bindmedel av gräs, löv eller kvistar som hämtades på platsen, men inga stenar som avsiktligt lagts i – och det krävdes många kulor, för de kunde bara användas till ett kast. Det gick inte att plocka upp de kulor som missade och trycka ihop dem och kasta dem igen.

Krigets regler var enkla. Om man träffades av en kula – det officiella namnet var kanonkulor – i ansiktet, huvudet eller någonstans på bålen, stupade man. Om man träffades i armar eller ben måste man falla till marken men var bara sårad. Flickorna hade ytterligare en uppgift, att krypa ut och släpa de sårade soldaterna till en upptrampad plats som föreställde sjukhus. Man täckte såren med löv, och sen fick de sårade ligga stilla tills man räknat till hundra. När det var gjort kunde de resa sig upp och slåss igen. De döda soldaterna måste ligga kvar tills kriget var över, och kriget var inte över förrän samtliga soldater på en av sidorna var döda.

Flickorna var liksom pojkarna indelade i två läger, men eftersom det inte fanns tillnärmelsevis lika många flickor som pojkar, kunde vi inte fungera som ammunitionstillverkare och sköterskor åt bara en soldat i taget. Ändå bildades det allianser. Varje flicka hade en egen hög med kulor och ett antal soldater som hon tog hand om, och när en soldat blev sårad och föll, ropade han ut namnet på en flicka som kom och släpade bort honom och skötte om hans sår så snart som möjligt. Jag tillverkade vapen åt Mike, och det var mitt namn Mike ropade. Där var ett ständigt oväsen – folk skrek "Du är död", antingen triumferande eller ilsket (ilsket, för att vissa fräcka personer som skulle föreställa döda hela tiden försökte smita tillbaka in i striden), och en hund som hamnat mitt i leken skällde, dock inte Ranger. Det var så svårt att höra något i ståhejet att man måste lyssna noga efter pojkens röst när han kallade på en. Men när ropet kom var man helt på alerten, som om en ståltråd spändes genom kroppen och man fylldes av en fanatisk hängivenhet. (Åtminstone var det så för mig som till skillnad från de andra flickorna bara behövde tjäna en enda krigare.)

Jag tror inte heller att jag någonsin förut hade fått vara med och leka bland så många andra. Det var en sådan lycka att ingå i ett stort och vildsint äventyr och att bli utvald att hjälpa en enda krigare. När Mike låg sårad öppnade han aldrig ögonen, han höll sig stilla och orörlig, medan jag tryckte de stora slemmiga bladen mot pannan och halsen på honom och drog upp hans skjorta för att lägga om den bleka mjuka magen med den fina och sårbara naveln.

Ingen vann. Långt om länge upplöstes leken i gräl och ett återupplivande av alla som dött. Vi försökte tvätta av oss lite av leran på hemvägen genom att lägga oss platt ner i flodens vatten. Våra shorts och tröjor var smutsiga och genomblöta.

Det var redan så sent på eftermiddagen att Mikes far höll på att göra sig klar att åka.

"Herregud", sa han.

Vi brukade ha en deltidsanställd man där för att hjälpa pappa när hästarna skulle slaktas eller när något annat krävde extra insatser. Han såg pojkaktig ut på ett lite äldre sätt och hade ett väsande, astmatiskt sätt att andas. Han tog gärna tag i mig och kittlade mig tills jag trodde att jag skulle kvävas. Ingen ingrep när han gjorde så. Mamma tyckte inte om det, men pappa sa att det bara var på skämt.

Nu stod han ute på gårdsplanen och hjälpte Mikes pappa.

"Jaså, ni två har rullat er i leran", sa han. "Akta så att ni inte blir tvungna att gifta er i rappet."

Mamma stod bakom nätdörren och hörde vad han sa. (Om karlarna hade vetat att hon var där, skulle ingen av dem ha vågat säga något sådant.) Hon kom ut, och innan hon sa något om hur vi såg ut vände hon sig till mannen och yttrade några ord med låg och tillrättavisande röst.

Jag hörde lite av det hon sa.

Som bror och syster.

Mannen som arbetade extra tittade på sina kängor och flinade hjälplöst.

Hon hade fel. Den extraarbetande mannen var närmare sanningen än vad hon var. Vi var inte som bror och syster eller som någon bror och syster jag någonsin sett. Min ende bror var knappt mer än ett spädbarn, så jag hade ingen egen erfarenhet. Och vi var inte som de fruar och äkta män jag kände, som för det första var gamla och som för det andra levde i så åtskilda världar att de knappt tycktes känna igen varandra. Vi var som stabilt fästfolk som inte behövde visa sin samhörighet så mycket utåt. Och det kändes högtidligt och spännande, åtminstone för mig.

Jag visste att mannen talade om sex, fastän jag inte tror att jag kunde ordet "sex". Och därför hatade jag honom ännu mer än vanligt. Dessutom hade han fel. Vi sysslade inte med att klä av oss och gnida oss mot varandra eller andra skuldmedvetna intimiteter — det fanns ingenting av besvärat letande efter gömställen, inget pirrande välbehag, ingen frustration eller naken skamkänsla. Sådana scener hade jag varit med om tillsammans med en manlig kusin och ett par något äldre flickor, systrar, som gick i min skola. Jag tyckte illa om dessa partners både före och efter det som inträffade och förnekade ilsket, också i mina egna tankar, att något av det hade hänt. Sådana eskapader skulle aldrig ha kommit i fråga med någon som jag kände tillgivenhet eller respekt för – bara med folk som äcklade mig, på samma sätt som den där förhatliga kittlingen fick mig att äcklas över mig själv.

I mina känslor för Mike hade de där demonerna förvandlats till en diffus spänning och ömhet som spred sig överallt under huden, ett ögonens och öronens välbehag och en sprittande glädje över hans närvaro. Jag vaknade varje morgon full av längtan efter att se honom, efter att höra ljudet av brunnsborrarens lastbil då den kom skumpande och skramlande nerför vägen. Utan att visa det dyrkade jag hans nacke och formen på hans huvud, sättet att rynka ögonbrynen, hans långa nakna tår och smutsiga armbågar, rösten som var högljudd och säker, hans kroppslukt. Jag accepterade utan vidare, till och med hängivet, de roller som inte behövde förklaras eller utredas oss emellan – att jag alltid hjälpte och beundrade honom, att han visade vägen och ständigt var redo att beskydda mig.

Och en morgon kom inte lastbilen. En morgon var förstås jobbet klart, brunnen täckt, pumpen installerad, och man gladde sig åt det friska vattnet. Till middagsmålet var det två stolar mindre. Både den äldre och den yngre Mike hade alltid ätit tillsammans med oss mitt på dagen. Den yngre Mike och jag pratade nästan aldrig och tittade knappt på varandra. Han bredde gärna ketchup på brödet. Pappan pratade med min pappa, mest om brunnar, olyckor, grundvattennivåer. En allvarsam man. Som bara ägnade sig åt jobbet, sa pappa. Ändå avslutade han, Mikes pappa, allt han sa med att skratta. Det var något ekande ensamt över skrattet, som om han fortfarande var nere i brunnen.

De kom inte. Arbetet var avslutat, och det fanns ingen anledning för dem att någonsin komma tillbaka. Det visade sig att detta var brunnsborrarens sista uppdrag i vår del av landet. Han hade andra jobb som väntade, och dem ville han sätta igång med så fort han kunde, medan det goda vädret varade. Eftersom han bodde på hotellet, kunde han bara packa och ge sig iväg. Och det var det han hade gjort.

Varför begrep jag inte vad som hände? Var det ingen som sa adjö, visste man inte att Mike skulle bli borta för gott när han väl klättrade upp i lastbilen den där sista eftermiddagen? När lastbilen för sista gången krängde nerför vår väg, tyngd av all utrustning, var det då ingen som vinkade, tittade åt mitt håll – eller inte tittade åt mitt håll? När vattnet vällde fram – jag minns hur det flödade och hur alla samlades för att dricka av det – varför förstod jag då inte att allting var slut för min del? Jag undrar nu om man målmedvetet försökte låta bli att uppmärksamma händelsen alltför mycket, för att slippa att säga adjö, undvika att jag – eller vi – skulle bli alltför olyckliga och besvärliga.

Det verkar inte sannolikt att man skulle ta sådan hänsyn till barns känslor på den tiden. Sådana saker fick vi själva klara av och genomlida eller förtränga.

Jag bråkade inte. Efter den första chocken lät jag ingen märka något. Den extraanställde mannen retades varje gång han såg mig ("Har din pojkvän stuckit ifrån dig?"), men jag tittade aldrig åt hans håll.

Jag måste ha vetat att Mike skulle ge sig av en dag. Precis som jag visste att Ranger var gammal och snart skulle dö. Det var en tomhet som jag innerst inne måste acceptera, men innan Mike försvann visste jag egentligen inte hur det skulle kännas. Hur hela min värld skulle förändras, som om en jordbävning dragit fram och berövat allting dess mening; bara förlusten av Mike fanns kvar. Jag kunde inte titta på den vita stenen i gången utan att tänka på honom, och därför kände jag i fortsättningen avsky för den stenen. Samma inställning hade jag till lönnträdets gren, och när pappa högg av den för att den växte för tätt inpå huset, kände jag samma sak för ärret som fanns kvar.

En dag många veckor senare, när jag hade min höstkappa på mig och stod vid dörren till skoaffären medan mamma provade skor, hörde jag en kvinna ropa: "Mike." Hon sprang förbi affären och ropade: "Mike." Jag fick plötsligt för mig att denna kvinna som jag inte kände måste vara Mikes mamma – jag visste att hon var skild från pappan, inte död, även om det inte var Mike som hade talat om det. Av någon anledning hade de säkert kommit tillbaka till stan nu. Jag funderade inte över om de hade kommit tillbaka för gott eller ej, jag sprang bara ut ur affären, övertygad om att jag strax skulle få se Mike.

Kvinnan hade hunnit ifatt en liten femårig pojke som just hade plockat åt sig ett äpple ur en korg som stod på trottoaren utanför livsmedelsaffären intill.

Jag stannade och stirrade klentroget på barnet, som om någon på ett upprörande och orättvist sätt hade trollat bort Mike inför ögonen på mig.

Ett vanligt namn. Bara en unge med platt ansikte och smutsigt ljust hår.

Mitt hjärta dunkade våldsamt, som tjut inne i bröstet.

Sunny mötte mig vid bussen i Uxbridge. Hon var storvuxen, hade ett muntert ansikte och lockigt, silverbrunt hår som hon satt upp med kammar som inte matchade varandra. Inte ens när hon lade på sig – som hon hade gjort nu – såg hon tantig ut, bara stiligt flickaktig.

Som vanligt tog hon mig med storm och sa att hon trott att hon skulle komma för sent, eftersom Claire hade fått en insekt i örat samma morgon så att de blivit tvungna att åka till sjukhuset och spola. Sen hade hunden spytt på kökstrappan, troligen för att den avskydde huset och landet och bilturen, och när hon – Sunny – åkte sin väg för att hämta mig, tvingade Johnston pojkarna att städa, eftersom det var de som velat ha en hund och Claire klagade över att hon fortfarande hörde något som surrade i hennes öra.

"Så vad säger du om att åka till nåt lugnt och trevligt ställe och dricka oss berusade och strunta i att köra hem?" sa hon. "Fast vi måste väl. Johnston har bjudit hit en god vän som har frun och barnen på Irland, och de har tänkt åka och spela golf."

Sunny och jag lärde känna varandra i Vancouver. Våra graviditeter avlöste varandra så att vi lyckades dela på en uppsättning mammakläder. Ungefär en gång i veckan brukade vi träffas hemma i köket hos varandra, distraherade av barnen och ibland utmattade av brist på sömn, medan vi satt och rökte, drack starkt kaffe och pratade om allt mellan himmel och jord – äktenskapet, grälen, personliga tillkortakommanden, intressanta och skamliga motiv för vårt handlande, övergivna ambitioner. Vi läste Jung samtidigt och försökte hålla kontakten med våra drömmar. Under den tid i livet som förmodas vara ett reproducerande töcken, en tid då kvinnans tankar helt absorberas av moderssafterna, kände vi behov av att läsa Simone de Beauvoir och Arthur Koestler och T.S. Eliots *Cocktailpartyt*.

Våra äkta män befann sig inte på samma våglängd. När vi försökte tala om sådana saker med dem, blev svaret: "Åh, det är bara litteratur" eller "Nu låter du som på nybörjarkursen i filosofi".

Nu hade vi båda brutit upp från Vancouver. Men Sunny hade flyttat med man, barn och möbler på normalt sätt och av det vanliga skälet – hennes man hade fått ett nytt jobb. Och jag hade flyttat av det nymodiga skäl som var mäkta populärt i vissa kretsar, om än bara ett kort tag – jag hade lämnat min man och mitt hem och allt det vi skaffat under äktenskapet (utom förstås barnen, som skulle delas upp) i hopp om att börja leva ett liv utan hyckleri eller försakelser eller skamkänslor.

Jag bodde nu på andra våningen i ett hus i Toronto. De som bodde därnere – ägarna till huset – hade kommit från Trinidad drygt tio år tidigare. Kvarterets gamla tegelhus med sina verandor och höga smala fönster, före detta hem för metodister och presbyterianer som hetat Henderson och Grisham och McAllister, var numera fyllda med människor som hade brun eller olivfärgad hy, som talade engelska på ett sätt som var främmande för mig, om de överhuvudtaget talade, och som vid alla tider på dygnet fyllde luften med ångorna från sin sötkryddiga matlagning. Jag var nöjd med situationen – det kändes som om jag hade åstadkommit en verklig förändring och gjort en lång och nödvändig resa från äktenskapets hus. Men att mina döttrar, som var tio och tolv år gamla, skulle känna likadant var att kräva för mycket. Jag hade lämnat Vancouver på våren, och de kom till mig i början av sommarlovet för att enligt planerna stanna två hela månader. De tyckte att lukterna på gatan var vämjeliga och oväsendet skrämmande. Det var varmt, och de kunde inte sova trots fläkten jag hade köpt. Vi var tvungna att ha fönstren öppna, och trädgårdsfesterna i grannskapet varade ibland till fyra på morgonen.

Utflykter till Science Centre och C.N. Tower, till museet och zoo, besök på svala restauranger i varuhusen, en båttur till Toronto Island, ingenting kunde kompensera förlusten av kamraterna hemma eller förlika dem med den parodi till hem som jag kunde erbjuda. De saknade sina katter. De längtade till sina egna rum, till friheten och de lättjefulla sommarlovsdagarna hemma.

De klagade inte i början. Jag hörde den äldsta säga till den yngsta: "Låt mamma tro att vi trivs. Annars känns det jobbigt för henne."

Till slut sammanbrott. Anklagelser, bekännelser om hur förtvivlade alla var (och som överdrevs för att jag skulle känna mig träffad). Den yngre som skrek: "Varför kan du inte bara bo hemma?" och den äldre som bittert sa till henne: "För att hon hatar pappa."

Jag ringde min man – som ställde ungefär samma fråga och själv gav nästan samma svar. Jag ändrade biljetterna och hjälpte barnen packa och körde dem till flygplatsen. Hela vägen dit lekte vi en fånig lek som den äldre av flickorna hittat på. Man skulle välja ett nummer – 27 eller 42 eller vad som helst – och sen titta ut genom rutan och räkna de män man såg. När man sen kom till nummer 27 eller 42 eller vad det nu var, skulle man vara tvungen att gifta sig med just den mannen. När jag kom hem ensam samlade jag ihop resterna efter dem – en serieteckning som den yngsta hade ritat, ett nummer av *Glamour* som den äldsta hade köpt, olika smycken och kläder som de kunde använda i Toronto men inte hemma – och stoppade alltihop i en soppåse. Och varje gång jag tänkte på dem gjorde jag ungefär samma sak – jag stängde till om tankarna. Det fanns förtvivlan som jag kunde stå ut med – som hade med män att göra. Den förtvivlan som rörde barnen klarade jag inte.

Jag fortsatte leva som jag gjort innan de kom. Jag slutade laga frukost och gick varje morgon ut och drack kaffe och åt färskt bröd i den italienska delikatessaffären. Jag var fascinerad över att vara befriad från familjelivet. Men jag såg nu något som jag inte förut hade lagt märke till, nämligen ansiktsuttrycket hos de människor som varje morgon satt på barstolarna bakom fönstret eller vid borden utmed trottoaren – människor som inte alls tyckte att det var fantastiskt underbart att ta sig den friheten utan som istället gjort det till rutin i ett liv som präglades av ensamhet.

När jag sen kom hem satt jag i timmar och skrev vid ett träbord under fönstren i ett före detta uterum som gjorts om till provisoriskt kök. Jag hoppades kunna tjäna mitt uppehälle som författare. Solen värmde upp det lilla rummet och eftersom jag brukade sitta i shorts, klistrade låren fast sig vid stolen. Jag kände den egendomligt söta kemiska lukten av plastsandaler blandad med fotsvett. Jag gillade det – det var lukten av min flit och, som jag hoppades, det jag åstadkom. Det jag skrev var inte bättre än det jag hade lyckats prestera i det gamla livet, medan potatisen kokade eller tvätten skvalpade runt i sitt automatiska kretslopp. Det blev bara mer av samma slag, och det var inte sämre – det var det enda man kunde säga.

Senare på dagen skulle jag ta ett bad och kanske gå och möta några väninnor. Vi brukade sitta och dricka vin på någon trottoarservering på Queen Street eller Baldwin Street eller Brunwick Street, medan vi talade om livet – mest om våra älskare, men det kändes sårbart att säga "älskare" och därför sa vi istället "mannen jag brukar träffa". Och ibland var jag ute med mannen jag brukade träffa. Han hade blivit portförbjuden medan barnen bodde hos mig, fastän jag hade brutit mot regeln två gånger och lämnat mina döttrar på en iskall biograf.

Jag kände denne man innan jag bröt upp ur mitt äktenskap, och han var det direkta skälet till att jag gick, även om jag inför honom – och alla andra – låtsades som om det inte var så. När vi var tillsammans försökte jag visa mig sorgfri och självständig. Vi pratade om olika saker – jag såg till att ha något att prata om – och vi skrattade och tog promenader i ravinen, men mitt mål var att locka honom att ha sex med mig, för jag ansåg att sexuell aktivitet uppväckte det bästa hos människan. Jag var enfaldig när det gällde sådana saker, på ett sätt som var mycket riskfullt, särskilt för en kvinna i min ålder. Det fanns stunder då jag var mycket lycklig efter våra möten – omtumlad och trygg – medan jag vid andra tillfällen kunde ligga stentung av tvivel. När han hade gett sig iväg kände jag ofta tårarna stiga i ögonen innan jag ens visste att jag grät. Det berodde på någon sorts skugga jag hade anat hos honom eller en nonchalans, en förtäckt varning som han gav. Medan det mörknade utanför fönstren började trädgårdsfesterna, med musik och rop och skrän och provokationer som kunde urarta till slagsmål, och jag blev rädd, inte för någon fientlig varelse utan för en sorts icke-existens.

En dag när jag befann mig i en sådan sinnesstämning ringde jag Sunny och blev bjuden ut till landet över helgen.

"Det är vackert här", sa jag.

Men landskapet vi körde genom betydde ingenting för mig. Kullarna bestod av en rad gröna upphöjningar, en del med kor på. Där fanns låga betongbroar över bäckar, igenvuxna av ogräs. Höet skördades på ett nytt sätt, rullades ihop och fick ligga kvar ute på fälten.

"Vänta tills du får se huset", sa Sunny. "Det är förfallet. Vi hade en mus i rörsystemet. Död. Det kom hela tiden små hår i badvattnet. Nu har vi fixat det, men man vet aldrig vad som händer härnäst."

Hon frågade mig inte om mitt nya liv – var det av finkänslighet eller ogillande? Hon visste kanske bara inte hur hon skulle börja, kunde inte tänka sig in i det. Jag skulle i alla fall ha svarat med lögner, eller halvlögner. *Det var svårt att bryta sig loss men jag var tvungen. Jag saknar barnen fruktansvärt mycket men man måste alltid betala ett pris. Jag håller på att lära mig att respektera mannens frihet och själv vara fri. Jag försöker ta lätt på sex, vilket är svårt, eftersom det inte var så i början för mig. Jag är ju inte heller så ung längre, men jag håller på att lära mig.*

En hel helg, tänkte jag. Det verkade som en mycket lång tid.

Det var ett ärr i teglet på huset där man hade rivit en veranda. Sunnys pojkar trampade omkring ute på gårdsplanen.

"Mark har tappat bollen", ropade den äldre, Gregory.

Sunny sa åt honom att hälsa på mig.

"Hej. Mark kastade bollen över skjulet och nu kan vi inte hitta den."

Den treåriga flickan, som fötts sen jag senast såg Sunny, kom springande från köksingången och stannade, förvånad över att se en främling. Men hon hämtade sig och sa: "Det var en insekt som flög rakt på mitt huvud."

Sunny lyfte upp henne, jag tog min övernattningsväska och sen gick vi in i köket där Mike McCallum stod och bredde ketchup på en smörgås.

"Men det är ju du", sa vi nästan i samma andetag. Vi skrattade, jag rusade emot honom och han kom gående. Vi skakade hand.

"Du var så lik din pappa", sa jag.

Jag vet inte om jag hade kommit så långt att jag tänkte på brunnsborraren. Jag tänkte: Vem är den där mannen som ser så bekant ut? En man som bar sin kropp med lätthet, som om han inte skulle ha några svårigheter att klättra i och ur brunnar. Snaggat hår, på väg att gråna, djupt liggande ljusa ögon. Ett magert ansikte, godlynt men allvarsamt. Lite reserverad men inte ovänlig.

"Pappa lever inte längre", sa han. "Han är död."

Johnston kom ut i köket med golfklubborna och hälsade på mig och bad Mike skynda sig, medan Sunny sa: "De känner varandra, älskling. De har träffats. Kan du tänka dig."

"När vi var barn", sa Mike.

Johnston sa: "Är det sant? Så märkligt." Och vi sa alla på en gång det vi såg att han tänkte säga:

"Världen är liten."

Mike och jag stod fortfarande och tittade på varandra och skrattade — det var som om vi ville säga att den upptäckt som Sunny och

Johnston kanske fann så märklig kändes som ett komiskt förvirrande utslag av slumpen för vår del.

Medan männen var borta kände jag mig hela eftermiddagen lycklig och fylld av energi. Jag gjorde en persikopaj till efterrätt och läste för Claire när hon skulle sova middag, medan Sunny följde med pojkarna på en lyckad fisketur i den skummande bäcken. Sen satte vi oss på golvet i vardagsrummet med en flaska vin och ägnade oss åt att umgås igen, medan vi pratade om böcker istället för om livet.

Det Mike mindes skilde sig från mina minnesbilder. Han mindes att vi hade gått runt på den smala kanten till ett gammalt betongfundament och låtsats att det var högt som det högsta hus och att vi skulle dö om vi snavade och föll. Jag sa att det måste ha varit någon annanstans, men sen mindes jag att man hade gjutit en grund till ett garage som aldrig blev byggt, där vår uppfart mötte vägen. Hade vi balanserat på den kanten?

Det hade vi.

Jag mindes att jag ville ropa högt nere under bron men att jag var rädd för stadsbarnen. Han mindes inte någon bro.

Vi mindes båda kanonkulorna av lera och kriget.

Vi tog hand om disken, så att vi skulle kunna prata så mycket vi ville utan att vara oartiga.

Han berättade hur hans pappa dött. Han hade blivit dödad i en trafikolycka på väg hem från ett jobb nära Bancroft.

"Lever dina föräldrar fortfarande?"

Jag sa att mamma var död och att pappa hade gift om sig.

Senare berättade jag att jag hade skilt mig från min man och bodde i Toronto. Jag sa att mina barn hade varit hos mig ett tag men att de nu var på semester med sin pappa.

Han sa att han sen en tid tillbaka bodde i Kingston. Han hade nyligen träffat Johnston, genom jobbet. Liksom Johnston var han väg- och vattenbyggnadsingenjör. Hans fru var från Irland men jobbade i Kanada när han träffade henne. Hon var sjuksköterska. Just nu var hon hemma i Irland, i County Clare, och besökte sin familj. Hon hade barnen med sig.

"Hur många barn?"

"Tre."

När disken var färdig gick vi in i vardagsrummet och erbjöd oss att spela alfapet med pojkarna, så att Sunny och Johnston kunde ta en promenad. Vi skulle spela en omgång – sen var det sängdags för dem. Men de övertalade oss att ta ytterligare en runda, och vi spelade fortfarande när föräldrarna kom tillbaka.

"Vad sa jag till er?" sa Johnston.

"Det är samma parti", sa Gregory. "Du sa att vi fick spela färdigt, och det är samma parti."

"Säkert", sa Sunny.

Hon sa att det var en underbar kväll och att hon och Johnston var bortskämda som hade två övernattande barnvakter.

"Igår kväll var vi faktiskt på bio och Mike passade barnen. En gammal film. *Bron vid floden Kwai.*"

"*Över*", sa Johnston. "*Över floden Kwai.*"

Mike sa: "Jag hade ändå sett den. För många år sen."

"Den var ganska bra", sa Sunny. "Fast jag gillade inte slutet. Jag tyckte inte slutet var bra. På morgonen, när Alec Guinness ser kabeln i vattnet, ni vet, och förstår att någon ska spränga bron i luften? Och så löper han bärsärk och sen blir det så komplicerat och alla blir dödade. Ja, jag tycker att han bara borde ha sett kabeln och insett vad som skulle hända och sen stannat på bron. Det stämmer bättre överens med rollen att han blir sprängd i luften med den, och det skulle få större dramatisk effekt."

"Nej, det tycker jag inte", sa Johnston med tonen hos den som hört det argumentet förut. "Var finns då spänningen?"

"Jag håller med Sunny", sa jag. "Jag minns att jag tyckte slutet blev för komplicerat."

"Och Mike?" sa Johnston.

"Jag tyckte det var ganska bra", sa Mike. "Ganska bra som det var."

"Killar mot tjejer", sa Johnston. "Killarna vinner."

Sen sa han åt pojkarna att lägga undan alfapetspelet och de lydde. Men Gregory bad att få se på stjärnorna. "Det är bara här vi kan se dem", sa han. "Hemma är det så mycket ljus och skräp."

"Okej", sa pappan, "men bara fem minuter. Vi gick allihop ut och tittade på himlen. Vi tittade efter Ryttaren strax bakom den andra stjärnan i tistelstången i Karlavagnen. Om man kunde se den, sa Johnston, då hade man tillräckligt god syn för att komma in vid Flygvapnet, åtminstone var det så under andra världskriget.

Sunny sa: "Ja, jag ser den, men jag visste ju på förhand att den fanns där."

Mike sa att det var likadant med honom.

"Jag kan se den", sa Gregory föraktfullt. "Jag skulle kunna se den även om jag inte visste att den fanns där."

"Jag också", sa Mark.

Mike stod ett stycke snett framför mig. Han befann sig egentligen närmare Sunny än mig. Det var ingen bakom oss, och jag hade velat nudda vid honom – bara en lätt slumpartad beröring av armen eller axeln. Och om han inte flyttade på sig – av artighet, i tron att min beröring var en ren tillfällighet – skulle jag vilja lägga ett finger mot hans bara hals. Skulle han ha gjort så, om han hade stått bakom mig? Var det det han koncentrerade sig på, istället för stjärnorna?

Men jag kände på mig att han var en samvetsöm man, att han skulle dra sig undan.

Och därför skulle han definitivt inte komma till min säng den natten. Det var i vilket fall som helst så riskabelt att det var omöjligt. Det fanns tre sovrum på övervåningen – gästrummet och föräldrarnas rum vette båda mot det stora rummet där barnen sov. Den som skulle in i något av de mindre sovrummen var tvungen att passera barnens rum. Mike, som sovit i gästrummet natten före, hade fått flytta ner till bäddsoffan i vardagsrummet. Sunny hade gett honom rena lakan istället för att riva upp den säng han hade använt och bädda om den.

"Han är ganska ren", sa hon. "Och ni är ju förresten gamla vänner."

Natten blev inte precis lugnare av att jag låg i hans lakan. I drömmen, inte i verkligheten, luktade de vattenväxter, flodlera och vass i den heta solen.

Jag visste att han inte skulle ha kommit oavsett om risken varit liten. Det skulle ha varit sjaskigt att göra det hemma hos hans vänner, som säkert skulle bli vänner också till hans fru eller kanske redan var det. Och hur skulle han säkert kunna veta att det var det jag ville? Jag visste ju inte ens själv. Dittills hade jag alltid varit trogen den person jag just då låg med, åtminstone uppfattade jag det så själv.

Min sömn var ytlig, drömmarna monotont lustfyllda, och hela tiden inträffade irrelevanta och otrevliga händelser. Ibland var Mike och jag på samma linje, men hindren tornade upp sig. Ibland blev han distraherad av något, som när han sa att han hade köpt en present åt mig men förlagt den, och det var mycket viktigt för honom att hitta den. Jag sa att han skulle strunta i den, att jag inte brydde mig om presenten, eftersom han själv var present nog, den människa jag älskade och alltid hade älskat, det sa jag. Men han var splittrad och okoncentrerad. Och ibland förebrådde han mig.

Hela natten – eller åtminstone när jag vaknade, och jag vaknade ofta – sjöng syrsorna utanför fönstret. Först trodde jag att det var fåglar, en kör av outtröttliga nattfåglar. Jag hade bott i staden tillräckligt länge för att ha glömt att syrsor kan åstadkomma ett fulländat vattenfall av ljud.

Ibland när jag vaknade upp fann jag mig utslängd i tomma intet, det måste också sägas. Det var en ovälkommen klarsynthet. Vad vet du egentligen om denne man? Eller han om dig? Vad för sorts musik tycker han om, vilken politik företräder han? Vad har han för erfarenheter av kvinnor?

"Har ni sovit gott?" frågade Sunny.

Mike sa: "Jag sov som en stock."

Jag sa: "Visst, bara bra."

Den förmiddagen var vi alla bjudna på brunch hemma hos några grannar med swimmingpool. Mike sa att han hellre tog sig en runda på golfbanan om det gick bra.

"Gör du det", sa Sunny och tittade på mig. Jag sa: "Ja, jag vet inte om — " och Mike sa: "Du spelar väl inte golf?"

"Nej."

"Du kan ju följa med ändå, och vara min caddie."

"Jag kan vara caddie", sa Gregory. Han följde gärna med oss vart vi gick, eftersom vi säkert var mindre krävande än föräldrarna.

Sunny sa nej. "Du följer med oss. Vill du inte bada i poolen?"

"Alla ungarna kissar i poolen. Det vet ni väl."

Innan vi gick hade Johnston varnat för regn. Mike sa att vi skulle chansa. Jag gillade när han sa "vi" och tyckte om att sitta bredvid honom i bilen, på fruns plats. Det kändes fint att tänka på oss som ett par — fastän jag visste att jag var lättsinnig som en tonåring. Jag lockades av tanken på att vara hustru, som om jag aldrig hade varit det. Det hade aldrig hänt med den man som nu var min älskare. Skulle jag verkligen ha kunnat anpassa mig till den stora kärleken och bara gjort mig av med de delar av mig som inte stämde in, bara varit lycklig?

Men nu när vi var ensamma kändes stämningen en aning tvungen.

"Är det inte vackert här?" sa jag. Och idag menade jag det. Kullarna såg mjukare ut under denna molniga vita himmel än vad de gjort igår i den skarpa solen. Så här mot slutet av sommaren hade träden ett fransigt lövverk, och många av bladen började få rostfärgade kanter, andra skiftade redan i brunt eller rött. Nu kände jag igen olika träd. Jag sa: "Ekar."

"Det är sandjord här", sa Mike. "Hela vägen — området heter Oak Ridges."

Jag sa att Irland måste vara vackert.

"Det finns delar som är riktigt karga. Bara sten."

"Har din fru vuxit upp där? Talar hon med den där vackra brytningen?"

"Om du hörde henne skulle du säkert tycka det. Men när hon

kommer hem säger de att hon talar precis som en amerikan. De säger alltid amerikan – bryr sig inte om det kanadensiska."

"Och era barn – de låter förstås inte alls irländska?"

"Nix."

"Är det pojkar eller flickor?"

"Två pojkar och en flicka."

Jag kände ett behov av att tala om motsättningarna, det som var sorgligt och krävande i mitt liv. Jag sa: "Jag saknar mina ungar."

Men han sa ingenting. Visade ingen medkänsla, sa inte några uppmuntrande ord. Med tanke på omständigheterna tyckte han kanske att det var olämpligt att tala om våra partners eller våra barn.

Strax därpå körde vi in på parkeringsplatsen vid klubbhuset, och som för att kompensera sin stelhet sa han i ganska uppsluppen ton: "Det ser ut som om risken för regn har fått söndagsgolfarna att hålla sig hemma."

Han steg ur bilen och gick in för att betala green fee-avgiften.

Jag hade aldrig varit på en golfbana. Jag hade någon gång, aldrig av eget val, sett golf på teve och trodde mig vagt veta att en del klubbor var av järn och att en av dem kallades niblick. När jag berättade det för Mike sa han: "Du tycker kanske att det är urtråkigt."

"Om jag tycker det kan jag ju ta en promenad."

Det var han tydligen nöjd med. Han lade sin varma hand på min axel och sa: "Det är bra."

Det spelade ingen roll att jag var okunnig – och jag behövde förstås egentligen inte vara caddie – i alla fall tyckte jag inte att det var tråkigt. Jag följde bara med och iakttog honom. Jag behövde inte ens se på honom. Jag kunde ha sett på träden utmed golfbanan – höga träd med fjäderlika kronor och slanka stammar som jag inte kunde namnet på – akacia? – där vinden ibland drog fram utan att vi kunde känna den härnere. Och fåglarna flög i flock, koltrastar eller starar, och gav ett samfällt intryck av brådska, fast de bara flyttade sig från en trädtopp till en annan. Jag mindes nu att fåglar gjorde så; i augusti eller till och med slutet av juli började de ha stimmiga massmöten och förbereda sig för resan söderut.

Mike sa något då och då, men knappast till mig. Jag behövde inte svara, och skulle i själva verket inte ha kunnat göra det. Men jag tyckte att han pratade mer än vad han skulle ha gjort om han hade spelat ensam. Det kom lösryckta ord i form av förebråelser eller försiktiga gratulationer eller varningar, eller kanske var det inte ord utan bara den sortens ljud som ska förmedla innebörd och som gör det, när man frivilligt lever ett långt liv i förtrolighet sida vid sida.

Det var alltså det jag förmodades göra — ge honom en förstärkt och breddad föreställning om sig själv. En bekvämare föreställning, skulle man kanske kunna säga, en tröstande känsla av mänsklig vaddering kring hans ensamhet. Han skulle inte ha väntat sig det på riktigt samma sätt eller bett om det fullt så naturligt och otvunget om jag hade varit en annan man. Eller om jag hade varit en kvinna som han inte hade något slags etablerad relation till.

Det där var ingenting som jag funderade ut. Det fanns bara där i det välbehag som fyllde mig när vi gick utefter banan. Lusten som hade gett mig pilande smärtor under natten var nu renad och nedtonad till en prydlig liten låga, uppmärksam, hustrulik. Jag följde med när han förberedde sig och valde och funderade och kisade och slog, och jag såg den bana bollen tog och tyckte alltid att det kändes som en triumf, fastän han aldrig var nöjd. Så fortsatte vi till nästa utmaning, till det som väntade därnäst.

Medan vi gick pratade vi nästan inte alls. Blir det regn? undrade vi. Kände du en droppe? Jag tyckte att jag kände en droppe. Fast kanske inte. Det var inte konventionellt väderprat — allt hade med spelet att göra. Skulle vi hinna avsluta rundan eller inte?

Det visade sig att vi inte skulle hinna. Det kom en regndroppe, det var ingen tvekan om den saken, sen ännu en, och så en skur. Mike spanade utmed banan, där molnen hade ändrat färg och blivit mörkblå istället för vita, och utan större oro eller besvikelse sa han: "Här kommer det nu." Han började metodiskt packa ihop och stänga golfbagen.

Vi befann oss då ungefär så långt vi kunde komma från klubbhuset. Fåglarna hade blivit oroligare och flög upprört och villrådigt omkring. Trädkronorna vajade, och det hördes ett ljud – som tycktes komma ovanifrån – som ljudet av en våg full av sten som brakade in över stranden. Mike sa: "Okej. Det är bäst att vi tar skydd här", och så grep han mig i handen och vi rusade över gräset in bland buskarna och det höga ogräset som växte mellan golfbanan och floden.

Buskarna alldeles i kanten av gräset hade mörka blad och såg nästan tuktade ut fastän de växte vilt, som om man hade planterat en häck härute. De verkade också ogenomträngliga, men på nära håll fanns små öppningar, smala stigar som åstadkommits av djur, eller människor som letade efter golfbollar. Marken sluttade lite, och när man väl kom igenom den oregelbundna muren av buskar kunde man se lite av floden – den flod som gett klubbhuset dess namn. Riverside Golf Club, som det stod på grinden. Vattnet var stålgrått och såg ut att gå i vågor, inte skvalpa hit och dit som i en damm vid skyfall som det här. Mellan vattnet och oss fanns en ogräsäng som stod i blom. Gullris, vildbalsamin med röda och gula klockor och något som jag trodde var blommande nässlor med rosalila blomklasar. Dessutom vilda astrar och snåriga vinrankor som vindlade sig om vadhelst de kunde gripa tag i. Jorden var mjuk, inte särskilt lerig. Till och med växter med de mest bräckliga och ömtåliga stjälkar hade vuxit sig nästan lika höga, eller högre, än våra huvuden. När vi stannade och tittade uppåt kunde vi se träden en bit därifrån vaja hit och dit som buketter. Och någonting var på väg emot oss från de midnattsblå molnen. Det var det verkliga regnet som kom vräkande efter skuren, men det verkade vara mycket mer än regn, som om en stor del av himlen hade gjort sig loss och nu, brådskande och målmedvetet, närmade sig i en form som inte riktigt var igenkännlig utan såg ut som på en teckning. Regnridåer – inte slöjor utan riktigt täta och vilt flaxande ridåer – piskades fram före den. Vi såg dem tydligt medan vi ännu bara kände de lätta, loja dropparna. Det var nästan som att se ut genom ett fönster och inte riktigt tro att rutan skulle gå i bitar förrän den gjorde det och regnet och vinden träffade oss med full styrka, så att mitt hår spred sig som en gloria kring huvudet och det kändes som om huden skulle lossna.

Jag försökte vända då – jag fick en impuls som jag inte känt förut att fly ut ur buskarna och styra kosan mot klubbhuset. Men jag kunde inte röra mig. Det var svårt nog att stå upp – ute på öppen mark skulle man genast ha vräkts omkull av vinden.

Framåtböjd stångade sig Mike i motvind före mig genom det höga ogräset, hela tiden med ett fast grepp om min arm. Så vände han sig mot mig, med kroppen mellan mig och ovädret. Det gjorde ungefär lika stor skillnad som en tandpetare skulle ha gjort. Han sa något alldeles inpå mig, men jag hörde inte vad det var. Han ropade, men inte minsta ljud trängde fram. Nu höll han mig om båda armarna och tog ett stadigt tag om mina handleder. Han drog ner mig – det var svårt att hålla balansen när vi försökte byta ställning – och vi hukade nära marken. Så tätt inpå att vi inte kunde titta på varandra, bara rikta blicken neråt, där floder i miniatyr redan höll på att genomborra jorden runt våra fötter. Det enda vi såg var det nedtyngda gräset och våra genomblöta skor, också det genom vattenfallet som rann nerför ansiktet på oss.

Mike släppte mina handleder och lade händerna på mina axlar. Det var inte någon mjuk rörelse, snarare tyglande.

Vi satt kvar så tills vinden hade passerat. Det kunde inte ha tagit mer än fem minuter, kanske bara två eller tre. Det regnade fortfarande, men nu var det vanligt spöregn. Han drog till sig händerna, och vi reste oss darrigt upp. Kläderna var fastklistrade vid kroppen. Mitt hår föll i långa häxlika testar ner i ansiktet och hans låg platt i korta mörka stripor över pannan. Vi försökte le men orkade knappt. Sen kysstes vi och tryckte oss ett kort tag intill varandra. Det var mer en ritual, en bekräftelse på att vi överlevt, än kroppslig lust. Läpparna gled mot varandra, hala och kalla, och vi frös lite av omfamningen som fick vattnet att på nytt rinna om oss.

För varje minut som gick lättade regnet. Vi letade oss halvt vacklande ut genom det till hälften tillplattade gräset och de tjocka, genomdränkta buskagen. Över hela golfbanan låg stora nedblåsta trädgrenar. Inte förrän senare tänkte jag på att en sådan gren skulle ha kunnat döda oss.

Vi gick ut på öppen mark och tog omvägar förbi de fallna grenarna. Det hade nästan slutat regna, och luften ljusnade. Jag gick med huvudet böjt – så att vattnet från håret skulle rinna till marken och inte ner över ansiktet – och kände värmen från solen träffa axlarna innan jag tittade upp mot de lysande strålarna.

Jag stod stilla, tog ett djupt andetag och skakade håret bakåt. Nu var det dags, när vi var genomblöta och trygga och genomlysta. Nu måste något sägas.

"Det är en sak jag inte har berättat."

Hans röst överraskade mig, liksom solen nyss. Men på motsatt sätt. Det fanns en tyngd över den, en varnande ton – beslutsamhet med en ursäktande klang.

"Vår yngste son", sa han. "Vår yngste son blev dödad förra sommaren."

Åh.

"Han blev överkörd", sa han. "Det var jag som körde över honom. När jag backade ut från uppfarten."

Jag stannade igen. Han stannade också. Vi stirrade båda rakt fram.

"Han hette Brian. Han var tre.

Jag trodde att han låg i sin säng. De andra var fortfarande uppe, men vi hade lagt honom. Sen hade han stigit upp igen.

Men jag borde ha sett mig för. Jag borde ha varit försiktigare."

Jag tänkte på det ögonblick då han steg ur bilen. Ljudet han måste ha undsluppit sig. Ögonblicket när barnets mamma kom rusande ut ur huset. *Det är inte han, han är inte här, det har inte hänt.*

Uppe i sängen.

Han började gå igen, in på parkeringsplatsen. Jag höll mig ett stycke bakom honom. Och jag sa ingenting – inte ett enda vanligt hjälplöst ord. Det fanns inte utrymme för det.

Han sa inte: Det var mitt fel och jag kommer aldrig över det. Jag förlåter mig aldrig. Men jag gör så gott jag kan.

Eller: Min fru förlåter mig men hon kommer heller aldrig över det.

Jag visste allt det där. Jag visste nu att han var en människa som hade varit nere på absoluta botten. En människa som visste precis hur det såg ut där – vilket jag inte gjorde, aldrig hade kommit i närheten av att göra. Han och hans fru delade den vetskapen och det band dem samman, eftersom något sådant antingen knäckte förhållandet eller band en samman, för livet. Inte för att de skulle stanna kvar på absoluta botten. Men de skulle komma att dela en kunskap om den – det där kalla, tomma, låsta och avgörande stället.

Det kunde hända vem som helst.

Jo. Men det tycks inte vara så. Det är som om det händer just den, den där som särskilt valts ut här och nu, en i taget.

Jag sa: "Det är inte rättvist." Jag talade om hur dessa gagnlösa bestraffningar drabbar, dessa ondskefulla och förgörande dråpslag. Värre så här kanske, än när de inträffar mitt i ett omfattande elände, under krig eller naturkatastrofer. Värst av allt när det handlar om en människa som med sin handling, troligen en föga karakteristisk handling, ensam får bära den beständiga skulden.

Det var det jag talade om. Men också menade: *Det är inte rättvist. Vad har detta med oss att göra?*

En protest så brutal att den verkar nästan oskuldsfull, eftersom den kommer ur en sådan naken kärna av jaget. Det vill säga oskuldsfull om det är dig den kommer ifrån, om den inte framförs offentligt.

"Ja", sa han ganska stilla. Eftersom rättvisa varken finns här eller där.

"Sunny och Johnston vet inte om det", sa han. "Ingen av de människor vi lärt känna sen vi flyttade vet något. Det kändes som om det skulle fungera bättre så. Inte ens de andra barnen – de talar nästan aldrig om honom. Nämner aldrig hans namn."

Jag var inte en av dem de träffat sen de flyttade. Tillhörde inte det samhälle där de skulle skapa sig ett nytt, svårt, normalt liv. Jag var en människa som visste – det var det hela. En person som fanns i hans värld och som visste.

"Så konstigt", sa han och såg sig om innan han öppnade bagageluckan till bilen för att stoppa in golfvagnen.

"Vad hände med killen som stod parkerad här förut? Du såg väl

177

också att det stod en bil parkerad här när vi kom? Men det fanns ju ingen annan på banan. Nu när jag tänker på saken. Såg du någon?"

Jag sa nej.

"Mystiskt", sa han. Och sen: "Tja."

Det var ett ord som jag hörde ganska ofta, i samma ton, när jag var barn. En bro mellan orden, eller en slutsats eller ett sätt att säga något som inte kunde uttryckas eller tänkas mer fullständigt än så.

Ovädret hade satt punkt för partyt vid swimmingpoolen. Det var för många gäster för att alla skulle få rum i huset, och de flesta med barn hade valt att åka hem.

Medan vi körde tillbaka lade både Mike och jag märke till en svidande känsla i huden, något som kliade eller brände på våra bara underarmar, på översidan av händerna och runt vristerna. Ställen som inte varit skyddade av kläderna när vi satt på huk bland ogräset. Jag mindes nässlorna.

När vi satt i Sunnys lantliga kök, iförda torra kläder, berättade vi om våra äventyr och visade utslagen.

Sunny visste vad som skulle göras. Gårdagens tur med Claire till akuten på traktens sjukhus hade inte varit familjens första. En helg för ett tag sen hade pojkarna gått bort till det snårbevuxna, leriga fältet bakom ladan och kommit tillbaka fulla av blemmor och blåsor. Doktorn sa att de måste ha hamnat i ett nässelsnår. Måste ha vältrat sig i det, sa han. Han ordinerade kalla kompresser, en antihistaminsalva och tabletter. Det fanns fortfarande kvar både av salvan och tabletterna, för Mark och Gregory hade snabbt repat sig.

Vi tackade nej till tabletterna – vårt fall verkade inte allvarligt nog.

Sunny sa att hon hade pratat med kvinnan som jobbade på bensinstationen, och kvinnan hade sagt att det fanns en växt vars blad gav bästa möjliga lindring mot nässelklåda. Man behöver inte en massa tabletter och sånt, sa kvinnan. Namnet på växten var *arum maculatum*, en sorts kallaväxt, och kvinnan sa att man kunde hitta den vid en viss vägkorsning, nära en bro.

Sunny var ivrig att leta upp den, hon gillade tanken på en huskur enligt folktron. Vi fick påminna henne om att salvan redan var köpt och betald.

Sunny tog med glädje hand om oss. Vår belägenhet fick faktiskt hela familjen på gott humör och de glömde den dystra stämningen i spåren av ösregnet och de inställda planerna. Att vi hade gett oss iväg tillsammans och upplevt detta äventyr – ett äventyr som lämnat synbara bevis på våra kroppar – tycktes uppväcka en kittlande spänning hos Sunny och Johnston. Skälmska blickar från honom, en munter oro från hennes sida. Om vi hade visat tecken på verkliga snedsteg – blemmor på skinkorna, röda rispor på lår och mage – skulle de förstås inte ha varit så charmerade och förlåtande.

Barnen tyckte att det var lustigt att se oss sitta där med fötterna i en balja, med klumpigt inlindade armar och händer. Claire tyckte att det var särskilt lustigt att se våra nakna, fåniga, vuxna fötter. Mike vickade med sina långa tår åt henne, och hon gapskrattade förskräckt.

Tja. Det skulle bli samma historia, om vi någonsin träffades igen. Eller inte gjorde det. Kärlek som inte var brukbar, som visste sin plats. (En del skulle säga att den inte var äkta, för den skulle inte riskera att få halsen omvriden eller förvandlas till ett dåligt skämt eller sorgset rinna ut i sanden.) Den skulle inte riskera ett dugg men ändå hållas vid liv, som en ljuv rännil, en underjordisk tillgång. Med tyngden av denna nya stillhet över sig, denna besegling.

Jag frågade aldrig Sunny om hon hade några nyheter om honom och fick aldrig veta något under de många år då vår vänskap förde en tynande tillvaro.

De där växterna med rosalila blommor är inte nässlor. Jag har upptäckt att de kallas hampflockel. De brännande nässlor som vi måste ha hamnat i ser mer obetydliga ut, med en blekare lila blomma och stjälkar som är ondskefullt försedda med fina, vassa, genomborrande och inflammationsframkallande taggar. De fanns säkert omärkligt där bland allt som blommade på den vidsträckta ängen.

Ett hus i modern stil

LIONEL BERÄTTADE HUR hans mamma hade dött.

Hon hade bett om sitt smink. Lionel höll i spegeln.

"Det tar ungefär en timme", sa hon.

Underlagskräm, ansiktspuder, ögonbrynspenna, mascara, konturpenna, läppstift, rouge. Hon var långsam och darrig, men det blev inte illa.

"Det tog dig inte en timme", sa Lionel.

Hon sa nej, hon menade inte det.

Det hon menade var att dö.

Han hade frågat om hon ville att han skulle ringa pappan. Pappan, hennes man, hennes präst.

Hon sa: Varför det?

Hennes förutsägelse stämde, på fem minuter när.

De satt bakom huset – Lornas och Brendans hus – på en liten terrass med utsikt över Burrard Inlet och ljusen i Point Grey. Brendan reste sig för att flytta sprinklern längre bort på gräsmattan.

Lorna hade träffat Lionels mamma bara några månader tidigare. En söt vithårig liten dam som var tappert charmerande. Hon hade kommit ner till Vancouver från en stad i Klippiga bergen, för att se den turnerande Comédie Française. Lionel hade bett Lorna gå med. Efter föreställningen, när Lionel höll upp moderns blå sammetskappa, sa hon till Lorna: "Jag är så glad att få träffa min sons *belle-amie*."

"Ta det lite lugnt med franskan nu", sa Lionel.

Lorna var inte ens säker på vad det betydde. *Belle-amie*. Vacker väninna? Älskarinna?

Lionel höjde på ögonbrynen och gav henne en blick över huvudet på mamman. Som för att säga: Vad hon än hittar på, är det inte mitt fel.

Lionel hade en gång varit Brendans elev på universitetet. Ett omoget underbarn, sexton år gammal. Den skarpaste matematiska hjärna Brendan någonsin träffat på. Lorna undrade om Brendan överdrev när han tänkte tillbaka, kanske för att han alltid varit osedvanligt generös mot sina begåvade studenter. Det kunde också ha att göra med hur allting blivit. Brendan hade vänt ryggen åt hela det irländska packet – sin familj och kyrkan och de sentimentala sångerna – men han var svag för det tragiska. Och mycket riktigt, efter denna bländande början på karriären hade Lionel drabbats av någon sorts sammanbrott, tagits in på sjukhus, försvunnit utom synhåll. Tills Brendan mötte honom i snabbköpet och upptäckte att han bodde bara någon kilometer från deras hus, här i norra Vancouver. Han hade helt och hållet gett upp matematiken och arbetade på den anglikanska kyrkans bokförlag.

"Kom och hälsa på", hade Brendan sagt. Han tyckte att Lionel såg lite sjaskig och ensam ut. "Kom så får du träffa min fru."

Han var glad att ha ett hem nu, att kunna bjuda hem folk.

"Så jag visste inte hurdan du var", sa Lionel när han rapporterade det för Lorna. "Jag tänkte att du kanske var förskräcklig."

"Åh", sa Lorna. "Varför det?"

"Jag vet inte. Fruar."

Han kom och hälsade på om kvällarna, när barnen hade gått och lagt sig. De små avbrotten av husligt liv – ett babyskrik som nådde dem genom ett öppet fönster, de bannor Brendan ibland tvingades ge Lorna över leksaker som fått ligga kvar i gräset istället för att bäras bort till sandlådan, en irriterad fråga från köket om hon hade kommit ihåg att köpa citron till gin och tonic – allt tycktes framkalla en rysning, en spänning i Lionels långa, smala kropp och uppmärksamma, skeptiska ansikte. Då fick det bli en paus, en återgång till mänskligare kontakt. En gång sjöng han mycket tyst till melodin av *O Tannenbaum*: "Åh, äktenskap, åh, äktenskap." Han log lite i mörkret, eller åtminstone tyckte Lorna att han gjorde det. Det var ett leende som påminde henne om när hennes fyraåriga dotter, Elizabeth, viskande fällde någon lätt oartig kommentar till sin mamma på en allmän plats. Ett hemlighetsfullt litet leende, belåtet, lite ängsligt.

Lionel kom cyklande uppför berget på sin höga, gammaldags cykel – och det vid en tid när nästan inga andra än barn cyklade. Han hade i allmänhet inte bytt om från arbetskläderna. Mörka byxor, en vit skjorta som alltid såg lite smutsig och sliten ut runt manschetter och krage, en obestämbar slips. När de gick på Comédie Française hade han utanpå det tagit på sig en tweedkavaj som var för bred över axlarna och för kort i ärmen. Kanske hade han inga andra kläder.

"Jag sliter för en struntlön", sa han. "Och inte ens i Herrens vingårdar. I ärkestiftet."

Och: "Ibland tror jag mig vara mitt i en Dickensroman. Men det lustiga är att jag inte ens gillar Dickens."

I allmänhet pratade han med huvudet på sned och blicken fäst vid något bortom Lornas huvud. Rösten var lätt och snabb, ibland gäll av en sorts nervös upprymdhet. Han lät alltid lite förvånad när han talade om saker och ting. Han berättade om kontoret där han arbetade, i huset bakom katedralen. De små höga gotiska fönstren och de fernissade sniderierna (som skulle ge ett kyrkligt intryck), hatthyllan och paraplystället (som av någon anledning fyllde honom med djup melankoli), maskinskriverskan, Janine, och mrs Penfound, som var redaktör för kyrkans tidning. Den spöklike och tanspridde ärkebiskopen som då och då dök upp. Där pågick ständigt en oavgjord kamp om tepåsar, mellan Janine, som gillade dem, och mrs Penfound, som inte gjorde det. Alla mumsade på hemliga godsaker och ingen delade med sig. För Janines del var det karameller, och själv föredrog Lionel sockermandlar. Han och Janine hade inte kommit underfund med vad mrs Penfound hade för hemliga laster, eftersom hon inte lade omslagspapperen i papperskorgen. Men hennes käkar var alltid förstulet i rörelse.

Han nämnde sjukhuset, där han hade varit patient en period och konstaterade att det liknade kontoret när det gällde hemliga laster. Där var det mesta hemligt. Men på sjukhuset kom de och lindade om sår och hämtade en och anslöt en till vägguttaget, som han uttryckte det.

"Det var ganska intressant. Egentligen olidligt. Men jag kan inte beskriva det. Det är det konstiga. Jag minns men jag kan inte beskriva det."

De där händelserna på sjukhuset gjorde att han led brist på minnen, sa han. På detaljer. Han ville gärna att Lorna skulle berätta om sina.

Hon talade om sitt liv före äktenskapet med Brendan. Om de båda exakt likadana husen som stod sida vid sida i den stad där hon växte upp. Framför dem fanns ett djupt dike som kallades Dye Creek, eftersom man brukade spola ut färgat vatten där från garnfabriken. Bakom husen låg en vildvuxen äng dit flickor inte fick gå. I det ena huset bodde hon med sin pappa – i det andra bodde farmodern, faster Beatrice och kusin Polly.

Polly hade ingen pappa. Det sa man och det hade Lorna en gång trott på. Polly saknade pappa, liksom en manxkatt saknade svans.

I farmoderns vardagsrum fanns en karta över Det heliga landet, sydd med ulltråd i många nyanser och med de bibliska platserna utmärkta. Den testamenterades till United Church söndagsskola. Faster Beatrice hade inte haft kontakt med någon man sen hon drabbades av den vanära som hon numera förträngt, och hon var så petig och desperat i moraliska frågor att man lätt kunde föreställa sig att Polly kommit till genom obefläckad avlelse. Det enda Lorna någonsin lärt sig av faster Beatrice var att man alltid måste stryka en söm från sidan, aldrig öppen, för då kunde det bli avtryck från strykjärnet, och att man inte fick ha en tunn blus utan underklänning som dolde behåbanden.

"Jaha, ja", sa Lionel. Han sträckte ut benen, som om han njöt ända ner i tårna. "Och Polly då. Hur artade sig Polly, efter att ha vuxit upp i detta förstockade hem?"

Polly hade klarat sig bra, sa Lorna. Hon var full av energi, sällskaplig, godhjärtad, trygg.

"Åh", sa Lionel. "Berätta om köket igen."

"Vilket kök?"

"Det utan kanariefågeln."

"Vårt." Hon berättade hur hon skurade köksspisen med vaxat brödpapper för att få den att glänsa och beskrev de svartnade hyllorna med stekpannor, diskhon, den lilla spegeln där det fattades en trekantig bit i ena hörnet och den lilla plåtlådan nedanför – gjord av fadern – där det alltid låg en kam, ett gammalt handtag från en kopp och en liten burk med torr rouge som måste ha tillhört hennes mamma.

Hon berättade om sin enda minnesbild av modern. Hon var nere i stan med modern, en vinterdag. Det låg snö mellan trottoaren och gatan. Hon hade just lärt sig klockan och tittade upp mot uret på Postkontoret och såg att det var dags för det underhållningsprogram som hon och mamman brukade lyssna på i radio varje dag. Hon kände sig djupt oroad, inte för att gå miste om historien utan för att hon undrade vad som skulle hända med människorna i berättelsen när hon och mamman inte satte på radion och lyssnade. Att saker och ting skulle kunna låta bli att hända bara för att de råkade vara borta, gå förlorade på grund av en tillfällighet, väckte en oro som gränsade till fasa.

Och till och med i den minnesbilden var modern bara en höft och en axel, klädd i tjock kappa.

Lionel sa att han knappast hade något starkare intryck av sin far, fastän fadern fortfarande levde. En prasslande skjorta? Lionel och hans mamma brukade slå vad om hur länge fadern kunde gå omkring och moltiga. Han frågade en gång mamman varför pappan var så arg, och hon svarade att hon egentligen inte visste det.

"Han kanske inte tycker om sitt jobb", sa hon.

Lionel sa: "Varför skaffar han sig inte ett annat jobb?"

"Han kanske inte kan komma på något som han gillar."

Lionel mindes att han hade blivit rädd för mumier när han var liten och de gick på museum, och att mamman hade sagt att mumierna egentligen inte var döda utan kunde stiga ur sina lådor när alla gick hem. Då hade Lionel sagt: "Kan han inte bli mummi?" Modern tyckte att han sa mammi och berättade det sen som ett skämt för alla som ville höra på. Själv blev han så förvirrad över problemet med att göra sig förstådd att han inte brydde sig om att rätta henne.

Det var ett av de få minnen som stannade kvar hos honom.

Brendan skrattade – han skrattade mer åt historien än vad Lorna eller Lionel själv gjorde. Brendan kunde sätta sig ner hos dem en stund och säga: "Vad är det ni två sitter och babblar om?" och med viss lättnad, som om han för ögonblicket hade gjort sin plikt, reste han sig sen och sa att han hade lite arbete att göra och gick in. Som om han var glad över deras vänskap och på sätt och vis hade förutsett den och banat väg för den – men som om deras samtal gjorde honom rastlös.

"Det är skönt för honom att komma hit upp och vara lite normal en stund istället för att sitta på sitt rum", sa han till Lorna. "Fast han åtrår ju dig förstås. Stackars sate."

Han gillade att säga att män åtrådde Lorna. Särskilt när de hade varit på ett institutionsparty där hon varit den yngsta hustrun. Hon skulle ha känt sig generad om någon hade hört honom säga så, för folk kunde ju tycka att det var ett slags dumt önsketänkande. Men ibland, särskilt om hon var lite berusad, blev både hon och Brendan eggade av tanken att män tände på henne. Men i Lionels fall var hon ganska säker på att det inte stämde, och hon hoppades innerligt att Brendan aldrig skulle antyda något sådant inför honom. Hon mindes blicken som Lionel hade gett henne över huvudet på sin mamma. Där fanns ett avståndstagande, en mild varning.

Hon berättade inte för Brendan om dikterna. Ungefär en gång i veckan kom det en väl försluten dikt med posten. Dikterna var inte anonyma – Lionel signerade dem. Hans namnteckning var bara en krumelur, ganska svår att tyda – men det gällde också varje ord i dikten. Som tur var innehöll dikterna aldrig särskilt många ord – ibland bara ett par dussin allt som allt – och de bildade en egendomlig stig över sidan, som osäkra fågelspår. Vid första anblicken kunde Lorna aldrig se vad det stod. Hon upptäckte att det var bäst att inte anstränga sig för mycket utan bara hålla upp papperet framför sig och titta på det länge och ihållande, som om hon befann sig i trance. Då brukade orden oftast träda fram. Inte alla – det var alltid två eller tre i varje dikt som hon aldrig kom underfund med – men det hade inte så stor betydelse. Det fanns ingen annan interpunktering än tankstreck. Orden bestod mest av substantiv. Lorna var inte obekant med poesi, inte heller var hon den som gav upp särskilt lätt om det var något hon inte förstod. Men när det gällde Lionels dikter hade hon ungefär samma känsla som inför till exempel den buddhistiska religionen — att de var en tillgång som hon kanske skulle kunna dra nytta av längre fram men att hon just nu inte kunde göra det.

Efter den första dikten våndades hon över vad hon skulle säga. Något uppskattande men dumt. Det enda hon fick fram var: "Tack för dikten" — när Brendan var ordentligt utom hörhåll. Hon lät bli att säga: "Jag tyckte om den." Lionel nickade lite ryckigt och gav ifrån sig ett ljud som satte punkt för samtalet. Det fortsatte komma dikter men nämndes ingenting om dem. Hon började tro att hon skulle betrakta dem som offergåvor, inte budskap. Men inte kärleksgåvor — som till exempel Brendan skulle tro. Det fanns ingenting om Lionels känslor i dem, ingenting personligt alls. De påminde henne om de svaga avtryck man ibland kan skönja på trottoarerna om våren — skuggor efter våta löv som fastnat där året före.

Det var något annat, mer angeläget, som hon inte hade berättat för Brendan. Eller Lionel. Hon hade inte sagt att Polly skulle komma på besök. Hennes kusin Polly, hemifrån.

Polly var fem år äldre än Lorna och alltsen hon gick ut high school hade hon arbetat på banken i stan där hon bodde. Hon hade sparat nästan tillräckligt för att göra resan en gång tidigare men bestämt sig för att köpa en oljepump istället. Nu var hon dock på väg med landsvägsbuss. För henne var det något mycket naturligt och lämpligt — att besöka kusinen och kusinens familj. I Brendans ögon skulle det nästan säkert betraktas som ett intrång, någonting man absolut inte gjorde med mindre än att man var bjuden. Han var inte negativ till gäster — se på Lionel — men han ville själv välja dem. Varje dag funderade Lorna på hur hon skulle framföra saken. Varje dag sköt hon upp det.

Och det var ingenting hon kunde prata med Lionel om. Man kunde inte tala med honom om något som såg ut som ett allvarligt problem. Att tala om problem innebar att söka och hoppas på lösningar. Och det var inte intressant, det visade ingen intressant inställning till livet. Snarare en ytlig och tröttsam hoppfullhet. Vanliga bekymmer, okomplicerade känslor var inte sådant han ville höra om. Livet skulle helst vara totalt förvirrande och nästan outhärdligt, men trots det måste man ironiskt nog glatt uthärda det.

En sak hon hade berättat för honom var kanske lite riskabel. Hon berättade hur hon hade gråtit på sin bröllopsdag och under själva vigselceremonin. Men hon lyckades förvandla det till ett skämt och beskrev hur hon hade försökt dra loss handen ur Brendans grepp för att ta upp näsduken men hur han vägrade släppa den. Därför fick hon fortsätta snörvla. Och hon hade faktiskt inte gråtit för att hon skulle gifta sig eller för att hon inte älskade Brendan. Hon grät för att allting hemma plötsligt var henne så kärt – fastän hon alltid hade planerat att ge sig av – och människorna hemma tycktes stå henne närmare än vad någon annan skulle komma att göra, fastän hon hade dolt alla sina innersta tankar för dem. Hon grät när hon tänkte på hur hon och Polly skurat kökshyllorna och linoleumgolvet dagen före och skrattat tillsammans, och hur hon hade låtsats att hon var med i en känslosam pjäs och sagt adjö till allting. Adjö, gamla linoleum, adjö, sprickan i tekannan, adjö, stället där jag brukade sätta fast tuggummit under bordet, adjö.

Varför säger du inte bara "glöm det" till honom, hade Polly sagt. Men det menade hon förstås inte, hon var stolt och Lorna själv var stolt. Hon som aldrig haft en riktig pojkvän skulle nu arton år gammal gifta sig med en snygg trettioårig man, en universitetslärare.

Ändå grät hon och hon grät igen när hon fick brev hemifrån i början av sitt äktenskap. Brendan hade tagit henne på bar gärning och sagt: "Du älskar visst din familj?"

Hon tyckte att han lät medkännande. Hon sa: "Ja."

Han suckade. "Jag tror du älskar dem mer än du älskar mig."

Hon sa att det inte var sant, det var bara det att hon tyckte synd om sin familj ibland. De hade haft det svårt, farmodern hade varit lärare år efter år fastän hennes syn var så dålig att hon knappt kunde se att skriva på svarta tavlan, och faster Beatrice hade haft så mycket nervösa besvär att hon aldrig kunde ta ett jobb, och pappan – Lornas pappa – arbetade i en järnaffär som inte ens var hans egen.

"Svårt?" sa Brendan. "Har de suttit i koncentrationsläger eller?"

Sen sa han att människor måste ha lite framåtanda här i världen. Och Lorna lade sig ner på den äktenskapliga sängen och gav efter för en av de ursinniga gråtattacker som hon nu skämdes över att minnas. Brendan kom och tröstade henne efter en stund men tyckte ändå att hon grät som kvinnor alltid gjorde när de inte kunde vinna en diskussion på något annat sätt.

Det var vissa saker i Pollys utseende som Lorna hade glömt. Hur lång hon var och vilken lång hals och smärt midja hon hade, att bröstet var nästan totalt platt. En gropig liten haka och en skev mun. Blek hy, ljusbrunt hår som var kortklippt och fint som fjädrar. Hon såg både ömtålig och härdad ut, som en tusensköna på en lång stjälk. Hon hade en volangprydd jeanskjol med broderier.

I två dygn hade Brendan vetat att hon skulle komma. Hon hade ringt och bett mottagaren betala, från Calgary, och han hade svarat. Han hade tre frågor att ställa efteråt. Hans ton var reserverad men lugn.

Hur länge ska hon stanna?

Varför har du inte talat om det?

Varför ringde hon på mottagarens bekostnad?

"Jag vet inte", sa Lorna.

Från köket där Lorna höll på att laga middag ansträngde hon sig för att höra vad de sa till varandra. Brendan hade just kommit hem. Hon hörde inte när han hälsade, men Pollys röst var högljudd och full av riskabel munterhet.

"Så jag gjorde verkligen bort mig direkt, vänta ska du få höra vad jag sa, Brendan. Lorna och jag är på väg nerför gatan från busstationen

och jag säger: 'Åh, fy sjutton vilket tjusigt område du bor i, Lorna –'
och sen säger jag: 'Men titta på det där stället, vad har det här att göra?
Det ser ju ut som en lada.'"

Det kunde inte ha börjat värre. Brendan var mycket stolt över deras
hus. Det var ett ultramodernt hus, byggt i en för den amerikanska
västkusten typisk stil som kallades *Post and Beam*. Man målade inte så-
dana hus; tanken var att de skulle vara organiskt anpassade till natu-
ren. Utifrån gav huset ett enkelt och funktionellt intryck, med platt
utskjutande tak. Inuti var bjälkar och trädetaljer exponerade. Den
öppna spisen i ett sådant hus var inpassad i en skorsten av natursten
som nådde ända upp till taket, och det var inte tänkt att man skulle ha
gardiner för de höga, smala fönstren. En utomordentligt intressant ar-
kitektur, hade byggmästaren sagt, och Brendan framhöll alltid det, lik-
som ordet "ultramodernt", när han visade någon huset för första
gången.

Han brydde sig inte om att förklara något av det för Polly, inte hel-
ler tog han fram tidskriften som innehöll en artikel om den sortens
byggnadsstil, med fotografier – även om det inte var just det här huset
som syntes på bilderna.

Hemifrån hade Polly med sig vanan att inleda meningar med namnet
på den person som hon särskilt vände sig till. "Lorna – " kunde hon
säga, eller "Brendan – " Lorna hade glömt hur det lät – nu verkade
det ganska självsäkert och oartigt. Det mesta Polly sa vid middagsbor-
det började med "Lorna" – och handlade om folk som bara hon och
Polly kände. Lorna visste att Polly inte var medvetet oartig, att hon
gjorde högröstade men modiga ansträngningar att verka avspänd. Och
i början försökte hon inbegripa Brendan i samtalet. Både hon och
Lorna gjorde det och gav sig in i förklaringar om olika personer de ta-
lade om – men det fungerade inte. Brendan öppnade bara munnen för
att rikta Lornas uppmärksamhet mot något som behövdes vid bordet
eller för att påpeka att Daniel hade spillt ut sin mosade mat runt
barnstolen på golvet.

Polly fortsatte prata medan hon och Lorna dukade av och diskade. Lorna brukade för det mesta bada barnen och lägga dem innan hon började med disken, men ikväll hade hon kommit ur sin vanliga rutin – och hon såg att Polly var nära gråten. Hon lät Daniel krypa omkring på golvet, medan Elizabeth, som tyckte att det var spännande med en gäst i huset, dröjde sig kvar och lyssnade på samtalet. Det varade tills Daniel välte omkull barnstolen – som tur var inte över sig själv, men han tjöt av rädsla – och Brendan kom ut ur vardagsrummet.

"Det verkar inte som om det var så bråttom att lägga barnen idag", sa han och tog sonen ur Lornas famn. "Elizabeth. Gå och gör dig ordning för badet."

Polly hade gått över från att prata om folk i staden till att beskriva hur det var hemma. Inte bra. Ägaren till järnaffären – en man som Lornas far alltid betraktat mer som en vän än som en arbetsgivare – hade sålt företaget utan att säga ett ord om sina avsikter innan affären var klar. Den nye ägaren höll på att utvidga verksamheten, samtidigt som man tappade kunder till konkurrenten Canadian Tire, och det gick inte en dag utan att han hittade något att gräla med Lornas far om. När Lornas far kom hem från affären var han så missmodig att han bara ville lägga sig på soffan. Han var inte intresserad av tidningen eller av nyheterna. Han drack sodavatten men ville inte prata om att han hade ont i magen.

Lorna sa att hon hade fått ett brev från fadern, där han bara nämnde dessa problem i förbigående.

"Ja, det är förstås typiskt", sa Polly. "Att han inte berättar något för dig."

Det var en ständig mardröm att hålla båda husen i ordning, sa Polly. De borde alla flytta ihop i ett av husen och sälja det andra, men nu när farmodern var pensionerad hackade hon ständigt på Pollys mamma, och Lornas pappa stod inte ut med tanken på att dela hushåll med dem. Polly hade ofta lust att bara gå därifrån och aldrig komma tillbaka, men vad skulle de ta sig till utan henne?

"Du borde ha ett eget liv", sa Lorna. Det kändes konstigt att ge Polly råd.

"Jovisst", sa Polly. "Jag borde ha gett mig av medan det gick, det skulle jag ha gjort. Men när var det? Jag minns inte ens om det fanns någon bra chans. Först och främst fick jag stanna och se till att du kom igenom skolan."

Lorna hade låtit beklagande, men hon vägrade att stanna upp i arbetet och ge full uppmärksamhet åt det Polly berättade. Hon lyssnade som om det gällde personer hon kände och tyckte om men inte hade ansvar för. Hon tänkte på fadern som låg där på soffan om kvällarna och försökte kurera smärtor som han inte erkände, och på faster Beatrice intill, som alltid oroade sig över vad folk skulle säga, rädd att de skulle göra narr av henne i smyg, skriva saker och ting om henne på väggarna. Eller grät för att hon hade varit i kyrkan utan att märka att underkjolen syntes. Lorna led av att tänka på hemmet, men hon kunde inte låta bli att tycka att Polly ansatte henne och försökte få henne att kapitulera och dras med i en sorts förtrolig bedrövelse. Men hon tänkte absolut inte ge efter.

Titta bara på dig. Se på ditt liv. Din rostfria diskbänk. Ditt arkitektoniskt intressanta hus.

"Om jag nånsin gav mig av nu skulle jag nog bara känna mig skyldig", sa Polly. "Jag kan inte lämna dem ensamma."

Fast vissa människor känner sig aldrig skyldiga. Vissa människor känner aldrig någonting alls.

"Det låter som en riktig snyfthistoria", sa Brendan när de låg sida vid sida i mörkret.

"Hon går och tänker på det", sa Lorna.

"Kom bara ihåg att vi inte är miljonärer."

Lorna blev överrumplad. "Hon är inte ute efter pengar."

"Inte?"

"Det var inte därför hon berättade."

"Var inte för säker."

Hon låg stel och tyst utan att svara. Sen kom hon på något som kanske skulle göra honom på bättre humör.

"Hon ska bara stanna i två veckor."

Hans tur att inte svara.

"Tycker du inte att hon ser bra ut?"

"Nej."

Hon skulle just säga att det var Polly som hade sytt hennes brud-klänning. Hon hade tänkt gifta sig i sin marinblå dräkt, men några da-gar före bröllopet sa Polly: "Det duger inte." Så hon tog fram sin gamla balklänning från high school (Polly hade alltid gått på baler och varit mer populär än Lorna) och satte in kilar av vit spets och sydde dit vita spetsärmar. En brudklänning måste ha ärmar, sa hon.

Men vad skulle han ha haft för intresse av det?

Lionel hade varit borta några dagar. Hans far hade pensionerat sig, och Lionel hjälpte honom att flytta från staden i Klippiga bergen till Vancouver Island. Dagen efter det att Polly kom fick Lorna ett brev från honom. Inte någon dikt – ett vanligt brev, fastän det var kort.

> Jag drömde att jag skjutsade dig på min cykel. Vi körde ganska
> fort. Du verkade inte rädd, fastän du kanske borde ha varit det.
> Vi ska inte känna oss tvungna att tolka det.

Brendan hade gett sig iväg tidigt. Han hade sommarundervisning och sa att han skulle äta frukost i cafeterian. Polly kom ut ur sitt rum så snart han var borta. Hon hade långbyxor istället för kjol med volang-er och hon log hela tiden, som åt ett skämt hon hade hittat på. Hon höll huvudet en aning böjt för att undvika Lornas blick.

"Jag tänkte att jag skulle se mig om lite i Vancouver", sa hon, "för det är nog inte troligt att jag nånsin kommer hit igen."

Lorna markerade en del på kartan och talade om vart hon skulle gå. Hon sa att hon var ledsen att hon inte kunde följa med, men det var för jobbigt med tanke på barnen.

"Åh. Åh, nej. Det vill jag inte att du ska ha besvär med. Jag kom in-te hit för att du skulle ta hand om mig hela tiden."

Elizabeth kände den spända stämningen. Hon sa: "Varför är det jobbigt med oss?"

Lorna lät Daniel sova middag tidigt, och när han vaknade satte hon honom i kärran och sa till Elizabeth att de skulle gå till lekplatsen. Hon valde inte lekplatsen i parken intill utan en längre ner, nära gatan där Lionel bodde. Lorna visste var det var, även om hon aldrig hade sett villan, för det var en villa, inte något hyreshus. Han bodde i ett rum på andra våningen.

Det tog inte lång tid att gå dit – fast det skulle säkert bli värre på hemvägen, då hon måste skjuta kärran uppför backarna. Men hon hade redan kommit in i den äldre delen av norra Vancouver, där husen var mindre och tomterna smala. I huset där Lionel bodde stod hans namn vid den ena ringklockan och namnet B. Hutchison vid den andra. Hon visste att mrs Hutchison var hans hyresvärdinna. Hon ringde på hos henne.

"Jag vet att Lionel är borta och jag är ledsen att störa er", sa hon. "Men jag har lånat ut en bok åt honom, en biblioteksbok, och den måste lämnas tillbaka nu. Jag undrade bara om jag kunde få springa upp till hans lägenhet och se om jag kan hitta den."

Hyresvärdinnan sa: "Åh." Det var en gammal kvinna med en scarf runt huvudet och stora mörka fläckar i ansiktet.

"Min man och jag är goda vänner till Lionel. Min man hade honom som elev på universitetet."

Ordet "universitetet" var alltid användbart. Lorna fick nyckeln. Hon parkerade kärran i skuggan av huset och sa åt Elizabeth att stanna och vakta Daniel.

"Det här är ingen lekplats", sa Elizabeth.

"Jag ska bara springa upp och hämta en sak. Jag kommer strax. Det tar bara ett ögonblick."

I ena änden av Lionels rum fanns ett pentry, där det stod en spis med två gaslågor och ett skåp. Inget kylskåp och ingen diskho, bara ett handfat på toaletten. En persienn som hade fastnat på halva fönstret och en bit linoleummatta vars mönster var övermålat med brun färg.

Det luktade lite gas från spisen, blandat med en dunst av ovädrade kläder, svett och ett slemhinneavsvällande medel med granbarrsdoft som hon – nästan utan att tänka på det och absolut inte negativt inställd – uppfattade som Lionels personliga lukt.

För övrigt gav bostaden nästan inga ledtrådar. Hon hade förstås inte kommit hit för att hämta någon biblioteksbok utan för att ett ögonblick få vistas på den plats där han bodde, andas in hans luft, se ut genom hans fönster. Utanför syntes andra hus, liksom detta troligen uppdelade i små lägenheter där på den skogiga sluttningen av Grouse Mountain. Det var något naket och anonymt över rummet, en kärvhet som kändes utmanande. Säng, byrå, bord, stol. Bara det absolut nödvändigaste för att rummet skulle kunna hyras ut som möblerat. Till och med det bruna bomullsöverkastet måste ha funnits där när han flyttade in. Inga tavlor – inte ens en almanacka – och mest förvånande av allt, inga böcker.

Det måste finnas saker som var gömda någonstans. I byrålådorna? Hon kunde inte se efter. Inte bara för att tiden var för knapp – hon hörde Elizabeth ropa på henne därnere – utan också för att själva bristen på allt som kunde ha personlig anknytning fick Lionel själv att framträda desto tydligare. Inte bara hans hemligheter och spartanska framtoning utan också en vaksamhet – nästan som om han hade gillrat en fälla och väntade på att få se vad hon skulle göra.

Hon ville egentligen inte snoka, bara sätta sig ner på golvet, mitt på linoleummattan. Sitta där i timmar och inte se på rummet, bara sjunka in i det. Stanna kvar i detta rum där det inte fanns någon som kände henne eller ville ha något av henne. Stanna här länge, länge, bli skarpare och lättare, lätt som en nål.

På lördag morgon skulle Lorna och Brendan och barnen köra till Penticton. En doktorand hade bjudit dem på sitt bröllop. De skulle stanna över lördagskvällen och hela söndagen och nästa natt också, innan de for hem på måndag morgon.

"Har du sagt det till henne?" frågade Brendan.

"Det är ingen fara. Hon väntar sig inte att få följa med."

"Men har du sagt det till henne?"

På torsdagen for de till Ambleside Beach. Lorna och Polly och barnen åkte dit med buss, bytte två gånger, släpande på handdukar, leksaker, blöjor, lunchmat och Elizabeths uppblåsbara delfin. Den jobbiga situation de befann sig i och de andra passagerarnas irriterade och bestörta reaktion kom dem att på typiskt kvinnligt sätt gripas av en sinnesstämning som gränsade till uppsluppenhet. Det hjälpte också att komma bort från huset där Lorna var installerad som fru. Halvt i upplösningstillstånd kom de triumferande fram till stranden och slog läger där, och sen turades de om att bada, ta hand om barnen och köpa läskedrycker, isglass och pommes frites.

Lorna var lätt solbränd, Polly inte alls. Hon sträckte ut ena benet bredvid Lornas och sa: "Titta bara. Som deg."

Med två hus att ta hand om plus jobbet på banken hade hon aldrig tid att sitta i solen, sa hon. Men nu lät hon saklig, inte det minsta självrättfärdig eller beklagande. Den sura stämning som omgett henne – som gamla disktrasor – höll på att luckras upp. Hon hade på egen hand utforskat Vancouver – första gången hon någonsin gjort något sådant i en storstad. Hon hade talat med främlingar på busshållplatser och frågat vilka sevärdheter hon borde besöka, och någon hade rått henne att ta stolliften upp på toppen av Grouse Mountain.

När de låg i sanden tyckte Lorna att det var lämpligt med en förklaring.

"Det här är en jobbig tid på året för Brendan. Att undervisa på sommarkurser är verkligen nervpåfrestande, man måste hinna så mycket på kort tid."

Polly sa: "Jaså? Då är det inte bara mitt fel?"

"Var inte dum. Det är klart att det inte är."

"Ja, det var en lättnad. Jag trodde att han avskydde mig som pesten."

Sen berättade hon om en man som ville träffa henne.

"Han är för seriös. Han letar efter en fru. Det gjorde väl Brendan också, men du var ju kär i honom."

"Var och är", sa Lorna.

"Ja, jag tror inte att jag känner så." Polly tryckte ansiktet mot armvecket medan hon pratade. "Men om man gillar någon och bestämmer sig för att se det positiva, så fungerar det kanske."

"Så vad är det som är positivt då?" Lorna satt upp så att hon kunde se Elizabeth på delfinen.

"Jag får nog tänka efter ett tag", sa Polly och fnittrade. "Nej. Det finns massor. Jag är bara elak."

När de samlade ihop leksakerna och handdukarna sa hon: "Jag skulle gärna göra om det här i morgon."

"Jag också", sa Lorna, "men jag måste ordna en massa saker, vi ska åka till Okanagan. Vi är bjudna på bröllop." Hon fick det att låta som en pers – något hon inte orkat prata om förrän nu, eftersom det var så jobbigt och tråkigt.

Polly sa: "Ja, då kan jag ju kanske åka hit själv."

"Visst. Gör det."

"Var ligger Okanagan?"

Nästa kväll när barnen hade somnat gick Lorna in i det rum där Polly bodde. Hon skulle hämta en resväska i garderoben och trodde att Polly var kvar i badrummet och duschade av dagens solbränna med ljummet vatten och tvål.

Men Polly låg i sängen med lakanet uppdraget som en svepning.

"Har du badat färdigt?" sa Lorna, som om hon tyckte att alltsammans var helt normalt. "Hur känns det med solbrännan?"

"Det är okej", sa Polly med dämpad röst. Lorna visste genast att hon hade gråtit och säkert fortfarande gjorde det. Hon stod kvar nedanför sängen utan att kunna lämna rummet. En besvikelse hade kommit över henne, som en sjukdom, en våg av motvilja. Polly ville egentligen inte gömma sig, hon vände på sig och tittade på Lorna med skrynkligt och hjälplöst ansikte, rött av solen och tårarna. Nya tårar kom vällande ur ögonen på henne. Hon var ett berg av bedrövelse, en enda stor anklagelse.

"Vad är det?" sa Lorna. Hon visade låtsad förvåning, låtsad med-känsla.

"Ni vill inte ha mig."

Hennes blick vilade hela tiden på Lorna och svämmade över, inte bara av tårar, bitterhet och anklagelser om svek utan också av omåttliga krav på att omfamnas, vaggas, tröstas.

Lorna hade helst velat slå till henne. Vad ger dig rätt, hade hon velat säga. Varför iglar du dig fast vid mig? Vad ger dig rätt att göra det?

Släktband. Det är släktbanden som ger Polly rätten. Hon har sparat pengar och planerat sin flykt i tanken att Lorna skulle ta emot henne. Är det sant – har hon drömt om att stanna kvar här och aldrig behöva åka tillbaka? Bli en del av Lornas tursamma öde, Lornas förvandlade värld?

"Vad tror du jag kan göra?" sa Lorna ganska elakt och till sin egen förvåning. "Tror du att jag har någon makt? Han ger mig aldrig mer än en tjugodollarsedel i taget."

Hon släpade ut resväskan ur rummet.

Alltsammans var så falskt och motbjudande – att avslöja sina egna klagomål på det sättet, för att tävla med Pollys. Vad hade tjugo dollar åt gången med saken att göra? Hon hade ett kontokort, han sa aldrig nej när hon bad.

Hon kunde inte somna utan låg där och läxade upp Polly i tankarna.

Värmen i Okanagan kom sommaren att kännas verkligare än sommaren vid kusten. Kullarna med det bleka gräset, den sparsamma skuggan från det torra klimatets barrträd, allt bildade en till synes naturlig bakgrund för det festliga bröllopet med flödande champagne, dans och flört och vänlig stämning. Lorna blev snabbt berusad och kände till sin stora förvåning hur lätt det var att med alkoholens hjälp befria sig från allt som fjättrade själen. Den hopplösa melankolin lyfte. Hon var fortfarande berusad när hon gick och lade sig, och full av lust, något som kom Brendan till del. Och baksmällan dagen därpå kändes inte alls som någon bestraffning, snarare var den mild och renande.

Lite svag men inte alls missnöjd med sig själv låg hon på stranden av sjön och såg Brendan hjälpa Elizabeth att bygga sandslott.

"Visste du att pappa och jag träffades på ett bröllop?" frågade hon.

"Fast det var inte som det här", sa Brendan. Det han menade var att bröllopet den gången hade varit officiellt spritfritt. Det var en god vän till honom som gifte sig med flickan McQuaig (familjen McQuaig tillhörde topparna i Lornas hemstad). Mottagningen hölls på församlingshemmet i United Church — Lorna var en av de flickor som hade hyrts in för att servera smörgåsar — och själva drickandet fick i all hast smusslas undan ute på parkeringsplatsen. Lorna var inte van vid att män luktade whisky och trodde att Brendan måste ha varit alltför slösaktig med någon obekant hårkräm. Ändå beundrade hon hans kraftiga axlar, hans tjurnacke, skrattet och de myndiga gulbruna ögonen. När hon fick veta att han var matematiklärare på universitetet blev hon förälskad också i det som fanns inuti hans huvud. Hon fascinerades av att han kunde sådant som var henne totalt främmande. Det hade säkert fungerat lika bra om han varit bilmekaniker.

Att han i sin tur blev attraherad av henne verkade mer eller mindre vara ett mirakel. Hon fick senare veta att han var på spaning efter en fru; han var gammal nog, det var dags. Han ville ha en ung flicka. Inte någon kollega, inte en elev, kanske inte ens en flicka från den sortens familj som kunde skicka sina barn till college. Oförstörd. Intelligent men oförstörd. En vild blomma, som han sa under den första heta tiden och ibland också nu.

På hemvägen lämnade de det varma gyllene landskapet bakom sig någonstans mellan Keremeos och Princeton. Men solen lyste fortfarande, och det fanns bara ett litet, litet moln i Lornas tankar, ungefär som när man får ett hårstrå i ögat men när som helst kan blinka bort det.

Men det kom hela tiden tillbaka. Det växte sig allt hotfullare och envisare, tills det slutligen kom störtande över henne och hon visste vad det handlade om.

Hon var rädd — till hälften övertygad — att Polly skulle ha begått självmord i köket i huset i norra Vancouver medan de var i Okanagan.

I köket. Det var en bild som etsat sig fast hos Lorna. Hon såg för sig precis hur Polly kunde ha gått till väga. Hon skulle ha hängt sig precis innanför köksingången. När de kom hem och närmade sig huset från garaget, skulle de finna dörren låst. De skulle försöka låsa upp och öppna men förgäves, eftersom Pollys kropp var i vägen. De skulle skynda runt och ta sig in genom ytterdörren och ut i köket, där den döda Polly hängde, klädd i den volangprydda jeanskjolen och den vita blusen med dragsko – den klädsel i vilken hon först modigt vädjat till deras gästfrihet. De långa bleka benen dinglade, huvudet var olycksbådande vridet åt ena hållet. Framför kroppen stod den köksstol hon hade klättrat upp på och sen klivit av eller hoppat ner från för att hon skulle kunna göra slut på sin förtvivlade situation.

Ensam hemma hos människor som inte ville ha henne, där själva väggarna och fönstren och koppen hon drack kaffe ur måste ha utstrålat förakt.

Lorna mindes en gång då hon hade blivit lämnad ensam med Polly, lämnad i Pollys vård en dag hemma i farmoderns hus. Fadern var kanske i affären. Men hon hade ett svagt minne av att också han hade rest bort, att ingen av de tre vuxna fanns i stan. Det måste ha varit ovanligt, eftersom de aldrig gav sig ut på shoppingturer, än mindre nöjesresor. En begravning – säkert en begravning. Det var en lördag och ingen behövde gå till skolan. Lorna hade förresten inte börjat skolan än. Hennes hår hade inte vuxit sig långt nog att sättas upp i tofsar. Det blåste i testar runt huvudet på henne, som Pollys gjorde nu.

Polly var inne i en fas då hon älskade att göra karameller eller feta godsaker av olika slag ur farmoderns kokbok. Dadelkaka med choklad, mandelbiskvier, gräddkola. Hon hade just börjat blanda ihop något den dagen, då hon upptäckte att det saknades en ingrediens som hon behövde. Hon var tvungen att ta cykeln in till stan och köpa på kredit i affären. Ute var det kallt och blåsigt men marken var bar – det måste ha varit sent på hösten eller tidigt på våren. Men hon hade hört talas om barn som dött i husbränder när deras mammor gett sig av för att uträtta ett hastigt ärende. Därför fick Lorna sätta på sig kappan och följa med ut, runt hörnet på huset, där vinden inte var så stark. Det måste ha varit låst i det andra huset, annars kunde de ha gått dit. Sen sa Polly åt Lorna att stanna där hon var. Stanna där, rör dig inte, var inte rädd, sa hon och gav Lorna en kyss på örat innan hon for iväg till affären. Lorna lydde henne till punkt och pricka. I tio, kanske femton minuter satt hon på huk bakom syrenbusken och lärde sig formen på stenarna i husgrunden, både de mörka och de ljusa. Tills Polly kom farande, slängde cykeln på marken och ropade på henne. "Lorna, Lorna", medan hon kastade ifrån sig påsen med farinsocker eller valnötter och kysste henne över hela huvudet. För tanken hade slagit henne att någon kunde ha fått syn på Lorna inne i trädgården och kidnappat henne – till exempel sådana stygga män som gjorde att flickor inte fick gå ner på fältet bakom husen. Hon hade bett hela vägen hem om att detta inte skulle hända. Och det hände inte. Hon skyndade sig in med Lorna för att värma hennes bara knän och händer.

"Åh, dina stackars små hansingar", sa hon. "Åh, var du rädd?" Lorna njöt av omsorgerna och böjde på huvudet för att bli klappad, som om hon var en ponny.

Barrträden gav vika för tätare vintergrön skog, de bruna kullarna ersattes av höga blågröna berg. Daniel började gnälla och Lorna tog fram hans juiceflaska. En stund senare bad hon Brendan stanna så att hon kunde lägga babyn på framsätet och byta blöja på honom. Medan hon gjorde det gick Brendan en bit därifrån och rökte en cigarrett. Han blev alltid lätt störd av blöjbyten.

Lorna tog också tillfället i akt att hämta fram en av Elizabeths sagoböcker, och när de åter var på väg läste hon för barnen. Elizabeth kunde alla rimmen, och till och med Daniel började kunna stämma in med påhittade ord.

Polly var inte längre den människa som en gång gnuggat Lornas små händer mellan sina, som visste allt Lorna inte visste och som var den som kunde ta hand om henne i världen. Nu var det tvärtom. Under de år som gått sen Lorna gifte sig hade Polly stått stilla. Lorna hade gått om henne. Och nu satt Lorna där i baksätet med barnen som hon älskade och skulle ta hand om, och det var otillbörligt av en människa i Pollys ålder att också pocka på uppmärksamhet.

Men det var ingen idé att tänka så. Hon hade inte väl tänkt färdigt tanken förrän hon kände kroppen slå emot dörren när de försökte öppna. Den döda tyngden, den grå kroppen. Kroppen efter Polly, som inte hade fått någonting alls. Ingen plats i familjen hon hade hittat, och inte något hopp om den förändring i livet som hon måste ha drömt om.

"Läs nu *Madeline*", sa Elizabeth.

"Jag tror inte jag fick med mig *Madeline*", sa Lorna. "Nej, det gjorde jag inte. Men det gör inget, du kan den ju utantill."

Hon och Elizabeth började tillsammans:

> *I Paris*
> *uppå ett gammalt hus*
> *klängde vildvin upp med granna blader.*
> *I det huset bodde en och annan mus*
> *och tolv små flickor*
> *i två mycket, mycket räta rader.*
> *I liknande rader satt*
> *flickorna morgon, middag och kväll,*
> *borstade sina tänder,*
> *sa god natt och sov gott*
> *till fröken Clavel.*

Det här är idiotiskt, det är melodramatiskt, bara skuldkänslor. Det kan inte ha hänt.

Men sådant händer. En del människor går under, de får inte hjälp i tid. De får ingen hjälp alls. En del människor störtas ut i mörker.

Fröken Clavel så vaksam och klok
grep mitt i natten kappa och dok
och sa: "Nu är någonting på tok —"

"Mamma", sa Elizabeth. "Varför slutade du läsa?"

Lorna sa: "Jag var tvungen. Jag blev så torr i munnen."

I Hope köpte de hamburgare och milkshake. Sen fortsatte de genom Fraser Valley med barnen sovande i baksätet. Det var en bit kvar. Tills de kom till Chilliwack, tills de kom till Abbotsford, tills de såg kullarna i New Westminster framför sig och höjderna som kröntes av hus, stadens början. Fler broar som de måste över, avfarter som de måste ta, gator som de skulle köra utmed, hörn som måste passeras. Allting under tiden före. Nästa gång hon såg något av det skulle vara under tiden efter.

När de kom in i Stanley Park fick hon ingivelsen att be till Gud. Det var skamlöst — opportuna böner från en icke-troende. En massa pladder, låt-det-inte-hända, låt-det-inte-hända. *Gör så att det inte har hänt.*

Dagen var fortfarande molnfri. Från Lion's Gate-bron såg de ut över Georgiasundet.

"Kan man se Vancouver Island idag?" sa Brendan. "Titta du, jag kan inte."

Lorna sträckte på halsen för att spana bortom honom.

"Långt borta", sa hon. "Ganska diffust, men jag ser den."

Och inför åsynen av de där blå, allt svagare och till sist helt upplösta konturerna som tycktes flyta på havet, kom hon att tänka på att det fanns en sak kvar att göra. Köpslå. Tro att det fram till sista sekunden ännu var möjligt att köpslå.

Det måste vara på allvar, ett avgörande och krävande löfte eller erbjudande. Ta det här. Jag lovar detta. Om det kan göras ogjort, om det är så att det inte har hänt.

Inte barnen. Hon ryckte undan den tanken, som om hon slet den ur elden. Inte Brendan, av motsatta skäl. Hon älskade honom inte tillräckligt. Hon sa att hon älskade honom och menade det också i viss utsträckning, och hon ville bli älskad av honom, men det fanns nästan ständigt ett litet stråk av hat som löpte parallellt med kärleken. Därför vore det förkastligt – och meningslöst – att köpslå om honom.

Hon själv? Hennes utseende? Hennes hälsa?

Det slog henne att hon kanske var inne på fel spår. I ett fall som det här var det kanske inte hennes sak att välja. Inte hon som satte villkoren. Man visste när man träffade på dem. Man måste lova att acceptera dem utan att på förhand veta vilka de var. Lova.

Men ingenting som hade med barnen att göra.

Uppför Capilano Road, in i deras del av stan och deras eget hörn av världen, där livet fick sin rätta tyngd och handlingarna sina oundvikliga konsekvenser. Där, mellan träden, syntes de kompromisslösa träväggarna till deras hus.

"Vi går in på framsidan", sa Lorna. "Då slipper vi trappan."

Brendan sa: "Vad spelar det för roll med några trappsteg?"

"Jag fick inte se bron", grät Elizabeth, som plötsligt var klarvaken och besviken. "Varför väckte ni mig inte så att jag fick se bron?"

Ingen svarade henne.

"Daniels arm är alldeles solbränd", sa hon och lät missnöjd.

Lorna hörde röster som hon trodde kom från trädgården i grannhuset. Hon följde efter Brendan runt huset. Daniel låg ännu tung av sömn mot hennes axel. Hon bar skötväskan och väskan med sagoböcker, och Brendan bar resväskan.

Hon såg att de som talade befann sig i hennes egen trädgård. Polly och Lionel. De hade släpat in två vilstolar i skuggan. De satt med ryggen åt utsikten.

Lionel. Hon hade totalt glömt honom.

Han hoppade upp och sprang fram och öppnade köksdörren.

"Expeditionen har återvänt med alla medlemmar inräknade", sa han med en röst som Lorna inte trodde sig ha hört förut. En otvungen hjärtlighet, en självklar säkerhet. Rösten hos en vän till familjen. När hon höll upp dörren såg han henne rakt i ansiktet – något han nästan aldrig hade gjort – och gav henne ett leende som var befriat från all subtilitet, hemlighetsfullhet, ironisk medbrottslighet och mystisk hängivenhet. Allt som varit svårtytt, alla privata budskap var borta.

Hon lät sin röst bli ett eko av hans.

"Och när kom du hem då?"

"I lördags", sa han. "Jag hade glömt att ni skulle iväg. Jag kom stånkande hit upp för att säga hej och ni var inte hemma, men Polly var här och hon berättade det förstås. Då kom jag ihåg det."

"Vad var det Polly berättade?" sa Polly som kom gående bakom honom. Det var egentligen inte någon fråga, bara en halvt retsam kommentar från en kvinna som vet att nästan allt hon säger blir väl mottaget. Pollys röda hud hade blivit brun, eller åtminstone fått en ny lyster över panna och hals.

"Här", sa hon till Lorna och befriade henne från de båda väskorna som hon bar över armen och den tomma juiceflaskan som hon hade i handen. "Jag tar allt utom babyn."

Lionels flaxande hår var nu mer brunsvart än svart – fast hon såg ju honom för första gången i klar sol – och också han var solbränd, pannan lyste inte längre blek. Han hade sina vanliga mörka byxor, men skjortan hade hon inte sett förut. En gul kortärmad skjorta av något blankt, billigt tyg, för stor över axlarna, kanske köpt på kyrkans basar.

Lorna bar upp Daniel till hans rum. Hon lade honom i barnsängen och stod bredvid honom och pratade sakta medan hon strök honom över ryggen.

Hon tänkte att Lionel straffade henne för att hon gjort misstaget att gå till hans rum. Hyresvärdinnan hade säkert berättat det. Om Lorna hade tänkt efter, skulle hon ha kunnat inse det. Hon hade inte tänkt efter, säkert för att hon trott att det inte skulle spela någon roll. Hon hade kanske till och med tänkt berätta det för honom själv.

Jag gick förbi på väg till lekplatsen och tänkte bara att jag skulle gå in och sätta mig mitt på golvet en stund. Jag kan inte förklara det. Det kändes som om jag skulle få ett ögonblicks frid på det sättet, av att bara vara i ditt rum och sitta mitt på golvet.

Hon hade trott – efter brevet? – att det fanns ett band mellan dem, ett band som man inte skulle tala öppet om men som man ändå kunde förlita sig på. Och hon hade haft fel, hon hade skrämt honom. Tagit sig friheter. Han hade vänt sig om och där var Polly. På grund av Lornas intrång hade han sökt tröst hos Polly.

Men kanske inte. Kanske hade han bara förändrats. Hon tänkte på den märkliga nakenheten över hans rum, ljuset på väggarna. Ur den torftigheten skulle det kunna uppstå nya versioner av honom själv, som skapats utan ansträngning, snabbt som en blinkning, som ett svar på något som gått lite snett eller en insikt om något han inte kunde genomföra. Eller ingenting särskilt – bara en blinkning.

När Daniel hade somnat ordentligt gick hon ner. I badrummet såg hon att Polly hade tvättat ur blöjorna och lagt dem i spannen med blå desinfektionslösning. Hon tog resväskan som stod mitt på köksgolvet, bar upp den, lade den på dubbelsängen och öppnade den för att se vilka kläder som måste tvättas och vilka som bara kunde läggas undan.

Fönstret i detta rum vette mot baksidan av huset. Hon hörde röster – Elizabeths som lät gäll av spänning över hemkomsten och kanske ansträngningen att fånga uppmärksamheten hos en större publik. Och Brendan som med sin vanliga pondus fast i trivsam ton berättade om resan.

Hon gick fram till fönstret och tittade ner. Hon såg Brendan gå bort till förrådsskjulet, låsa upp det och börja dra fram barnens plastbassäng. Dörren svängde igen bakom honom och Polly skyndade dit och höll upp den.

Lionel reste sig och gick bort och hämtade vattenslangen. Hon hade inte ens anat att han visste var den fanns.

Brendan sa något till Polly. Tackade han henne? Man skulle kunna tro att de stod på mycket god fot med varandra.

Hur hade det gått till?

Det skulle kunna bero på att man nu måste räkna med Polly, eftersom Lionel hade valt henne. Det var inte Lornas påhitt utan Lionels val.

Eller också var Brendan bara gladare, eftersom de hade varit ute och rest. Han hade kanske tillfälligt släppt bördan att hålla ordning på hushållet. Han insåg kanske med all rätt att den förändrade Polly inte utgjorde något hot.

En scen som var så vanlig och förvånande att det verkade vara rena trolleriet. Fullständig lycka.

Brendan hade börjat blåsa upp kanten på plastpoolen. Elizabeth klädde av sig i bara trosorna och dansade otåligt omkring. Brendan sa inte åt henne att det var olämpligt med trosor och bad henne inte att springa och sätta på sig baddräkten. Lionel hade skruvat på vattnet, och medan han väntade på att fylla poolen stod han och vattnade indiankrassen, som en typisk husägare. Polly sa något till Brendan, och han tryckte in proppen i hålet där han just hade blåst in luft och lämnade över plastpoolen till henne.

Lorna mindes att det var Polly som hade blåst upp delfinen på stranden. Som hon själv sa hade hon goda lungor. Hon blåste jämnt och till synes utan att anstränga sig. Hon stod där i sina shorts med de bara benen stadigt isär och huden glimmande som björkbark. Och Lionel iakttog henne. Precis vad jag behöver, tänkte han kanske. En sådan kompetent och känslig kvinna, mjuk men ändå fast. En person som inte är fåfäng eller drömsk eller missnöjd. Det skulle mycket väl kunna vara den sortens kvinna som han en dag skulle gifta sig med. En hustru som kunde ta över. Då skulle han förändras och förändras igen, kanske på sitt typiska sätt bli förälskad i någon annan kvinna, men hustrun skulle vara alltför upptagen för att lägga märke till det.

Det var en tänkbar utveckling. Polly och Lionel. Eller kanske inte. Polly skulle kanske resa hem som planerat, och om hon gjorde det skulle ingen drabbas av hjärtesorg. Det trodde i alla fall inte Lorna. Oavsett om Polly gifte sig eller ej var det inte män som skulle krossa hennes hjärta.

Det dröjde inte länge förrän kanten på bassängen var fast och slät. Poolen placerades på gräsmattan med slangen i, och Elizabeth plaskade ner i den med fötterna. Hon tittade upp mot Lorna, som om hon hela tiden hade vetat att mamman stod där.

"Det är kallt", ropade hon förtjust. "Mamma – det är kallt."

Nu tittade också Brendan upp mot Lorna.

"Vad gör du däruppe?"

"Packar upp."

"Du behöver inte göra det nu. Kom ut istället."

"Jag kommer strax."

Sen Lorna kom in i huset – eller ända sen hon hörde att rösterna som kom från trädgården tillhörde Polly och Lionel – hade hon inte tänkt på den syn som följt henne kilometer efter kilometer, av Polly innanför köksdörren. Nu var hon förvånad över det, som när man vaknar och häpen minns något man drömt. Minnet var lika kraftfullt och skamligt som en dröm. Lika meningslöst också.

Inte riktigt samtidigt utan lite senare mindes hon att hon hade velat köpslå. Att hon på ett barnsligt och neurotiskt sätt försökt köpslå.

Men vad var det hon hade lovat?

Ingenting som hade med barnen att göra.

Något som hade med henne själv att göra?

Hon hade lovat att hon skulle göra det hon måste göra, när hon förstod vad det var.

Det var en undanflykt, det var att köpslå utan att köpslå, ett löfte som inte hade någon som helst mening.

Men hon prövade olika möjligheter. Nästan som om hon formade historien för att någon skulle återge den i underhållande syfte – någon annan än Lionel.

Sluta läsa böcker.

Ta emot fosterbarn från dåliga hem och fattiga länder. Arbeta för att bota dem från skador och vanvård.

Gå i kyrkan. Lova att tro på Gud.

Klippa håret kort, sluta använda makeup, aldrig mer hissa upp brösten och använda bygelbehå.

Hon lade sig på sängen, trött på allt som var meningslöst och ovid-kommande.

Det viktiga var dock att det hon lovat genom att köpslå skulle leva vidare med henne. Avtalet hade redan trätt i kraft. Att acceptera vad som hade hänt och klart se vad som skulle komma att hända. Dagar och år och känslor av ungefär samma slag, även om barnen skulle växa upp och kanske få syskon som också de skulle växa upp, även om hon och Brendan skulle bli äldre och sen gamla.

Det var inte förrän nu, inte förrän i detta ögonblick, som hon så klart insåg att hon hade räknat med att något skulle hända, något som skulle förändra hennes liv. Hon hade accepterat sitt äktenskap som en stor förändring, men inte som den sista i livet.

Nu gällde ingenting annat än det hon eller någon annan medvetet kunde förutse. Det var det som skulle bli hennes lycka, det var det hon hade köpslagit om. Ingenting hemligt eller främmande.

Lägg märke till det här, tänkte hon. Hon fick en dramatisk känsla av att gå ner på knä. Det här är allvar.

Elizabeth ropade igen: "Mamma. Kom hit." Och sen ropade de andra – Brendan och Polly och Lionel – och retade henne.

Mamma.

Mamma.

Kom hit.

Det var längesen detta hände. I norra Vancouver, där de bodde i ett hus byggt i modern stil. När hon var tjugofyra år gammal och nybör-jare på att köpslå.

Det man minns

I ETT HOTELLRUM i Vancouver står Meril som ung kvinna och sätter på sig sina korta vita sommarhandskar. Hon är klädd i en beige linneklänning och har en tunn vit scarf över håret. Håret var mörkt då. Hon ler, för hon har dragit sig till minnes något som drottning Sirikit av Thailand sagt eller påstods ha sagt i en tidskrift. Ett citat inom ett citat – något som drottning Sirikit sa att Balmain sagt.

"Balmain har lärt mig allt. Han sa: 'Bär alltid vita handskar. Det är bäst.'"

Det är bäst. Varför ler hon åt det? Det är ju en sådan mjuk viskning till råd, en så absurd och slutgiltig visdom. Hennes handskklädda händer ser konventionella men ömtåliga ut, som tassarna på en katt.

Pierre frågar varför hon ler och hon säger: "Det var ingenting", och berättar det sen.

Han säger: "Vem är Balmain?"

De höll på att göra sig i ordning för att gå på begravning. De hade kommit över med färjan kvällen före från sitt hem på Vancouver Island, eftersom de ville vara säkra på att hinna i tid till kyrkan på förmiddagen. Det var första gången de bodde på hotell sen bröllopsnatten. När de numera for på semester var det alltid med de två barnen, och då letade de efter billiga familjemotell.

Det här var bara andra gången de var på begravning som gifta. Pierres far var död, och Meriels mor, men de dödsfallen hade inträffat innan Pierre och Meriel träffades. Året före hade en lärare på Pierres skola plötsligt dött, och det hölls en fin begravning, där gosskören från skolan sjöng och man läste femtonhundratalsversionen av begravningstexten. Mannen var i sextiofemårsåldern, och hans död var knappast sorglig, bara lite överraskande, för Meriel och Pierre. Ur deras synvinkel spelade det inte så stor roll om man dog vid sextiofem eller sjuttiofem eller åttiofem.

Begravningen idag var en annan sak. Det var Jonas som skulle begravas. Pierres bäste vän sen många år och en man i Pierres ålder – tjugonio. Pierre och Jonas hade vuxit upp tillsammans i västra Vancouver – de mindes hur det såg ut innan Lion's Gate-bron byggdes, när staden var som en småstad. Deras föräldrar var vänner. När de var elva eller tolv år gamla hade de byggt en roddbåt och sjösatt den vid Dundarave Pier. På universitetet hade de skilts åt ett tag – Jonas läste till ingenjör, medan Pierre höll på med klassiska språk, och av tradition avskydde teknologerna och humanisterna varandra. Men under åren som följde hade vänskapen i viss mån återupptagits. Jonas, som inte var gift, kom på besök till Pierre och Meriel och stannade ibland en vecka i taget.

De båda unga männen var förvånade över vad som hade hänt i deras liv, och det brukade de skämta om. Jonas var den som med sitt yrkesval gjort sina föräldrar nöjda och väckt en stum avund hos Pierres föräldrar, ändå var det Pierre som gifte sig, fick jobb som lärare och tog på sig ansvaret att bilda familj, medan Jonas varken skaffade flickvän eller jobb efter universitetet. Han hade alltid kortare provanställningar som inte slutade med fast tjänst på något företag, och efter en sorts prövotid stannade flickorna aldrig kvar – åtminstone var det så han beskrev saken. Det sista ingenjörsjobbet han hade var i den norra delen av provinsen, och där stannade han kvar sen han antingen slutat eller fått sparken. "Anställningen upphörde i ömsesidigt samförstånd", skrev han till Pierre och tillade att han bodde på hotellet där alla höjdarna tog in och att han kanske skulle få jobb i ett skogshuggarlag. Han höll också på att lära sig flyga och funderade på att bli vildmarksflygare. Han lovade komma ner på besök när han väl rett ut sina ekonomiska problem.

Meriel hade hoppats att han inte skulle komma. Jonas brukade sova i vardagsrumssoffan och på morgonen låg täcket alltid på golvet så att hon fick plocka upp det. Han höll Pierre vaken halva natten och pratade om saker och ting som hänt när de var tonåringar eller ännu yngre. Han kallade Pierre för Piss-hair, ett öknamn från den tiden, och andra gamla kompisar fick heta Stinkpool eller Doc eller Buster, aldrig de namn Meriel alltid hade hört – Stan eller Don eller Rick. Buttert och pedantiskt återgav han detaljerna i händelser som Meriel inte tyckte var särskilt märkliga eller lustiga (påsen med hundbajs som brann på lärarens yttertrappa, trakasserierna av den gamle gubben som erbjöd pojkarna en slant för att få dra ner byxorna på dem), och om samtalet kom in på aktuella saker blev han irriterad.

När hon blev tvungen att berätta för Pierre att Jonas var död kände hon sig skakad och skuldmedveten. Skuldmedveten för att hon inte hade gillat Jonas och skakad för att de kände honom väl och han var den förste i deras egen ålder som dött. Men Pierre verkade varken förvånad eller särskilt skakad.

"Självmord", sa han.

Hon sa nej, en olyckshändelse. Han hade varit ute på motorcykel i mörker, och han hade kört av grusvägen. Någon hittade honom eller fanns hos honom, hjälpen var nära, men han dog inom en timme. Han hade fått dödliga skador.

Det hade hans mamma sagt i telefonen. *Hans skador var dödliga.* Det lät som om hon så snabbt hade funnit sig, som om hon inte alls var förvånad. Precis som Pierre gjorde när han sa: "Självmord."

Efter det hade Pierre och Meriel knappt talat om själva dödsfallet, bara om begravningen, hotellrummet, behovet av en övernattande barnvakt. Att hans kostym måste kemtvättas och en vit skjorta köpas. Det var Meriel som ordnade allting och Pierre, den äkta mannen, som kontrollerade att allt blev gjort. Hon förstod att han ville se henne behärskad och saklig, som han själv var, att hon inte skulle försöka visa en sorg som hon säkert inte kunde känna. Hon frågade honom varför han hade sagt "självmord", och han sa: "Det föll mig bara in." Hon tyckte att hans undanflykt var en sorts varning eller till och med förebråelse. Som om han misstänkte att hon vann något på Jonas död – eller på att de befann sig nära den – en känsla som var misskrediterande och självcentrerad. En morbid, pretentiös upphetsning.

Unga äkta män var stränga på den tiden. För inte så länge sen hade de varit på friarstråt, nästan lustiga i sin tafatta och desperata sexvånda. Nu, när de väl kommit i säng, blev de målmedvetna och kritiska. Iväg till arbetet varje morgon, renrakade ungdomliga halsar i knutna slipsar, dagar med okända mödor, hem igen till middagen för att kasta en kritisk blick på maten och breda ut tidningen, hålla upp den mellan sig själv och röran i köket, krämporna och känslorna, spädbarnen. I snabb takt var de tvungna att lära sig massor. Hur man kröp för cheferna, hur man klarade fruarna. Hur man visade auktoritet när det gällde huslånen, engagerade sig i murar, gräsmattor, avloppsrör, politik och de jobb som skulle försörja familjen under det kommande kvartsseklet. På den tiden var det kvinnorna som under dagens timmar kunde dra sig in i ett slags andra tonårstid – även om de aldrig slapp ifrån det förlamande ansvar som hamnat hos dem när det gällde barnen. Men när männen gav sig iväg vaknade deras livsandar. Under de timmar som männen var borta kunde de ägna sig åt drömska uppror och revolutionära sammankomster, de kunde skratta som när de gick på high school och föra en dagsländelik tillvaro mellan de väggar som männen betalade för.

Efter begravningen var de hembjudna till Jonas föräldrar i Dundarave. Rhododendronhäcken blommade i rött, rosa och lila. Jonas far fick beröm för trädgården.

"Ja, jag vet inte", sa han. "Vi var tvungna att snabbt göra den presentabel."

Jonas mor sa: "Ni får ursäkta att det här inte är någon riktig lunch. Bara lite plockmat." De flesta drack sherry, fast en del av männen tog whisky. Maten var framställd på det utdragna matsalsbordet – laxmousse och kex, svamppastejer, korvpiroger, en lätt citronkaka och uppskuren frukt med mandelbiskvier, liksom snittar med räkor, skinka, gurka och avokado. Pierre lassade sin lilla porslinstallrik full, och Meriel hörde hans mor säga till honom: "Tänk på att du kan ta om."

Hans mamma bodde inte längre i västra Vancouver utan hade kommit till begravningen från White Rock. Och hon kunde inte riktigt förmå sig till att tillrättavisa Pierre direkt, nu när han var en gift man och jobbade som lärare.

"Eller är du rädd att maten ska ta slut?" sa hon.

Pierre svarade nonchalant: "Kanske det jag gillar."

Hans mamma vände sig till Meriel. "Vilken snygg klänning."

"Jo, men titta", sa Meriel och slätade ut rynkorna som hade bildats medan hon satt i kyrkan.

"Det är det som är problemet", sa Pierres mor.

"Vad är det som är problem?" sa Jonas mor muntert, medan hon lade över några pastejer på värmeplattan.

"Linne", sa Pierres mor. "Meriel visade mig just hur skrynklig hennes klänning hade blivit" – hon undvek att säga "under begravningen" – "och jag sa att det är det som är problemet med linne."

Jonas mor lyssnade kanske inte. Hon såg ut över rummet och sa: "Det där är läkaren som tog hand om honom. Han flög ner från Smithers i eget plan. Vi tyckte att det var så bussigt av honom."

Pierres mor sa: "Vilket vågspel."

"Ja, det är väl så han tar sig runt till sina patienter däruppe i vildmarken."

Mannen de talade om stod just och pratade med Pierre. Han hade inte kostym men en snygg kavaj med polotröja under.

"Ja, det förstås", sa Pierres mor och Jonas mor sa: "Ja." Meriel kände att någonting hade fått sin förklaring dem emellan – kanske när det gällde läkarens sätt att klä sig?

Hon tittade ner på servetterna, som var vikta i fyrkanter. De var inte lika stora som middagsservetter och inte lika små som cocktailservetter. De låg i rader och täckte delvis varandra, med en liten broderad blå eller rosa eller gul blomma synlig på varje servett. Ingenstans möttes två servetter med samma färg på blomman. Och den som hade tagit en servett – för hon såg faktiskt ett par av gästerna stå med servetter i handen – hade noggrant valt en i slutet av raden så att ordningen kunde upprätthållas.

Under begravningsgudstjänsten hade prästen jämfört Jonas liv på jorden med fostrets i livmodern. Barnet känner inte till någon annan existens, sa han, och lever i sin varma, mörka, vattenfyllda grotta utan att ha en aning om den stora ljusa värld som det snart ska kastas ut i. Och vi på jorden har visserligen en aning men kan egentligen inte föreställa oss det ljus som vi ska träda in i sen vi kommit igenom dödsarbetet. Om barnet på något sätt kunnat få veta vad som skulle komma att hända med det inom en snar framtid, skulle det då inte känna både misstro och rädsla? Så är det för det mesta också med oss, trots att det inte borde vara så, för vi har fått en visshet. Men trots det kan våra blinda hjärnor inte föreställa sig, inte fatta vad vi ska slussas igenom. Spädbarnet skyddas av sin okunnighet, sin hjälplösa förtröstan. Och vi som varken är helt okunniga eller helt invigda måste noga se till att genom Herrens ord ta vår tillflykt till tron.

Meriel tittade på prästen som stod i dörröppningen mot hallen med ett glas sherry i handen och lyssnade på en livfull kvinna med blont, burrigt hår. Det såg inte ut som om de talade om dödens kval och ljuset på andra sidan. Vad skulle han göra om hon gick fram och började tala om sådana saker?

Ingen skulle ha hjärta att göra det. Eller den dåliga smaken.

Istället tittade hon på Pierre och vildmarksläkaren. Pierre pratade på med en pojkaktig livlighet som man numera inte ofta såg hos honom. I alla fall gjorde Meriel inte det. Hon låtsades som om hon just nu såg honom för första gången. Lockigt, kortklippt hår som var mycket mörkt och som började dra sig uppåt vid tinningarna där den släta elfenbensfärgade huden med gyllene skiftning kom i dagen. Breda, kantiga axlar, långa smäckra armar och ben och ett vackert format, ganska litet huvud. Hans leende var förtrollande men aldrig beräknande; sen han blev lärare i en skola för pojkar verkade det som om han undvek att le. I pannan hade han lätta rynkor som hamnat där för gott.

Hon tänkte på kollegiefesten – för över ett år sen – då hon och han hade befunnit sig i varsin ände av rummet och hamnat utanför samtalet. Hon hade gått över och närmat sig honom utan att han märkte det, och sen hade hon börjat prata med honom som om hon var en diskret flörtig främling. Han hade lett så som han log nu – med den skillnaden att han då talat med en koketterande kvinna – och var genast med på charaden. De utbytte laddade blickar och intetsägande repliker tills båda brast i skratt. Någon kom fram till dem och sa att det inte var tillåtet med skämt mellan gifta personer.

"Vad får dig att tro att vi verkligen är gifta?" sa Pierre, som i vanliga fall uppträdde så försiktigt på den sortens tillställningar.

Nu gick hon genom rummet utan att ha sådana dåraktiga idéer i huvudet. Hon var tvungen att påminna honom om att de snart måste ge sig iväg åt varsitt håll. Han skulle köra till Horseshoe Bay och ta nästa färja, och hon skulle ta sig fram med buss utmed North Shore till Lynn Valley. Hon hade tänkt ta chansen att besöka en kvinna som hennes döda mor hade älskat och beundrat och faktiskt döpt sin dotter efter, en kvinna som Meriel alltid hade sagt tant till, fastän de inte var släkt. Tant Muriel. (Det var när Meriel började på college som hon ändrade stavningen i sitt namn.) Den gamla kvinnan bodde på ett vårdhem i Lynn Valley, och Meriel hade inte hälsat på henne på över ett år. Det tog för lång tid att komma dit under de glest förekommande resorna till Vancouver med familjen, och barnen tyckte inte om stämningen på vårdhemmet eller utseendet på de människor som bodde där. Det gjorde inte Pierre heller, även om han inte gärna sa det. Istället undrade han i vilket förhållande Meriel egentligen stod till kvinnan.

Ni är ju inte ens släkt.

Så nu skulle Meriel besöka henne på egen hand. Hon hade sagt att hon skulle känna sig skuldmedveten om hon inte tog sig dit när hon nu hade chansen. Dessutom såg hon fram emot att vara borta från familjen ett litet tag, även om hon inte sa det.

"Jag kunde kanske köra dig", sa Pierre. "Gud vet hur länge du får vänta på bussen."

"Det kan du inte", sa hon. "Då missar du färjan." Hon påminde honom vad de bestämt med barnvakten.

Han sa: "Du har rätt."

Mannen han hade pratat med – läkaren – hade ofrivilligt lyssnat på samtalet, och nu sa han oväntat: "Jag kan köra den vägen."

"Jag trodde att ni kom i flygplan", sa Meriel, samtidigt som Pierre sa: "Förlåt, det här är min fru. Meriel."

Doktorn sa ett namn som hon knappt uppfattade.

"Det är inte så lätt att landa med ett flygplan på Hollyburn Mountain", sa han. "Jag ställde det på flygplatsen och hyrde en bil."

En lätt tvungen artighet från hans sida fick Meriel att inse att hon hade låtit framfusig. För det mesta var hon antingen alltför djärv eller allför blyg.

"Kan ni verkligen det?" sa Pierre. "Har ni tid?"

Doktorn tittade rakt på Meriel. Det var inte någon obehaglig blick – varken djärv eller beräknande, inte heller värderande. Men den var knappast socialt aktningsfull.

Han sa: "Självklart."

Det blev bestämt att de skulle göra så. De skulle börja säga adjö nu, och Pierre skulle ge sig av till färjan, medan Asher, som han hette – eller doktor Asher – skulle köra Meriel till Lynn Valley.

Efter besöket hos tant Muriel och kanske middag med henne tänkte Meriel ta bussen från Lynn Valley till busstationen i stan (det gick ganska ofta bussar till "stan") och fortsätta med den sena kvällsbussen till färjan och vidare hem.

Vårdhemmet hette Princess Manor. Det var en enplansbyggnad med tillbyggda annex, i rosabrun puts. Gatan var trafikerad, och det fanns ingen trädgård att tala om, inga häckar eller staket som stängde ute bullret eller skyddade de små gräsplättarna. På ena sidan låg en frikyrklig byggnad med ett skämt till torn, på den andra en bensinstation.

"Ordet 'Manor' står inte längre för nån ståtlig byggnad precis", sa Meriel. "Det behöver inte ens finnas två våningar. Man vill bara slå i folk att stället är mycket finare än vad det egentligen är."

Doktorn svarade inte – kanske blev han inte klok på det hon sa. Eller också var det inte värt att påpeka, även om det var sant. Hela vägen från Dundarave hade hon hört sig själv tala och blivit förfärad. Det var inte så mycket det att hon babblade – sa saker och ting som föll henne in – utan snarare att hon försökte uttrycka sådant som tycktes henne intressant eller som skulle ha varit det om hon hade kunnat formulera det ordentligt. Men så som hon pratade på verkade alltsammans säkert pretentiöst eller till och med idiotiskt. Hon måste ge intrycket att vara en sådan kvinna som vägrade prata om vanliga saker, som måste föra ett *riktigt* samtal. Och fastän hon visste att det inte fungerade, att hon måste framstå som en plåga med sitt prat, kunde hon inte hejda sig.

Hon visste inte vad som hade satt igång det. Osäkerhet, för att hon så sällan talade med främlingar nuförtiden. Det konstiga i att åka ensam i en bil med en man som inte var hennes make.

Hon hade till och med dumdristigt frågat vad han trodde om Pierres tanke att motorcykelolyckan var självmord.

"Man kan kasta fram den teorin vid många våldsamma olyckshändelser", hade han svarat.

"Bry er inte om att köra in på uppfarten", sa hon. "Jag kan stiga ur här." Så generad var hon, så ivrig att komma iväg från honom och hans knappt artiga likgiltighet att hon lade handen på dörrhandtaget, som om hon tänkte öppna dörren medan de ännu var i rörelse.

"Jag hade tänkt parkera", sa han och svängde in ändå. "Jag hade inte tänkt lämna dig vind för våg här."

Hon sa: "Det kan nog ta en stund."

"Det gör ingenting. Jag kan vänta. Eller också följer jag med in och ser mig om. Om du inte har något emot det."

Hon skulle just säga att vårdhem kan vara trista och påfrestande. Sen kom hon ihåg att stället säkert inte var något nytt för honom som läkare. Och något över sättet att säga "om du inte har något emot det" – en formell ton men också en sorts osäkerhet över rösten – gjorde henne uppriktigt förvånad. Det var som om han erbjöd sin tid och sin närvaro utan att det hade med artighet att göra, snarare med henne själv. Det fanns en uppriktig ödmjukhet över erbjudandet, men det lät inte som en vädjan. Om hon hade sagt att hon verkligen inte ville inkräkta ytterligare på hans tid, skulle han inte ha försökt övertala henne, han skulle hövligt ha sagt adjö och kört sin väg.

Som det nu var steg de ur bilen och gick sida vid sida över parkeringsplatsen mot den främre entrén.

Ett antal gamla eller handikappade personer satt ute på en asfalterad plats med några glesa buskar och petuniakrukor som skulle ge intryck av terrass. Tant Muriel var inte ute, men Meriel hälsade ändå glatt på dem som satt där. Det hade hänt något med henne. En hemlighetsfull känsla av makt och glädje fyllde henne plötsligt, som om ett muntert budskap fortplantades från fötterna till huvudet för varje steg hon tog.

När hon senare frågade honom: "Varför följde du med in?" sa han: "För att jag inte ville släppa dig ur sikte."

Tant Muriel satt ensam i en rullstol i den dunkla korridoren strax utanför dörren till det rum som var hennes. Hon såg uppsvullen ut och det glänste om henne – men det var för att hon var insvept i ett asbestförkläde så att hon kunde röka. Meriel hade en minnesbild av att hon satt i samma stol och på samma plats när de sa adjö till varandra för många månader sen – fast då hade hon inte haft något asbestförkläde. Antagligen hade de infört en ny regel, eller också hade hon själv på något sätt blivit sämre. Det troliga var att hon dagligen satt här vid askfatet som var fyllt av sand och tittade på den rosa eller ljuslila väggen som såg leversjuk ut i det dunkla ljuset – och på konsolhyllan med den konstgjorda murgrönan.

"Meriel? Jag tyckte väl att det var du", sa hon. "Jag hörde det på stegen. På ditt sätt att andas. Min grå starr har blivit så förbaskat besvärlig. Det enda jag ser är prickar."

"Visst är det jag, hur mår du?" Meriel gav henne en kyss vid tinningen. "Varför är du inte ute i solen?"

"Jag är inte förtjust i solsken", sa den gamla. "Jag måste tänka på min hy."

Hon skämtade kanske, men det kunde också vara sant. Hennes bleka ansikte och händer var täckta av stora fläckar – dödligt vita fläckar som speglade det ljus som fanns här och glänste i silver. Hon hade varit äkta blondin, smal, med skär hy och rakt välklippt hår som blivit vitt innan hon fyllt fyrtio. Nu var håret trassligt och slitet av att nötas mot kuddarna, och örsnibbarna hängde som platta spenar. Förr hade hon alltid små diamanter i öronen – vart hade de tagit vägen? Diamantörhängen, kedjor i rent guld, äkta pärlor, sidenblusar i ovanliga färger – brungult, lilabrunt – och smala, vackra skor.

Hon luktade sjukhustalk och lakritspastiller som hon dagarna i ända sög på mellan de utportionerade cigarretterna.

"Vi behöver fler stolar", sa hon. Hon lutade sig fram, viftade med cigarretten i luften och försökte vissla. "Hallå där, kan vi få några stolar."

Doktorn sa: "Jag kan hämta."

Den gamla Muriel och den unga lämnades ensamma.

"Vad var det din man hette?"

"Pierre."

"Och ni har väl två barn? Jane och David?"

"Det stämmer. Men mannen jag har med mig – "

"Nej, nej", sa den gamla Muriel. "Det är inte din man."

Tant Muriel tillhörde Meriels mormors generation snarare än hennes mors. Meriels mamma hade haft henne som teckningslärare i skolan. Först blev hon den som inspirerade, sen en bundsförvant, så en god vän. Hon hade målat stora abstrakta tavlor, av vilka en – som Meriels mor fått i gåva – hängde i den inre hallen i huset där Meriel växte upp och flyttades till matsalen varje gång konstnärinnan kom på besök. Den var målad i dystra färger – mörkröda och bruna toner (Meriels pappa kallade den "Gödselhög i brand") – men tant Muriel själv var alltid munter och frimodig. Innan hon flyttade inåt landet och blev lärare där hade hon som ung bott i Vancouver. Där hade hon varit god vän med konstnärer som nu omnämndes i tidningarna. Hon längtade efter att återvända dit och gjorde också så småningom det, för att bo hos ett rikt gammalt par som varit konstmecenater och ta hand om deras affärer. Medan hon bodde hos dem tycktes hon ha det gott ställt, men när de dog hamnade hon ute i kylan. Hon levde på sin pension, började måla akvareller eftersom hon inte hade råd med oljefärger och svalt sig (misstänkte Meriels mor) för att kunna bjuda Meriel på lunch – Meriel läste då på universitetet. Vid dessa tillfällen pratade hon skämtsamt om att mycket av det som folk så hänfört berömde egentligen bara var smörja men att det här och där – i det som producerats av någon obskyr samtida eller en halvt bortglömd gestalt från ett annat århundrade – kunde finnas något utöver det vanliga. Det var hennes stående uttryck för beröm – "något utöver det vanliga". Då sänkte hon rösten, som om hon just till sin egen förvåning hade råkat stöta på något ovärderligt som fortfarande var så hedervärt att man måste böja sig för dess storhet.

Doktorn kom tillbaka med två stolar och presenterade sig, helt naturligt, som om han inte haft tillfälle att göra det förrän nu.

"Eric Asher."

"Han är läkare", sa Meriel. Hon skulle just börja förklara och berätta om begravningen, olyckshändelsen, flygturen ner från Smithers, när han tog över samtalet.

"Men jag är inte här i tjänsten, oroa er inte", sa han.

"Nej, det förstår jag", sa tant Muriel. "Ni är här med henne."

"Ja", sa han.

I det ögonblicket sträckte han fram handen mellan de båda stolarna och tog Meriels hand och höll den ett ögonblick i ett hårt grepp innan han släppte den. Och så sa han till tant Muriel: "Hur kunde ni veta det? På mitt sätt att andas?"

"Jag märker sånt", sa hon lite otåligt. "Jag har själv inte varit Guds bästa barn."

Hennes röst – som skälvde eller fnittrade till – liknade inte alls den som Meriel mindes. Det kändes som om denna plötsligt främmande gamla kvinna begick något slags förräderi. Ett förräderi mot det förflutna kanske, mot Meriels mamma och den vänskap som hon värdesatt. Eller mot de där luncherna med Meriel själv, de förfinade samtalen. Det var någonting som höll på att urarta. Meriel var upprörd över det, samtidigt som det kändes lite utmanande.

"Åh, jag hade nog mina vänner", sa tant Muriel, och Meriel sa: "Du hade många vänner." Hon nämnde några namn.

"Döda", sa tant Muriel.

Meriel sa at hon nyligen sett något i tidningen om ett pris eller en retrospektiv utställning.

"Åh? Jag trodde att han var död. Jag tänker kanske på någon annan — Kände du Delaneys?"

Hon vände sig direkt till mannen, inte till Meriel.

"Jag tror inte det", sa han. "Nej."

"Det var några som hade ett ställe dit vi alla brukade fara, på Bowen Island. Paret Delaney. Jag tänkte att ni kanske hade hört talas om dem. Nåväl. Där pågick lite av varje. Det var det jag menade när jag sa att jag inte precis har varit Guds bästa barn. Äventyr. Nåja. Det såg ut som äventyr, men allt följde vissa underförstådda regler, om ni förstår vad jag menar. Så egentligen var det inte mycket till äventyr. Vi drack oss alla redlösa förstås. Men det skulle alltid vara tända ljus i en ring och musik på, mer som en ritual förstås. Men inte helt och hållet. Visst kunde man träffa någon ny och låta reglerna fara åt fanders. Bara mötas för första gången och börja kyssas som galningar och springa iväg in i skogen. I mörkret. Men man kom inte särskilt långt. Strunt samma."

Hon hade börjat hosta och försökte fortsätta tala men gav upp och fick ett rejält hostanfall. Doktorn reste sig och bankade henne skickligt på den böjda ryggen ett par gånger. Hostandet gick över i ett stön.

"Bättre", sa hon. "Åh, man visste vad man gjorde men låtsades inte om det. En gång satte de på mig en bindel. Inte ute i skogen, det var inomhus. Det gjorde ingenting, jag gick med på det. Men det fungerade inte så bra – jag menar, jag visste ju. Där fanns nog ändå ingen som jag inte kände igen."

Hon hostade igen, fast inte så våldsamt som förut. Sen lyfte hon på huvudet, andades djupt och väsande i några minuter och höll upp händerna för att hejda samtalet, som om hon snart skulle ha något mer, något viktigt att säga. Men hon skrattade bara och sa till slut: "Nu har jag en permanent bindel för ögonen. Grå starr. Men jag blir inte precis utnyttjad nu, här förekommer inga orgier."

"Hur länge har ni haft starr?" sa doktorn, vördnadsfullt intresserad, och till Meriels stora lättnad inleddes ett engagerat samtal, en ingående diskussion om tillväxten av grå starr, hur man tog bort den, för- och nackdelar med denna operation och tant Muriels skeptiska inställning till den läkare som hamnat här och blivit tvungen att ta hand om de gamla, som hon uttryckte det. Liderliga fantasier – det kom Meriel fram till att det hade varit – gled utan minsta svårighet över i ett medicinskt samtal, älskvärt pessimistiskt å tant Muriels sida och försiktigt tröstande å doktorns. Den sortens samtal som med jämna mellanrum måste äga rum innanför dessa väggar.

Efter en liten stund utbytte Meriel och doktorn en blick som förmedlade frågan huruvida besöket hade varat länge nog. En förstulen, värderande blick, nästan som mellan gifta, som i sin förklädnad och ljuva förtrolighet eggade dem som trots allt inte var gifta.

Snart.

Tant Muriel tog själv initiativet. Hon sa: "Förlåt att jag är oartig, men jag blir så trött, förstår ni." Nu fanns det inte längre något hos henne som påminde om den första delen av samtalet. Tankspridd och med en vag känsla av skam, som om hon spelade teater, böjde sig Meriel fram och kysste den gamla adjö. Hon anade att hon aldrig mer skulle se tant Muriel, och det gjorde hon inte heller.

När de kom runt hörnet och gick förbi öppna dörrar till rum där människor låg i sängen och sov eller tittade ut, lade doktorn handen mellan hennes skulderblad och lät den glida ner mot midjan. Hon kände att tyget i hennes klänning var fuktigt och hade klistrat sig fast mot huden när hon lutade sig mot ryggstödet. Klänningen var också fuktig under armarna.

Och hon var tvungen att gå på toaletten. Hon spanade efter besökstoaletten som hon tyckte sig ha sett när de var på väg in.

Där. Hon hade sett rätt. Hon kände sig lättad men också generad, för hon var plötsligt tvungen att avlägsna sig från honom och säga: "Ett ögonblick bara" med en röst som i hennes egna öron lät avmätt och irriterad. Han sa: "Visst" och styrde raskt kosan mot herrtoaletten, och det finstämda ögonblicket var borta.

När hon kom ut i den varma solen såg hon honom gå av och an vid bilen och röka. Han hade inte rökt förut – varken hos Jonas föräldrar, på väg hit eller hos tant Muriel. Handlingen tycktes isolera honom, visa en sorts otålighet, kanske en otålighet att bli klar med en sak och gå vidare till nästa.

"Vart?" sa han när de började köra. Och som om han tyckte att han lät för brysk: "Vart vill du åka nu?" Det var nästan som om han talade med ett barn eller med tant Muriel – någon som han var tvungen att ta hand om under eftermiddagen. Och Meriel sa: "Jag vet inte", som om hon inte hade något annat val än att bli det där besvärliga barnet. Hon undertryckte ett kvidande av besvikelse, ett rop av åtrå. En åtrå som hade verkat skygg och oundviklig men som nu plötsligt förklarats olämplig, ensidig. Händerna på ratten kändes helt och hållet främmande, som om han aldrig hade rört vid henne.

"Vad säger du om Stanley Park?" sa han. "Vill du ta en promenad i Stanley Park?"

Hon sa: "Åh, Stanley Park. Där har jag inte varit på evigheter", som om tanken hade piggat upp henne och hon inte kunde föreställa sig något härligare. Och hon gjorde det ännu värre genom att säga: "Det är en sån underbar dag."

"Ja, det är det verkligen."

Det lät som en parodi, det var outhärdligt.

"Det finns ingen radio i de här hyrbilarna. Jo, ibland finns det. Ibland inte."

Hon vevade ner rutan när de korsade Lion's Gate Bridge. Hon frågade om det gjorde något.

"Nej. Inte alls."

"Det känns alltid som sommar för mig. Att ha rutan nervevad och armbågen utanför, medan vinden blåser in – jag tror inte att jag nånsin vänjer mig vid luftkonditionering."

"Vid vissa temperaturer skulle du kanske göra det."

Hon tvingade sig att sitta tyst, tills de kom fram och kunde försvinna in i parkanläggningen och kanske låta de höga, täta träden svälja tanklöshet och skamkänslor. Sen förstörde hon alltsammans genom att sucka alltför uppskattande.

"Prospect Point." Han läste högt på skylten.

Många människor var i rörelse, trots att det var en vardagseftermiddag i maj och lovet ännu inte hade börjat. Strax skulle de kanske kommentera det. Det stod bilar parkerade på uppfarten hela vägen fram till restaurangen, och det var kö till myntkikaren på utsiktsplatsen.

"Aha." Han fick syn på en bil som körde ut. Ett ögonblick slapp de prata, medan han väntade, backade för att ge plats åt bilen och sen manövrerade sig in på den ganska trånga platsen. De steg ur samtidigt och gick runt bilen och upp på gångbanan. Han såg sig om åt båda håll, som för att bestämma vart de skulle styra kosan. På alla vägar kom och gick folk.

Hennes ben skakade, hon klarade inte det här längre.

"Ta mig någon annanstans", sa hon.

Han tittade rakt på henne. Han sa: "Ja."

Där på trottoaren, i hela världens åsyn. Kysstes som galningar.

Ta mig, hade hon sagt. *Ta mig någon annanstans*, inte *Vi åker någon annanstans*. Det är viktigt för henne. Vem som tar risken, vem som bestämmer. *Vi åker* – det skulle innebära en risk, inte en avsägelse, vilket när hon ser tillbaka är förutsättningen för det erotiska jordskredet för hennes del. Och tänk om han i sin tur hade avsagt sig? *Vart då?* Det skulle inte ha fungerat heller. Han måste säga precis det han säger. Han måste säga: *Ja*.

Han tog henne med sig till lägenheten där han bodde, i Kitsilano. Den tillhörde en god vän som var ute med en fiskebåt någonstans västerut, utanför Vancouver Island. Den låg i en liten prydlig byggnad som var tre eller fyra våningar hög. Det enda hon skulle minnas av den var glasmuren vid ingången och den med tidens mått mätt eleganta och kraftfulla hi-fi-anläggningen, som tycktes vara den enda möbeln i vardagsrummet.

Hon skulle ha föredragit ett annat scenario, och det var det hon såg för sig när hon gick tillbaka i minnet. Ett smalt sex eller sju våningar högt hotell, en gång ett fashionabelt bostadshus, i Vancouvers West End. Gulnade spetsgardiner, högt i tak, kanske järngaller över en del av fönstret, en smal balkong. Egentligen ingenting som var sjaskigt eller vanhedrande, bara en atmosfär av gammalt bostadshus, av privata lidanden och synder. Där skulle hon ha gått genom den lilla lobbyn med böjt huvud och armarna hängande efter sidan, medan hela hennes kropp var genomsyrad av intensiv skam. Och han skulle ha talat med portiern i en låg ton som inte röjde deras syfte men inte heller dolde eller ursäktade något.

Sen skulle de åka upp i den gammaldags hissburen, som sköttes av en äldre man — eller kanske en äldre kvinna, kanske en krympling, en lastens förstulna tjänare.

Varför fantiserade hon, varför lade hon till den scenen? Det var för att uppleva det där avslöjande ögonblicket, den genomträngande känslan av skam och stolthet som uppfyllde henne när hon gick genom (låtsas) lobbyn, och för att höra ljudet av hans röst då han i diskret men myndig ton talade med portiern och sa något som hon inte riktigt kunde uppfatta.

Kanske använde han den tonen på apoteket några kvarter från lägenheten, där han parkerade bilen och sa: "Jag ska bara gå in hit ett ögonblick." De praktiska bestyren som i det äktenskapliga livet ofta kändes trista och triviala uppväckte under dessa annorlunda omständigheter en obestämbar lust hos henne, en hittills okänd apati, ett behov av underkastelse.

När det hade blivit mörkt körde han henne tillbaka igen, genom parken och över bron och via västra Vancouver, där de passerade alldeles i närheten av Jonas föräldrars hus. Hon kom fram till Horseshoe Bay nästan i sista ögonblicket och hann ombord på färjan. I slutet av maj är dagarna bland de längsta på året, och trots ljusen vid färjeterminalen och lyktorna på bilarna som strömmade ner i båtens mage, kunde hon se lite av glöden på västerhimlen och mot den de svarta konturerna av en ö – inte Bowen utan en som hon inte visste namnet på – prydlig som en pudding i sundets mynning.

Hon fick sälla sig till mängden av människor som trängdes på väg uppför trapporna, och när hon kom upp på passagerardäcket satte hon sig på den första platsen hon såg. Hon brydde sig inte ens om att leta efter en fönsterplats, som hon annars alltid gjorde. Hon hade en och en halv timme på sig innan båten skulle lägga till på andra sidan sundet, och under den tiden var det mycket som hon måste arbeta sig igenom.

Båten hade knappt lagt ut förrän de som satt närmast började prata. Det var inte något tillfälligt samtal mellan människor som träffats på färjan utan dessa personer kände varandra väl och skulle inte lida någon brist på samtalsämnen under överfarten. Därför reste hon sig och gick ut men fortsatte till övre däck, där det alltid var glesare mellan passagerarna. Hon satte sig på en av lårarna med flytvästar. Det värkte på kända och okända ställen.

Den uppgift hon hade framför sig var, som hon såg det, att minnas allting – och med "minnas" menade hon då att uppleva allting i tankarna en gång till – innan hon för alltid lade det åt sidan. Dagens erfarenheter prydligt ordnade, ingenting som låg och skräpade, allting hopsamlat som en skatt, avslutat, undanstoppat.

Hon höll fast vid två spådomar, den första kändes bra och den andra var nog så lätt att acceptera just nu, även om den säkert skulle kunna ge svårigheter längre fram.

Hennes äktenskap med Pierre skulle fortsätta, det skulle hålla.

Hon skulle aldrig mer träffa Asher.

Båda dessa spådomar visade sig slå in.

Hennes äktenskap höll faktiskt – i mer än trettio år efter det, så länge Pierre levde. Under en tidig och ganska problemfri fas av hans sjukdom läste hon högt för honom och tog sig igenom några böcker som de båda hade läst för många år sen och tänkt återvända till. En av dem var *Fäder och söner*. Sen hon hade läst scenen där Bazarov förklarar Anna Sergejevna sin flammande kärlek och Anna blir utom sig av förskräckelse, gjorde de uppehåll och diskuterade saken. (De grälade inte – de kände alltför stor ömhet för varandra för att göra det.)

Meriel ville att scenen skulle sluta på ett annat sätt. Hon trodde inte på Annas reaktion.

"Det är författaren", sa hon. "Jag brukar inte känna så inför Turgenjev, men här tycker jag bara att Turgenjev kommer och sliter dem isär och det gör han på något sätt i eget syfte."

Pierre log svagt. Hans ansiktsuttryck var numera begränsade. "Trodde du att hon skulle ha gett efter?"

"Nej. Inte gett efter. Jag tror inte på henne, jag är säker på att hon är lika motiverad som han. De skulle göra det."

"Det är en romantisk inställning. Du förvanskar saker och ting för att få ett lyckligt slut."

"Jag har inte sagt något om slutet."

"Lyssna nu", sa Pierre tålmodigt. Han tyckte om den här sortens diskussioner, men det var jobbigt för honom, han var tvungen att vila sig då och då för att hämta krafter. "Om Anna gav efter, skulle det vara för att hon älskade honom. När det var över skulle hon bara älska honom ännu mer. Är det inte så kvinnor fungerar? Om de är förälskade? Och han – han skulle ge sig iväg nästa morgon utan att ens tala med henne. Det är hans natur. Han *hatar* att älska henne. Så varför skulle det bli bättre?"

"De skulle ha något. En gemensam upplevelse."

"Han skulle snart glömma den och hon skulle dö av skam, känna sig ratad. Hon är intelligent. Hon inser att det är så."

"Ja", sa Meriel och hejdade sig ett tag, eftersom hon kände sig trängd. "Men det säger inte Turgenjev. Han säger att hon blir alldeles ställd. Han säger att hon är kall."

"Intelligensen gör henne kall. Intelligenta kvinnor är kalla."
"Nej."
"Jag menar på artonhundratalet. På artonhundratalet var det så."

Den kvällen på färjan trodde Meriel att hon skulle kunna använda tiden till att reda upp allting, men så blev det inte alls. I våg på våg återupplevde hon det som hänt. Och det skulle hon också i många år framöver få fortsätta att göra – i allt glesare intervaller. Hon skulle hela tiden komma på saker och ting som hon hade missat och som skakade om henne. Hon kunde höra eller se något på nytt – ett ljud de hade åstadkommit, den sortens blick de utbytte, igenkännande och uppmuntrande. En blick som på sitt sätt var ganska kall men ändå djupt respektfull och mer förtrolig än någon blick som utbyttes mellan gifta personer eller personer som var skyldiga varandra något.

Hon mindes hans brungrå ögon, hans grova hud i närbild, ett gammalt ärr som såg ut som en ring invid näsan, hans breda släta bröst när han stegrade sig bakåt. Men hon skulle inte ha kunnat ge någon riktig beskrivning av hans utseende. Hon trodde att hon från allra första början hade känt hans närvaro så starkt att det inte var möjligt för henne att observera honom. En plötslig minnesbild om så bara av de första, osäkra och trevande ögonblicken kunde fortfarande få henne att vända sig inåt, som för att skydda den egna kroppens nakna förvåning, den brusande åtrån. *Min-älskade-min-älskade* muttrade hon då på ett strävt, mekaniskt sätt, och orden var en hemlig lindring.

När hon såg hans bild i tidningen gick det inte genast någon stöt genom kroppen. Det var Jonas mor som hade skickat urklippet; så länge hon levde var hon noga med att hålla kontakten och så ofta hon kunde påminna dem om Jonas. "Minns ni läkaren på Jonas begravning?" hade hon skrivit ovanför en liten rubrik. "Vildmarksläkare död i flygolycka." Det var säkert en gammal bild, som blivit suddig när den återgavs i tidningen. Ett ganska kraftigt ansikte, och han log – vilket hon aldrig skulle ha trott honom om att göra inför kameran. Han hade inte dött i sitt eget plan utan i en helikopterkrasch under en ambulansutryckning. Hon visade urklippet för Pierre. Hon sa: "Begrep du nånsin varför han var med på begravningen?"

"De var kanske kompisar på något sätt. Vilsna själar däruppe i norr."

"Vad pratade du med honom om?"

"Han berättade om när han en gång tog med sig Jonas upp för att lära honom flyga. Han sa: 'Aldrig mer.'"

Sen frågade han: "Fick inte du följa med honom i bilen någonstans? Vart?"

"Till Lynn Valley. Och hälsa på tant Muriel."

"Och vad pratade ni om då?"

"Jag tyckte att det var svårt att prata med honom."

Att han var död tycktes inte ha någon större inverkan på hennes fantasier – om det var så man kunde beskriva dem. De drömmar där hon föreställde sig att de möttes av en slump eller kanske efter att desperat ha kommit överens om att träffas igen hade ändå aldrig haft någon verklighetsförankring, och därför behövde hon inte göra om dem bara för att han var död. Det var drömmar som måste förblekna på ett sätt som hon inte behärskade och aldrig begrep.

När hon var på väg hem den kvällen hade det börjat regna lite lätt. Hon hade stannat kvar ute på däck. Hon reste sig och gick runt och kunde inte sätta sig ner igen på låren med flytvästar utan att få en stor våt fläck på klänningen. Därför stod hon och tittade på skummet som rördes upp i båtens kölvatten, och det slog henne att det hon borde göra var att kasta sig i vattnet, åtminstone om man utgick från den sortens romaner som inte längre skrevs. Hon borde göra det just nu, när hon var fylld av en lycka som hon säkert aldrig mer skulle känna och när varje cell i kroppen svällde av ljuv självaktning. En romantisk handling som ur ett förbjudet perspektiv skulle kunna betraktas som högst rationell.

Var hon frestad? Hon tänkte sig nog bara att hon var frestad. Hon var säkert aldrig i närheten av att ge efter, även om den dagen hade präglats av att ge efter.

Det var inte förrän Pierre var död som hon mindes ännu en detalj.

Asher hade kört henne till Horseshoe Bay, till färjan. Han hade stigit ur bilen och gått runt till hennes sida. Hon stod där och väntade på att säga adjö. Hon tog ett steg emot honom, för att kyssa honom – något helt naturligt efter de senaste timmarna – och han sa: "Nej."

"Nej", sa han. "Jag gör aldrig det."

Det var förstås inte sant att han aldrig gjorde det. Aldrig kysstes ute i det fria, där alla kunde se på. Han hade gjort det samma eftermiddag, på Prospect Point.

Nej.

Det var enkelt. En försiktighetsåtgärd. Ett avböjande. För att skydda henne, skulle man kunna säga, likaväl som honom själv. Inte ens han hade brytt sig om det tidigare den dagen.

Jag gör aldrig det handlade om något helt annat. En annan sorts försiktighetsåtgärd. En upplysning som inte kunde göra henne glad, även om avsikten kanske var att avhålla henne från att göra ett allvarligt misstag. Rädda henne från falska förhoppningar och förödmjukelse, från att begå en viss sorts misstag.

Hur sa de då adjö? Skakade de hand? Hon mindes inte.

Men hon hörde hans röst, den lätta men ändå allvarsamma tonen, hon såg hans bestämda, sympatiska ansikte, hon kände den lätta förändring som låg utom räckhåll för henne. Hon tvivlade inte på att minnesbilden var sann. Hon förstod inte hur hon så framgångsrikt kunde ha förträngt den under hela denna tid.

Hon anade att om hon inte hade lyckats göra det, skulle hennes liv kanske ha blivit annorlunda.

Hur då?

Hon skulle kanske inte ha stannat hos Pierre. Hon skulle kanske inte ha kunnat klara balansgången. Att försöka få det som sagts vid färjan att stämma överens med ord och handlingar tidigare under dagen skulle ha gjort henne mer vaken, mer nyfiken. Stoltheten eller egensinnet skulle ha kunnat spela in – ett behov av att låta någon man äta upp de där orden, en vägran att lära sig läxan – och mer därtill.

Hon kunde ha fått en annan sorts liv – vilket inte var samma sak som att hon skulle ha föredragit det. Säkert berodde det på åldern (något hon alltid glömde ta hänsyn till) och den tunna svala luft hon andades sen Pierres död, säkert var det därför hon kunde tänka på den sortens liv mer som ett experiment som hade sina fallgropar och fördelar.

Kanske kom man ändå inte fram till så mycket. Kanske kom man gång på gång fram till samma sak – som kunde vara något uppenbart men besvärande faktum hos en själv. I hennes fall det faktum att försiktigheten – eller åtminstone någon ekonomisk form av emotionell smidighet – hela tiden hade varit hennes ledstjärna.

Den lilla rörelse han gjort av självbevarelsedrift, den vänliga men dödliga tillrättavisningen, hans orubbliga attityd som likt en omodern vid kappa blivit lite förlegad. Nu kunde hon se honom med en sorts vardaglig hemlighetsfullhet, som om han hade varit en äkta man.

Hon undrade om han skulle komma att förbli sådan eller om hon under tiden framöver skulle ha en ny roll på lut åt honom, om hon i tanken ännu skulle finna någon sorts användbar funktion för honom.

Queenie

"DET ÄR KANSKE bäst att du slutar kalla mig så", sa Queenie när hon mötte mig på Union Station.

Jag sa: "Vadå? Queenie?"

"Stan gillar det inte", sa hon. "Han säger att det låter som en häst."

Det var mer förvånande att höra henne säga "Stan" än det var att få veta att hon inte längre kallades Queenie utan Lena. Men jag kunde ju knappast ha väntat mig att hon fortfarande skulle kalla sin man mr Vorguilla när de hade varit gifta i ett och ett halvt år. Under den tiden hade jag inte träffat henne, och när jag nyss fick syn på henne bland en skara människor som stod på stationen och väntade, kände jag nästan inte igen henne.

Hon hade färgat håret svart och tuperat det runt ansiktet i den tidstypiska stil som föregick Farah Diba-frisyren. Hennes egen vackra hårfärg, som halm och sirap, guld med mörkt under, var liksom den silkeslena längden för alltid borta. Hon hade en gulmönstrad klänning som smet åt runt kroppen och slutade flera centimeter ovanför knäna. De tjocka kleopatrastrecken runt ögonen och den lila ögonskuggan fick ögonen att se mindre ut, inte större, som om de medvetet ville gömma sig. Hon hade hål i öronen nu, med dinglande guldringar i.

Jag såg att också hon tittade på mig med viss förvåning. Jag försökte låta lite tuff och sa i lättsam ton: "Är det en klänning eller en volang du har runt ändan?" Hon skrattade och jag sa: "Du kan inte ana vad varmt det var på tåget. Jag svettas som en gris."

Jag hörde hur jag lät, lika nasal och hjärtlig som min styvmor Bet.

Svettas som en gris.

På spårvagnen hem till Queenie lät jag lika enfaldig. Jag sa: "Är vi kvar i centrum?" Vi hade snabbt lämnat höghusen bakom oss, men jag tyckte inte att kvarteren vi befann oss i såg ut som bostadshus. Samma sorts affärer och byggnader avlöste varandra – en kemtvätt, en blomsterhandel, en matvaruaffär, en restaurang. Lådor med frukt och grönsaker ute på trottoaren, skyltar om tandläkare och sömmerskor och rörgrossister i fönstren på andra våningen. Nästan inga hus högre än så, nästan inga träd.

"Det här är inte själva centrum", sa Queenie. "Kommer du ihåg att jag pekade på Simpson's? Där vi steg på spårvagnen? Det är där affärerna ligger."

"Är vi snart framme då?"

Hon sa: "Vi har knappt åkit halvvägs än."

Sen sa hon: "Knappt åkt. Stan är på mig om jag inte är noga med språket."

De monotona kvarteren eller kanske värmen gjorde mig ängslig och lite illamående. Vi höll min resväska i knät, och bara några centimeter ovanför mina fingrar hade jag en fet nacke och ett skalligt huvud. Några få svarta, svettiga långa hårstrån klamrade sig fast vid mannens skalp. Av någon anledning tvingade sig minnet av mr Vorguillas tänder i badrumsskåpet på mig; Queenie visade dem för mig när hon jobbade hos paret Vorguilla intill. Det var långt innan man någonsin kunde tänka på mr Vorguilla som Stan.

Två gommar med löständer som låg intill hans rakhyvel och rakborste och träskålen med den håriga och motbjudande raktvålen.

"Det är hans protes", hade Queenie sagt.

Protes?

"Tandprotes."

"Vad äckligt", sa jag.

"Det här är extragommarna", sa hon. "Han har på sig de andra."

"Så gula och äckliga de är."

Queenie satte handen över min mun. Hon ville inte att mrs Vorguilla skulle höra oss. Mrs Vorguilla låg på soffan nere i matsalen. Hon hade för det mesta ögonen slutna, men det var inte säkert att hon sov.

När vi till slut steg av spårvagnen fick vi gå uppför en brant backe, där vi tafatt försökte fördela resväskans tyngd mellan oss. Husen var inte riktigt likadana, fastän de först såg ut att vara det. En del tak nådde ner över ytterväggarna, som huvor, eller också täcktes hela andra våningen av takspån i mörkgrönt, rödbrunt eller brunt. Verandorna låg bara någon meter från trottoaren, och utrymmet mellan husen var så trångt att man säkert kunde böja sig ut genom sidofönstren och skaka hand. På trottoaren lekte barnen, men Queenie såg rakt igenom dem, som om det varit fåglar som pickade i asfaltsprickorna. En mycket tjock man, naken från midjan och uppåt, satt på sin yttertrapp och stirrade så målmedvetet och dystert på oss att jag var säker på att han hade något att säga. Queenie marscherade rakt förbi honom.

Hon svängde av en bit upp i backen och följde en grusgång mellan några soptunnor. Från ett fönster en trappa upp ropade en kvinna något som jag inte förstod. Queenie ropade tillbaka: "Det är bara min syster som kommer och hälsar på."

"Vår hyresvärdinna", sa hon. "De bor på framsidan av huset en trappa upp. De är greker. Hon talar knappt bara grekiska." Nu var hon inte uppmärksam på sitt eget språk.

Det visade sig att Queenie och mr Vorguilla delade badrum med grekerna. Man tog med sig sin rulle toalettpapper — om man glömde fanns det inget. Jag var tvungen att genast gå dit, för jag hade min menstruation och blödde kraftigt och måste byta binda. I många år efteråt skulle åsynen av vissa stadsgator en varm dag, vissa nyanser av brunt tegel och mörk takbeläggning och ljudet av spårvagnar återuppväcka minnet av kramp i nedre delen av magen hos mig, av värmevågor genom kroppen, rinnande kroppsvätskor, het förvirring.

Det fanns ett sovrum där Queenie sov med mr Vorguilla, ännu ett sovrum som gjorts om till ett litet vardagsrum, ett smalt kök och ett inglasat uterum. Jag skulle sova i tältsängen i uterummet. Strax utanför fönstren höll hyresvärden och en annan man på att laga en motorcykel. Lukten av olja, metall och maskindelar blandade sig med lukten av mogna tomater i solen. En radio vrålade ut musik genom ett fönster på andra våningen.

"Den där radion står Stan inte ut med", sa Queenie. Hon drog för de blommiga gardinerna, men oljudet och solen trängde ändå igenom. "Jag önskar att vi hade haft råd med foder", sa hon.

Jag hade den blodiga bindan invirad i toalettpapper i handen. Hon hämtade en papperspåse och visade mig soptunnan utomhus. "Varenda en", sa hon. "Ut med dem genast. Glöm det inte va? Och ställ inte asken nånstans där han kan se den; han hatar det."

Jag försökte fortfarande vara lite nonchalant och uppträda som om jag kände mig hemma. "Jag måste skaffa en sån sval klänning som du har", sa jag.

"Jag kunde kanske sy en åt dig", sa Queenie med huvudet inne i kylskåpet. "Jag ska ta en Coca-Cola, vad vill du ha? Jag kan gå till ett tyglager. Den här klänningen har nog inte kostat mer än tre dollar. Vad har du för storlek?"

Jag ryckte på axlarna. Jag sa att jag försökte gå ner i vikt.

"Ja, vi kan kanske hitta nånting."

"Jag ska gifta mig med en kvinna som har en liten flicka i din ålder", hade pappa sagt. "Och den lilla flickan har ingen pappa. Därför måste du lova att aldrig reta henne eller säga nånting styggt om det. Ibland kan det hända att ni grälar och blir ovänner som systrar brukar, men du får ändå aldrig säga något om det. Och om andra barn retas ska du inte vara på deras sida."

För diskussionens skull sa jag att jag inte hade någon mamma och att ingen sa något elakt till mig.

Pappa sa: "Det är annorlunda."

Han hade fel i allt. Vi var inte alls i samma ålder, för Queenie var nio när pappa gifte sig med Bet och jag var sex. Fast senare, när jag hade hoppat över en klass och Queenie fick gå om, kom vi närmare varandra i skolan. Och som jag vet var det aldrig någon som försökte vara elak mot Queenie. Henne ville alla vara vän med. Hon valdes alltid först i basebollaget, fastän hon spelade slarvigt, och fick alltid vara med i stavningstävlingar, fastän hon stavade urdåligt. Hon och jag bråkade inte heller med varandra. Inte en enda gång. Hon var alltid snäll mot mig och jag beundrade henne oerhört. Jag dyrkade henne, inte minst för det dovt guldfärgade håret och de mörka ögonen som alltid såg sömniga ut – bara utseendet och skrattet räckte. Hon hade ett skratt som var ljuvt och strävt som brunt socker. Det konstiga var att hon kunde vara godhjärtad och snäll trots alla sina företräden.

Så fort jag vaknade den morgonen på förvintern som Queenie försvann, kände jag att hon var borta.

Det var fortfarande mörkt, klockan var mellan sex och sju. Det var kallt i huset. Jag tog på mig den stora bruna yllemorgonrocken som Queenie och jag delade. Vi kallade den Buffalo Bill, och den av oss som kom först ur sängen på morgonen brukade nappa åt sig den. Vi visste inte var den kom ifrån, det var ett mysterium.

"Kanske från en beundrare till Bet innan hon gifte sig med din pappa", sa Queenie. "Men säg ingenting, hon skulle döda mig."

Hennes säng var tom och hon var inte i badrummet. Jag gick nerför trappan utan att tända ljuset, eftersom jag inte ville väcka Bet. Jag tittade ut genom den lilla rutan i ytterdörren. Den hårda asfalten, trottoaren och det platta gräset utanför huset, allt glänste av frost. Snön var sen i år. Jag vred upp termostaten i hallen, och pannan satte igång i mörkret och gav ifrån sig sitt pålitliga brummande. Vi hade just fått oljeeldning, och pappa sa att han fortfarande vaknade fem varje morgon och tänkte att det var dags att gå ner i källaren och lägga in bränsle.

Pappa sov i det som varit ett skafferi, bortom köket. Han hade en järnsäng och en stol med trasig rygg där han lade sin hög med gamla nummer av *National Geographic* som han läste när han inte kunde sova. Han tände och släckte ljuset i taket med hjälp av en sladd som var fastbunden i sängramen. För mig verkade hela detta arrangemang alldeles naturligt och riktigt när det gällde mannen i huset, pappan. Han skulle sova som en skiltvakt med en sträv filt till täcke och en icke rumsren lukt av motorer och tobak omkring sig. Han skulle läsa och vaka till sent på natten och alltid vara på helspänn, också när han sov.

Trots det hade han inte hört Queenie. Han sa att hon måste finnas någonstans i huset. "Har du tittat i badrummet?"

Jag sa: "Hon är inte där."

"Hon är kanske inne hos mamma. Om hon har fått stora skälvan igen."

Pappa kallade det stora skälvan när Bet hade drömt något hemskt och vaknade – eller inte riktigt vaknade. Då kom hon stapplande från sitt rum utan att kunna tala om vad som hade skrämt henne, och det var Queenie som fick leda henne tillbaka till sängen, kura ihop sig mot hennes rygg och ge ifrån sig tröstande ljud, som en valp som lapade mjölk. Nästa morgon mindes Bet inte ett dugg.

Jag tände ljuset i köket.

"Jag ville inte väcka henne", sa jag. "Bet."

Jag tittade på den rostiga brödburken, som alltför ofta blivit avtorkad med disktrasan, och på grytorna som stod på spisen, diskade men inte undanställda, och på tänkespråket från Fairholme-mejeriet: *Herren Gud är husets hjärta*. Alla dessa ting som menlöst väntade på att dagen skulle börja och inte visste att katastrofen hade urholkat den.

Dörren på ena sidan hade varit olåst.

"Någon har kommit in", sa jag. "Någon har kommit och tagit Queenie."

Pappa kom ut med byxorna på under den långa undertröjan. Bet klampade nerför trappan klädd i frottébadrock och tände ljuset på vägen.

Bet sa: "Vad är det ni säger om Queenie?"

"Hon har kanske bara tagit en promenad", sa pappa.

Bet ignorerade det. Hon hade lagt en ansiktsmask av något smetigt skärt som torkat in. Hon var försäljningsrepresentant för skönhetsprodukter, och hon sålde aldrig någon kosmetika som hon inte först själv hade prövat.

"Gå över till Vorguillas", sa hon till mig. "Hon kom kanske på nånting som hon skulle ha gjort där borta."

Det här var ungefär en vecka efter mrs Vorguillas begravning, men Queenie hade fortsatt att jobba där och hjälpt till med att packa porslin och linne så att mr Vorguilla skulle kunna flytta till en lägenhet. Han var tvungen att förbereda julkonserterna i skolan och kunde inte själv sköta all packning. Bet ville att Queenie skulle sluta direkt, så att hon kunde få extrajobb över julen i någon affär.

Jag satte på mig pappas gummistövlar som stod vid dörren istället för att gå upp och hämta mina skor. Jag snubblade över till Vorguillas entré och ringde på. Dörrklockan gav ifrån sig en melodi, vilket tycktes tillkännage att det var ett musikaliskt hus. Jag drog om mig Buffalo Bill och bad inom mig: Åh, Queenie, Queenie, tänd ljuset. Jag tänkte inte på att om Queenie hade jobbat därinne, skulle ljuset redan ha varit tänt.

Inget svar. Jag bankade på dörren. Mr Vorguilla skulle säkert inte vara nådig att tas med när jag äntligen lyckades väcka honom. Jag tryckte huvudet mot dörren och lyssnade efter ljud.

"Mr Vorguilla, mr Vorguilla. Jag är ledsen att väcka er, mr Vorguilla. Är det någon hemma?"

Ett fönster kastades upp i huset på Vorguillas andra sida. Mr Hovey var en gammal ungkarl som bodde där tillsammans med sin syster.

"Använd ögonen", ropade mr Hovey. "Titta på uppfarten."

Mr Vorguillas bil var borta.

Mr Hovey dängde igen fönstret.

När jag öppnade vår köksdörr såg jag pappa och Bet sitta vid bordet med varsin tekopp framför sig. Ett ögonblick trodde jag att ordningen var återställd. Kanske hade det kommit ett telefonsamtal med lugnande nyheter.

"Mr Vorguilla är inte där", sa jag. "Hans bil är borta."

"Åh, vi vet det", sa Bet. "Vi vet allt om det."

Pappa sa: "Titta på det här", och sköt över ett papper till mig.

Jag ska gifta mig med mr Vorguilla, stod det. *Vördsamt, Queenie.*

"Under sockerskålen", sa pappa.

Bet släppte skeden.

"Jag ska få honom åtalad", ropade hon. "Jag ska sätta henne på uppfostringsanstalt. Jag ska ringa polisen."

Pappa sa: "Hon är arton år gammal och hon kan gifta sig om hon vill. Polisen kommer inte att sätta upp vägspärrar."

"Vem säger att de är ute och kör? De har väl gått och lagt sig på nåt motell. Den idioten till flicka och den där glosögde snuskhummern, Vorguilla."

"Det hjälper inte hur du skäller, du får henne inte tillbaka ändå."

"Jag vill inte ha henne tillbaka. Inte om hon så kommer krypande. Som man bäddar får man ligga, och det kan hon göra med den där jädrans knölen. Han kan knulla henne i örat, jag skiter i vilket."

Pappa sa: "Nu räcker det."

Queenie gav mig några värktabletter att svälja med Coca-Cola.

"Det är fantastiskt att kramperna släpper så fort man gifter sig. Jaså – din pappa har berättat om oss?"

När jag lät pappa veta att jag tänkte skaffa ett sommarjobb innan jag började på lärarhögskolan på hösten, sa han att jag kanske kunde åka till Toronto och söka upp Queenie. Han sa att hon hade skrivit till honom på lastbilsfirman och frågat om han kunde låna dem lite pengar över vintern.

"Jag skulle aldrig ha behövt skriva till honom", sa Queenie, "om Stan inte hade blivit sjuk och fått lunginflammation."

Jag sa: "Det var det första livstecknet från dig." Jag vet inte varför, men tårarna steg mig i ögonen. Kanske för att jag blev så lycklig när jag fick veta var hon var, för att jag hade känt mig så ensam innan jag fick veta det och för att jag nu bara önskade att hon skulle säga: "Jag tänkte förstås ta kontakt med *dig*." Men det sa hon inte.

"Bet vet inte", sa jag. "Hon tror att jag är ute på egen hand."

"Det hoppas jag", sa Queenie lugnt. "Jag hoppas att hon inte vet, menar jag."

Jag hade mycket att berätta hemifrån. Jag berättade att lastbilsfirman hade expanderat från tre bilar till ett dussin och att Bet hade köpt en bisampäls och utökat sin verksamhet så att hon nu hade en skönhetssalong i vårt hus. Av den anledningen hade hon gjort i ordning rummet där pappa brukade sova, och han hade flyttat sin säng och sina exemplar av *National Geographic* till jobbet – dit han bogserat en barack från flygvapnet. När jag satt vid köksbordet och läste inför min slutexamen, hade jag hört Bet säga: "En så fin hy får man aldrig närma sig med tvättlapp", innan hon ställde fram en massa burkar med lotioner och krämer åt någon kvinna med grovt ansikte. Och ibland kunde hon i en ton som var lika intensiv men något mindre hoppfull säga: "Jag kan tala om för er att jag har haft självaste Ondskan boende granne med mig, fastän jag aldrig kunde ana det, för det gör man ju aldrig, eller hur? Jag tror alltid gott om människor. Ända tills de sparkar mig rakt i ansiktet."

"Just det", sa en kund. "Jag är likadan."

Eller: "Man tror man vet vad sorg är, men man har ingen aning."

När Bet hade följt kvinnan till dörren kom hon tillbaka in och sa stönande: "Om man tog på hennes ansikte i mörkret, skulle man inte kunna skilja det från ett sandpapper."

Queenie verkade inte intresserad av dessa nyheter. Och vi hade inte mycket tid på oss. Innan vi hade hunnit dricka ur Coca-Colan hördes snabba hårda steg i gruset, och mr Vorguilla kom in i köket.

"Se vem som är här", ropade Queenie. Hon reste sig till hälften, som om hon ville röra vid honom, men han girade bort mot diskhon.

Hennes röst var så full av munter förvåning att jag undrade om hon hade sagt något till honom om mitt brev eller att jag var på väg dit.

"Det är Chrissy", sa hon.

"Jag ser det", sa mr Vorguilla. "Du måste gilla värmen, Chrissy, om du kommer till Toronto på sommaren."

"Hon ska söka jobb", sa Queenie.

"Och har du några kvalifikationer?" frågade mr Vorguilla. "Har du kvalifikationer nog för att få jobb i Toronto?"

Queenie sa: "Hon har sin avgångsexamen."

"Ja, vi får hoppas att det räcker", sa mr Vorguilla. Han hällde upp ett glas vatten och drack stående med ryggen åt oss. Precis som han brukade göra när mrs Vorguilla, Queenie och jag satt vid köksbordet i det andra huset, där vi var grannar. Mr Vorguilla kunde komma in från någon övning eller en pianolektion i vardagsrummet. Vid ljudet av hans steg gav mrs Vorguilla oss alltid ett varnande leende. Och vi tittade alla ner på våra alfapetbokstäver och lät honom välja om han ville lägga märke till oss eller inte. Ibland gjorde han inte det. Han öppnade skåpet, vred på kranen och ställde ner glaset på diskbänken så att det lät som en serie små explosioner. Som om ingen fick förstå sig att andas medan han var där.

När han undervisade i musik i skolan var han precis likadan. Han kom in i klassrummet med steg som vittnade om att han inte hade en minut att förlora, lät pekpinnen vina genom luften och satte igång. Upp och ner genom gångarna struttade han och spetsade öronen, med en vaksam blick i de utstående blå ögonen och en min som var spänd och grälsjuk. När som helst kunde han stanna vid någon bänk och lyssna på hur man lät och kontrollera om man fuskade eller sjöng falskt. Då böjde han långsamt på huvudet och stack de utstående ögonen inpå en, medan han gestikulerade åt de andra att tystna så att han riktigt skulle få en att skämmas. Och ryktet påstod att han var lika mycket av diktator i sina olika körer. Ändå var han favorit hos sångarna, särskilt de kvinnliga. De gav honom hemstickade saker i julklapp, sockor och halsdukar och vantar för att han skulle hålla sig varm under förflyttningarna mellan olika skolor och olika körer.

När mrs Vorguilla blev sjuk och Queenie hade hand om huset, fiskade hon upp ett stickat föremål ur en låda och viftade med det framför ansiktet på mig. Det var en anonym gåva.

Jag kunde inte säga vad det var.

"Det är en snoppvärmare", sa Queenie. "Mrs Vorguilla sa att vi inte skulle visa den för honom, han skulle bara bli arg. Vet du vad en snoppvärmare är?"

Ja sa: "Fy."

"Det är bara på skämt."

Både Queenie och mr Vorguilla var tvungna att ge sig ut och jobba om kvällarna. Mr Vorguilla spelade piano på en restaurang, klädd i smoking. Och Queenie sålde biljetter på en biograf. Den låg bara några kvarter bort, så jag promenerade dit med henne. Och när jag såg henne sitta i biljettluckan förstod jag att det ändå inte var så konstigt med makeupen och det tuperade, färgade håret och örringarna. Queenie såg ut som flickorna som gick förbi på gatan eller var på väg in på biografen med sina pojkvänner. Och hon var mycket lik flickorna som var avbildade på affischerna omkring henne. Hon såg ut att höra samman med den dramatiska värld av heta kärlekshistorier och faror som spelades upp därinne på vita duken.

Hon såg med min pappas ord inte ut som om hon skulle behöva krusa någon.

"Du kan väl gå omkring och se dig om lite?" sa hon till mig. Men jag kände mig dum. Jag kunde inte tänka mig att sitta på ett café och dricka kaffe och visa världen att jag var sysslolös och inte hade någonstans att ta vägen. Och jag kunde inte gå in i en affär och prova kläder som jag inte hade någon som helst möjlighet att köpa. Jag gick uppför backen igen och vinkade åt den grekiska kvinnan som ropade en hälsning från fönstret. Jag öppnade med Queenies nyckel.

Sen satte jag mig på tältsängen i det inglasade uterummet. Det fanns ingenstans att hänga upp kläderna jag hade tagit med mig, och jag anade att det ändå inte var någon god idé att packa upp. Det var inte säkert att mr Vorguilla ville se några tecken på att jag skulle stanna.

Mr Vorguilla hade ändrat utseende, precis som Queenie, tänkte jag. Men han å sin sida hade inte som hon förändrats i en riktning som tycktes mig hård, glamorös och sofistikerad. Hans hår, som hade varit rödgrått, var nu helt grått, och ansiktet — som alltid haft nära till missnöje om någon visade brist på respekt eller om föremål i huset inte befann sig där de skulle — verkade nu präglat av ständig indignation, som om han blivit dödligt förolämpad eller som om någon ostraffat uppförde sig illa i hans ögon.

Jag reste mig och gick runt i lägenheten. Man kan aldrig få en bra uppfattning om den plats folk bor på när de själva är hemma.

Köket var trevligast, även om det var för mörkt. Queenie hade en murgröna som sträckte sig runt fönstret ovanför diskhon, och ur en vacker mugg utan handtag stack det upp träslevar, precis som hos mrs Vorguilla. I vardagsrummet stod pianot, samma piano som i det gamla vardagsrummet. Där fanns en fåtölj och en bokhylla gjord av tegelstenar och plankor samt en skivspelare och en massa skivor som låg på golvet. Ingen teve. Inga gungstolar i valnöt eller tunga gardiner. Inte ens golvlampan med japanska scenerier på pergamentskärmen. Ändå hade alla dessa ting flyttats till Toronto en snöig dag. Jag var hemma på frukostrasten och såg flyttbilen. Bet kunde inte hålla sig borta från fönstret i ytterdörren. Till slut tappade hon all den värdighet hon gärna visade inför främmande människor och öppnade dörren och skrek åt flyttgubbarna: "Åk nu tillbaka till Toronto och säg åt honom att om han nånsin visar sig här igen, ska han få ångra det."

Flyttgubbarna vinkade glatt, som om de var vana vid sådana utbrott, och det var de kanske också. Om man flyttade möbler blev man säkert utsatt för en massa gormande människor.

Men vart hade allting tagit vägen? Sålt, tänkte jag, säkert hade de sålt sakerna. Pappa hade sagt att det lät som om mr Vorguilla hade problem med att komma igång i sitt yrke nere i Toronto. Och Queenie hade antytt något om att "komma efter". Hon skulle aldrig ha skrivit till pappa om de inte hade kommit efter.

De måste ha sålt möblerna innan hon skrev.

I bokhyllan såg jag *The Encyclopedia of Music, The World Companion to Opera* och *The Lives of the Great Composers*. Där fanns också den stora tunna boken med vackert omslag som mrs Vorguilla ofta hade bredvid soffan — *Rubaiyat* av Omar Khayyám.

Där fanns en annan bok som också hade ett vackert omslag. Jag minns inte riktigt titeln, men någonting i den fick mig att tro att jag kanske skulle tycka om den. Ordet "blomprydd" eller "parfymerad". Jag öppnade boken, och jag minns mycket väl den första meningen jag läste.

"De unga harimodaliskerna var också väl bevandrade i den utsökta konsten att använda fingernaglarna."

Jag var inte säker på vad en odalisk var, men ordet "harim" (varför inte "harem") gav mig en ledtråd. Och jag var tvungen att läsa vidare för att ta reda på vad de lärt sig att göra med fingernaglarna. Jag läste och läste i kanske en timme och lät sen boken falla till golvet. Jag kände upphetsning, avsmak och vantro. Var det sådana saker som de vuxna ägnade sig åt? Till och med motivet på omslaget med vackra klängväxter som snodde sig om varandra verkade lätt fientligt och korrumperat. Jag tog upp boken för att sätta tillbaka den och när den föll upp såg jag namnen på försättsbladet. Stan och Marigold Vorguilla. Med kvinnlig stil. Stan och Marigold.

Jag tänkte på mrs Vorguillas höga vita panna och hårda gråsvarta små lockar. På pärlknapparna i öronen och blusarna som knöts med en rosett i halsen. Hon var bra mycket längre än mr Vorguilla, och folk trodde att det var därför de aldrig gick ut tillsammans. Men egentligen var det för att hon blev så andfådd. Hon blev andfådd av att gå uppför trappan eller av att hänga tvätt på strecket. Och till slut blev hon andfådd till och med av att sitta vid bordet och spela alfapet.

I början ville pappa inte låta oss ta emot några pengar för att vi hämtade hennes varor i affären eller hängde upp hennes tvätt – han sa att det hörde till gott grannskap.

Bet sa att hon tänkte försöka vänta och se om folk kom och passade upp henne gratis.

Sen kom mr Vorguilla över och frågade om Queenie ville börja arbeta hos dem. Queenie ville gärna det, för hon hade inte klarat året i high school och tänkte inte gå om. Till slut sa Bet ja på villkor att hon inte fick vara någon sjuksköterska.

"Om han är för snål för att anställa en sjuksköterska är det inte din huvudvärk."

Queenie sa att mr Vorguilla lade fram tabletterna varje morgon och hjälpte mrs Vorguilla att tvätta sig varje kväll. Han försökte till och med skölja hennes lakan i badkaret, som om det inte fanns någon tvättmaskin i huset.

Jag tänkte på de gånger då vi satt och spelade Alfapet i köket och mr Vorguilla drack ur sitt vattenglas och lade handen på mrs Vorguillas axel och suckade, som om han hade kommit hem från en lång och tröttsam resa.

"Hej, gullet", sa han då.

Och mrs Vorguilla böjde på huvudet och gav honom en torr kyss på handen.

"Hej, gullet", sa hon.

Sen tittade han på oss, på Queenie och mig, som om vår närvaro inte retade gallfeber på honom just då.

"Hej på er."

Senare, när Queenie och jag hade gått och lagt oss, fnissade vi och sa:

"God natt, gullet."

"God natt, gullet."

Vad jag önskade att vi kunde återvända till den tiden.

Jag gick in i badrummet på morgonen och smet ut och stoppade bindan i soptunnan, men sen satt jag kvar på den bäddade sängen i uterummet till dess att mr Vorguilla lämnade huset. Jag var rädd att han inte skulle ha någonstans att gå, men det hade han tydligen. Så fort han hade gått ropade Queenie på mig. Hon hade ställt fram en skalad apelsin och cornflakes och kaffe.

"Och här är tidningen", sa hon. "Jag har tittat på platsannonserna. Men först vill jag göra något med ditt hår. Jag vill klippa lite därbak och lägga upp det på spolar. Vad säger du."

Jag sa att hon gärna fick göra det. Medan jag åt gick Queenie runt mig och tittade och försökte tänka ut vad hon skulle göra. Sen satte hon mig på en pall – jag hade inte druckit upp kaffet än – och började kamma och klippa.

"Vad för sorts jobb är det du letar efter?" frågade hon. "Jag såg ett på kemtvätten. Vid disken. Vad tycker du om det?"

"Det låter bra", sa jag.

"Tänker du fortfarande bli lärare?"

Jag sa att jag inte visste. Hon tyckte kanske att det var ett trist yrke, tänkte jag.

"Jag tycker att du ska bli det. Du är smart nog. Lärare har bättre betalt. Bättre än såna som jag. Du är mycket självständigare."

Men det var bra att jobba på biografen, sa hon. Hon hade fått jobbet någon månad före jul, och hon var verkligen glad att äntligen tjäna egna pengar och kunna köpa ingredienser till en julkaka. Sen blev hon god vän med en man som sålde julgranar från ett lastflak. Han lät henne få en för femtio cent, och hon släpade själv upp den för backen. Hon hängde girlanger av rött och grönt kräppapper i den, för det var billigt. Så gjorde hon prydnader av aluminiumfolie och papp och köpte lite fler dagen före jul, när priset var nedsatt. Hon bakade kakor och hängde dem i granen så som hon hade sett i en tidskrift. Det var en europeisk tradition.

Hon ville ha en fest, men hon visste inte vem hon skulle bjuda. Där var förstås grekerna, och så hade Stan några vänner. Sen fick hon idén att bjuda några av hans elever.

Jag kunde fortfarande inte vänja mig vid att hon sa "Stan". Inte bara för att det påminde om hennes intima liv med mr Vorguilla. Jo, det också. Men det var en sorts känsla att hon hade skapat honom ur ingenting. En ny person. Stan. Som om det överhuvudtaget aldrig hade funnits någon mr Vorguilla som vi hade känt tillsammans – och än mindre en mrs Vorguilla.

Stan hade bara vuxna elever nu – han föredrog vuxna framför skolbarn – och därför fanns det ingen anledning att ordna lekar och tidsfördriv för barn. Festen ägde rum en söndagskväll, eftersom alla de andra kvällarna var upptagna av Stans arbete på restaurangen och Queenies på biografen.

Grekerna hade med sig hemgjort vin och några av studenterna hade äggtoddymix, rom och sherry. Och en del hade med sig skivor att dansa till. De trodde inte att Stan hade skivor med den sortens musik, och det stämde.

Queenie gjorde korvpiroger och mjuk fruktkaka och den grekiska kvinnan hade med sig hembakta kakor. Allting var gott. Festen blev en succé. Queenie dansade med en kinesisk pojke som hette Andrew och som haft med sig skivor hon älskade.

"Snurra, snurra, snurra", sa hon, och jag rörde lydigt på huvudet. Hon skrattade och sa: "Nej, jag menade inte dig. Det är skivan. Låten. Det är The Byrds."

Andrew skulle bli tandläkare. Men han ville lära sig spela *Månskens-sonaten*. Stan sa att det skulle ta lång tid för honom att lära sig den. Andrew var tålmodig. Han berättade för Queenie att han inte hade råd att åka hem till norra Ontario över julen.

"Jag tyckte han var från Kina", sa jag.

"Nej, inte kinesisk kines. Härifrån."

De lekte också en lek, hela havet stormar. Alla var uppspelta. Till och med Stan. Han drog ner Queenie i knät när hon sprang förbi och ville inte släppa taget. Och sen när alla hade gått ville han inte låta henne städa. Han ville bara få henne i säng.

"Du vet hur karlar är", sa Queenie. "Har du nån pojkvän ännu eller?"

Jag sa nej. Den som pappa senast anställt som chaufför gjorde sig ständigt ärende hem till oss och pappa sa: "Han vill bara få en chans att prata med Chrissy." Men jag var sval mot honom, och dittills hade han inte samlat mod nog att be mig gå med ut.

"Så du vet ingenting om sånt ännu då?" sa Queenie.

"Jovisst gör jag det", sa jag.

"Hmm", sa hon.

Gästerna hade ätit upp nästan allting på festen utom kakan. Den gick inte åt, men Queenie blev inte sårad. Den var väldigt mäktig, och när de väl kom till den hade alla ätit sig mätta på korvpiroger och annat. Den hade inte heller hunnit stå och mogna som det stod att den skulle, så hon var lika glad att ha den kvar. Innan Stan drog med henne hade hon tänkt vira in kakan i en vinindränkt duk och lägga den svalt. Hon hade antingen tänkt göra det eller faktiskt gjort det, och när hon nästa morgon såg att kakan inte stod kvar på bordet, trodde hon att hon hade gjort det. Bra, kakan är undanställd, tänkte hon.

Någon dag senare sa Stan: "Kan vi inte ta en bit av den där kakan." Hon sa: "Åh, låt den mogna lite till", men han var envis. Hon gick till skafferiet och sen till kylskåpet, men den fanns inte någonstans. Hon letade överallt men kunde inte hitta den. Hon gick tillbaka i tankarna och såg för sig hur den stod på bordet, samtidigt som hon mindes att hon tagit fram en ren duk och dränkt in den i vin och omsorgsfullt virat den kring det som var kvar av kakan. Sen hade hon slagit in alltsammans i vaxpapper. Men när hade hon gjort det? Hade hon verkligen gjort det eller bara drömt alltsammans? Var hade hon lagt kakan sen hon virat in den? Hon försökte dra sig till minnes hur hon gjort, men det var tomt i huvudet.

Hon letade igenom hela skafferiet, men hon visste att kakan var för stor för att gömma sig där. Sen tittade hon i ugnen och till och med på vansinniga ställen som i byrålådor och under sängen och på garderobshyllan. Den fanns ingenstans.

"Om du har lagt den någonstans, måste den finnas någonstans", sa Stan.

"Jag vet att jag har lagt den någonstans", sa Queenie.

"Du kanske var så berusad att du kastade ut den", sa han.

Hon sa: "Jag var inte berusad. Jag har inte kastat ut den."

Men hon gick ändå och tittade i soptunnan. Nej.

Han satt vid bordet och iakttog henne. Om du har lagt den någonstans måste den finnas någonstans. Hon höll på att bli alldeles utom sig.

"Är du säker?" sa Stan. "Är du säker på att du inte bara gav bort den?"

Hon var säker. Hon var säker på att hon inte hade gett bort den. Hon hade slagit in den för att den skulle hålla sig. Hon var säker, hon var nästan säker på att hon hade gjort det. Hon var säker på att hon inte hade gett bort den.

"Åh, det undrar jag", sa Stan. "Jag tror att du gav bort den. Och jag tror jag vet vem du gav den till."

Queenie blev stående. Vem då?

"Jag tror du gav den till Andrew."

Till Andrew?

Jovisst. Den stackars Andrew, som berättade för henne att han inte hade råd att åka hem över jul. Hon tyckte synd om Andrew.

"Så du gav honom vår kaka."

Nej, sa Queenie. Varför skulle hon ha gjort det? Hon skulle aldrig ha kommit på tanken att ge Andrew kakan. Det skulle hon aldrig ha gjort.

Stan sa: "Lena. Ljug inte."

Det var början på Queenies långa och bedrövliga kamp. Det enda hon kunde säga var nej. Nej, nej, jag har inte gett kakan till någon. Jag gav inte kakan till Andrew. Jag ljuger inte. Nej. Nej.

"Du var säkert berusad", sa Stan. "Du var berusad och du minns inte så väl."

Queenie sa att hon inte var berusad.

"Det var du som var berusad", sa hon.

Han reste sig och gick fram till henne med handen beredd att slå och sa att hon inte fick säga att han hade varit berusad, aldrig någonsin.

Queenie ropade: "Jag ska inte. Jag lovar. Förlåt." Och han slog henne inte. Men hon började gråta. Hon grät och grät, medan hon försökte övertyga honom. Varför skulle hon ge bort kakan som hade varit så jobbig att göra? Varför ville han inte tro henne? Varför skulle hon ljuga för honom?

"Alla ljuger", sa Stan. Och ju mer hon grät och tiggde och bad att han skulle tro henne, desto mer kallsinnig och sarkastisk blev han.

"Använd ditt sunda förnuft. Om den finns här, gå då och leta fram den. Om den inte finns här, då har du gett bort den, det är bara logiskt."

Queenie sa att det inte var logiskt. Hon måste inte ha gett bort den bara för att hon inte kunde hitta den. Sen kom han tätt intill henne igen på ett så lugnt och nästan leende sätt att hon ett ögonblick trodde att han skulle kyssa henne. Istället kramade han med båda händerna om hennes strupe så att hon under en kort sekund inte kunde andas.

Han lämnade inte ens några märken efter sig.

"Sådär", sa han. "Kom nu inte och säg att du tänker lära mig vad logik är."

Sen gick han och klädde om för att spela på restaurangen.

Han slutade prata med henne. Han skrev en lapp och sa att han inte tänkte tala med henne förrän hon sa sanningen. Under hela julen kunde hon inte sluta gråta. Hon och Stan var hembjudna till det grekiska paret på juldagen, men hon kunde inte gå, hon såg så gräslig ut i ansiktet. Stan fick gå ensam och säga att hon var sjuk. Grekerna visste nog ändå hur det stod till. De hade säkert hört grälet genom väggarna.

Hon satte på sig massor av makeup och gick till jobbet, och chefen sa: "Vill du få folk att tro att det här är en snyftare?" Hon sa att hon hade bihåleinflammation och han lät henne gå hem.

När Stan kom hem den kvällen och låtsades som om hon inte fanns, vände hon sig om och tittade på honom. Hon visste att han skulle ligga som en pinne bredvid henne i sängen, och om hon flyttade sig intill honom skulle han fortsätta ligga som en pinne tills hon drog sig undan. Hon kände att han kunde leva på det sättet men att hon inte kunde det. Om det fortsatte så skulle hon dö. Hon skulle dö, precis som om han verkligen hade kvävt henne.

Därför sa hon: Förlåt mig.

Förlåt mig. Det var som du sa. Förlåt mig.

Snälla du, förlåt.

Han satte sig ner på sängen. Han sa ingenting.

Hon sa att hon faktiskt hade glömt att hon gav bort kakan men att hon nu mindes att hon hade gjort det och att hon var ledsen.

"Jag ljög inte", sa hon. "Jag hade glömt."

"Du glömde att du gav kakan till Andrew?" sa han.

"Jag måste ha gjort det. Jag glömde."

"Till Andrew. Du gav den till Andrew."

Ja, sa Queenie. Ja, ja, det var det hon hade gjort. Och hon började tjuta och klänga sig fast vid honom och tigga och be om förlåtelse.

Okej, lugna ner dig nu, du är ju hysterisk, sa han. Han sa inte att han förlät henne, men han hämtade en varm tvättlapp och tvättade henne i ansiktet och lade sig ner och höll om henne och snart ville han göra mer.

"Inga fler pianolektioner för mr Månskenssonaten."

Och sen ovanpå alltihop hittade hon kakan.

Den låg insvept i en diskhandduk med vaxpapper omkring, precis som hon mindes. Och nerstoppad i en shoppingkasse som hängde i en krok vid köksingången. Naturligtvis. Därute var det idealiskt, för även om det inte var minusgrader där var den ingången för kall att använda om vintern. Och sen hade hon glömt det. Hon hade varit lite berusad – det måste hon ha varit. Hon hade totalt glömt det. Och där var den.

Hon hittade den och kastade ut den. Hon sa aldrig något till Stan.

"Jag kastade den", sa hon. "Den var precis lika god med så mycket dyr frukt och annat i, men det gick bara inte att ta upp ämnet igen. Så jag slängde ut den."

Hennes röst, som varit så bedrövad när hon talade om det tråkiga som hänt, var nu spjuveraktig och skrattlysten, som om hon hela tiden berättat en rolig historia och nu hunnit till själva den löjliga poängen, att hon kastade kakan.

Jag fick vrida huvudet ur hennes händer för att kunna vända mig om och titta på henne.

Jag sa: "Men han hade ju fel."

"Jo, det är klart att han hade fel. Män är inte *normala*, Chrissy. Det är en sak du får lära dig om du nånsin gifter dig."

"Då gör jag aldrig det. Jag gifter mig aldrig."

"Han var bara svartsjuk", sa hon. "Han var så svartsjuk."

"Aldrig."

"Men du och jag är väldigt olika, Chrissy. Väldigt olika." Hon suckade. Hon sa: "Jag är skapad för kärlek."

Det var ord som man skulle kunna se på en filmaffisch. "Skapad för kärlek." Kanske på en affisch till någon av filmerna som spelades på Queenies biograf.

"Du kommer att bli så fin när jag tar ut spolarna", sa hon. "Det dröjer säkert inte länge förrän du kan säga att du har en pojkvän. Men det blir för sent att gå och söka jobb idag. Du får gå upp tidigt i morgon. Om Stan frågar så säg bara att du har varit på några ställen och att de tog ditt telefonnummer. En affär eller en restaurang eller nånting sånt, bara han tror att du har letat."

Jag fick jobb nästa dag på det första stället jag kom till, även om jag inte lyckades bli klar så tidigt. Queenie hade bestämt sig för att göra en annan frisyr på mig och dessutom lägga ögonmakeup, men resultatet blev inte riktigt som hon hade hoppats. "Du är nog ändå den naturliga typen", sa hon och tvättade av alltihop och målade mina läppar med det vanliga röda läppstiftet, inte det blanka skära som hon hade.

Vid det laget var det för sent för Queenie att följa med mig ut och gå till posten. Hon var tvungen att skynda sig till biografen. Det var lördag, så hon skulle jobba både på eftermiddagen och på kvällen. Hon tog fram sin nyckel och bad mig se om hon hade fått någon post i sin box. Hon förklarade var den fanns.

"Jag fick skaffa en egen postbox när jag skrev till din pappa", sa hon.

Jag fick jobb på en drugstore i källaren till ett hyreshus. Jag skulle jobba bakom lunchdisken. När jag kom dit kände jag mig ganska hopplös. Håret slokade i värmen och svetten pärlade på överläppen. Men kramperna i magen hade i alla fall släppt.

En kvinna i vit uniform satt vid disken och drack kaffe.

"Söker du jobbet?" sa hon.

Jag sa ja. Kvinnan hade ett hårt, fyrkantigt ansikte, ögonbryn som var ditmålade med penna och tuperat lilaaktigt hår i en knut på huvudet.

"Du talar engelska va?"

"Ja."

"Du är inte nybörjare då, inte utlänning?"

Jag sa att jag inte var det.

"Jag har prövat två flickor de senaste dagarna och jag fick låta båda två gå. Den ena påstod att hon kunde engelska, men det kunde hon inte, och den andra fick jag säga allting till tio gånger om. Tvätta händerna ordentligt vid diskhon, så ska du få ett förkläde. Min man sköter apoteksavdelningen och jag sitter i kassan. (Jag såg för första gången att det stod en gråhårig man bakom en hög disk i hörnet och tittade på mig utan att låtsas om det.) "Det är tyst just nu, men om en stund blir det mycket att göra. Det är alla de gamla som bor här i kvarteret. När de har tagit sig en lur kommer de hit ner och vill ha kaffe."

Jag knöt på mig ett förkläde och ställde mig bakom disken. Nu hade jag jobb i Toronto. Jag försökte leta upp saker och ting utan att ställa frågor och behövde bara ta reda på hur man skötte kaffekokaren och vad man gjorde med pengarna.

"Du skriver notan och de kommer till mig med den. Vad trodde du?"

Det gick bra. Det droppade in folk, en eller två i taget, och de flesta ville ha kaffe eller Coca-Cola. Jag såg till att kopparna var diskade och torkade, att bänken var ren och jag lyckades tydligen skriva rätt på notan, eftersom det inte kom några klagomål. Kunderna bestod mest av gamla, som kvinnan hade sagt. Några talade vänligt till mig och såg att jag var ny och frågade till och med var jag kom ifrån. Andra verkade befinna sig i något slags trance. En kvinna ville ha rostat bröd, och det lyckades jag med. Sen gjorde jag en skinksmörgås. Ett tag blev det lite jäktigt med fyra gäster på en gång. En man ville ha paj och glass, och glassen var hård som cement när jag skulle skopa upp den. Men jag gjorde det. Jag blev säkrare. Jag sa "Varsågod" när jag ställde ner beställningen och "Här kommer notan för kalaset" när jag lämnade över räkningen.

När det blev lugnare kom kvinnan över från kassan.

"Jag ser att du gjorde rostat bröd åt någon", sa hon. "Kan du läsa?"

Hon pekade på en skylt som var instucken vid spegeln bakom disken.

INGA FRUKOSTRÄTTER SERVERAS EFTER II.

Jag sa att jag trodde det gick bra att ta emot beställningar på rostat bröd, eftersom vi rostade bröd till de smörgåsar som serverades.

"Ja, då trodde du fel. Visst har vi rostat bröd till smörgåsar, men det kostar tio cent extra. Fattar du nu?"

Jag sa ja. Jag blev inte så förkrossad som jag skulle ha blivit i början. Hela tiden medan jag arbetade tänkte jag på vilken lättnad det skulle bli att gå tillbaka och tala om för mr Vorguilla att ja, jag hade fått ett jobb. Nu kunde jag ge mig ut och leta efter ett rum att hyra. Kanske i morgon, söndag, om affären hade stängt. Och även om jag bara hade ett rum tänkte jag att Queenie skulle ha någonstans att ta vägen om mr Vorguilla blev arg på henne igen. Och om Queenie någonsin bestämde sig för att lämna mr Vorguilla (jag höll fast vid den möjligheten, trots Queenies sätt att avsluta sin berättelse), skulle vi med lönen vi fick för båda våra jobb kanske kunna skaffa en liten lägenhet. Eller åtminstone ett rum med kokplatta och toalett och egen dusch. Det skulle bli som när vi bodde hemma med våra föräldrar, utom att föräldrarna inte var där.

Jag garnerade smörgåsarna med en bit avriven sallad och lite dillpickles. Det utlovades på en annan skylt på spegeln. Men när jag tog fram dillpickles ur en burk, tyckte jag att bitarna var för stora, så jag skar dem mitt itu. Jag hade just serverat en sådan smörgås åt en man när kvinnan kom över från kassan och hällde upp en kopp kaffe åt sig. Hon tog med sig kaffet tillbaka till kassan och drack det stående. När mannen hade ätit upp sin smörgås och betalat den och gått ut ur affären, kom hon över igen.

"Du gav mannen en halv picklesbit. Har du gjort så med alla smörgåsar?"

Jag sa ja.

"Kan du inte skiva en picklesbit? En bit ska räcka till tio smörgåsar." Jag tittade på skylten. "Det står inte skiva. Det står bara pickles."

"Nu räcker det", sa kvinnan. "Ta av dig förklädet. Jag accepterar inte någon uppkäftighet från mina anställda, den saken är klar. Du kan ta din väska och ge dig iväg. Och kom inte och be mig om betalning, för du har inte varit till någon som helst nytta och det var ändå bara på prov."

Den gråhårige mannen tittade fram med ett nervöst leende.

Alltså befann jag mig strax ute på gatan igen, på väg mot spårvagns-hållplatsen. Men nu visste jag var vissa gator låg och hur jag skulle by-ta vagn. Jag hade till och med arbetserfarenhet. Jag kunde säga att jag hade jobbat bakom disken på en lunchservering. Om någon ville ha referenser skulle det bli svårt – men jag kunde alltid säga att lunchser-veringen låg i min hemstad. Medan jag väntade på spårvagnen tog jag fram listan över de andra ställen där jag hade tänkt söka jobb och kar-tan som Queenie hade gett mig. Men klockan var mer än jag trott, och de flesta av ställena verkade ligga långt bort. Jag fasade för att behöva berätta för mr Vorguilla. Jag bestämde mig för att promenera tillbaka i förhoppningen att han skulle ha hunnit gå när jag kom.

Jag hade just börjat gå uppför backen när jag kom ihåg mitt ärende till posten. Jag letade mig tillbaka dit och hämtade ut ett brev ur box-en och gick hemåt igen. Nu måste han ha gått sin väg.

Men det hade han inte. När jag gick förbi det öppna vardagsrums-fönstret som vette åt gången vid huset, hörde jag musik. Det var inte nå-got som Queenie skulle ha spelat. Det var den sortens komplicerad mu-sik som vi ibland hade hört strömma ut genom de öppna fönstren hos Vorguillas – musik som krävde ens uppmärksamhet och sen inte ledde någonstans, eller i alla fall inte ledde någonstans fort nog. Klassisk.

Queenie var i köket, klädd i en annan av sina trånga klänningar och med full makeup. Det klirrade om hennes armringar när hon ställde tekoppar på en bricka. Jag kände mig ett ögonblick yr i huvudet när jag kom in från solskenet, och svetten lackade över hela kroppen.

"Sch", sa Queenie, för jag hade stängt dörren efter mig med en smäll. "De är därinne och lyssnar på skivor. Det är han och hans vän Leslie."

Just som hon sa det tystnade musiken plötsligt och ett ivrigt samtal bröt ut.

"En av dem spelar en liten bit av en skiva och den andra ska gissa vad det är", sa Queenie. "De spelar bara små stycken och sen är det stopp. Man blir galen." Hon började skära grillad kyckling i skivor och lägga dem på bredda brödskivor. "Fick du nåt jobb?" sa hon.

"Ja, men bara tillfälligt."

"Ja, ja." Hon verkade inte särskilt intresserad. Men när musiken satte igång igen tittade hon upp, log och sa: "Gick du till –" Och så fick hon syn på brevet jag hade i handen.

Hon tappade kniven och kom hastigt fram till mig och sa tyst: "Gick du bara in med brevet i handen så där? Jag borde ha sagt till dig att lägga det i väskan. Mitt privata brev." Hon slet det ur handen på mig och just då började kitteln på spisen vissla.

"Åh, ta av vattnet, Chrissy, skynda dig! Annars kommer han rusande, han står inte ut med ljudet."

Hon hade vänt ryggen åt mig och höll på att slita upp kuvertet.

Jag tog kitteln från plattan och hon sa: "Vill du vara snäll och göra i ordning teet –" Hon talade med låg och tankspridd röst, som om hon just höll på att läsa ett angeläget meddelande. "Häll bara på vattnet, jag har redan mätt upp det."

Hon skrattade, som om hon läste något lustigt som bara var avsett för henne. Jag hällde vattnet över tebladen, och hon sa: "Tack. Åh, tack, Chrissy, tack." Hon vände sig om och såg på mig. Ansiktet var rosigt och ringarna på hennes armar klirrade sprött men upprört. Hon vek ihop brevet och drog upp kjolen och stack in det under resårbandet i trosorna.

Hon sa: "Ibland går han igenom min väska."

Jag sa: "Är teet åt dem?"

"Ja. Och jag måste tillbaka till jobbet. Åh, jag glömde ju. Jag måste skära smörgåsarna. Var är kniven?"

Jag tog kniven och skar upp smörgåsarna och lade dem på ett fat.

"Vill du inte veta vem brevet är ifrån?" sa hon.

Jag kunde inte komma på det.

Jag sa: "Är det från Bet?"

Om Bet hade förlåtit Queenie, hoppades jag att det kanske var därför hon blommat upp och blivit rosig.

Jag hade inte ens tittat på handstilen på kuvertet.

Queenies ansikte skiftade uttryck – ett ögonblick såg det ut som om hon inte visste vem Bet var. Sen såg hon lycklig ut igen. Hon kom och lade armarna om mig och viskade med en röst som var på en gång skälvande och blyg och fylld av triumf.

"Det är från Andrew. Kan du ta in brickan till dem? Jag kan inte. Jag kan inte just nu. Åh, tack."

Innan Queenie gick till jobbet var hon inne i vardagsrummet och gav både mr Vorguilla och hans vän en kyss. Hon kysste dem på pannan. Mig gav hon en fladdrig vinkning. "Hej då."

När jag kom in med brickan såg jag hur irriterad mr Vorguilla såg ut för att det inte var Queenie. Men han lät förvånansvärt tolerant i tonen och presenterade mig för Leslie. Leslie var en kraftig, skallig man som först verkade lika gammal som mr Vorguilla. Men när man vande ögat och tog skalligheten med i beräkningen såg han mycket yngre ut. Jag hade inte väntat mig att mr Vorguilla skulle ha en vän av det slaget. Han var varken brysk eller självsäker utan behaglig och uppmuntrande. När jag till exempel berättade om jobbet på lunchserveringen, sa han: "Ja, men det var inte dåligt. Att få jobb på det första stället man kommer till. Det visar att du kan göra ett gott intryck."

Det visade sig inte svårt att tala om upplevelsen. Allting blev lättare av att Leslie var där och på något sätt mildrade mr Vorguillas uppförande. Som om han var tvungen att visa sig hygglig i närvaro av en vän. Det kan också ha berott på att han anade en förändring hos mig. När man inte längre är rädd för folk känner de skillnaden. Han kunde inte vara säker på att någonting hade förändrats och inte heller på hur det kom sig, men det gjorde honom säkert förbryllad och mer på sin vakt. Han höll med Leslie när Leslie tyckte att det var bra att jag slapp jobbet och han kommenterade till och med kvinnan och sa att hon lät som den sortens hårdhudade lurendrejare som man ibland hittade i den typen av skumma etablissemang i Toronto.

"Och hon hade inte rätt att vägra betala dig", sa han.

"Man tycker ju att mannen kunde ha sagt ifrån", sa Leslie. "Om det var han som skötte apoteksavdelningen och var chef där."

Mr Vorguilla sa: "Han kanske kokar ihop en specialdos en vacker dag. Åt frun."

Det var inte så svårt att hälla upp te och räcka fram mjölk och socker och smörgåsar och till och med prata när man visste något som en annan människa inte visste, om den fara han befann sig i. Det var bara för att mr Vorguilla inte visste som jag kunde känna något annat än avsky för honom. Han hade ju själv inte förändrats – och om han hade gjort det var det troligen för att jag var förändrad.

Det dröjde inte länge förrän han sa att det var dags för honom att göra sig klar att gå till jobbet. Han gick och bytte kläder. Då frågade Leslie mig om jag ville äta middag med honom.

"Bara här om hörnet", sa han. "Inget tjusigt ställe. Inte som restaurangen där Stan spelar."

Jag var bara glad att höra att det var ett enkelt ställe. Jag sa: "Visst." Och när vi hade släppt av mr Vorguilla vid restaurangen körde vi till ett fish & chips-ställe i Leslies bil. Leslie beställde en extrastor portion – fastän han just hade ätit flera kycklingsmörgåsar – och jag valde den vanliga. Han tog en öl och jag drack Coca-Cola.

Han pratade om sig själv. Han sa att han önskade att han hade gått på lärarhögskolan själv istället för att välja musik, som inte precis gav utrymme för något lugnt liv.

Jag var alltför upptagen av min egen situation för att ens fråga honom vad för sorts musiker han var. Pappa hade köpt en returbiljett åt mig och sagt: "Man vet aldrig hur saker och ting utvecklas med honom och henne." Jag tänkte på den biljetten när jag såg Queenie sticka in Andrews brev under resårbandet i trosorna. Fastän jag ännu inte visste att brevet var från Andrew.

Jag hade inte bara kommit till Toronto, eller kommit till Toronto för att skaffa sommarjobb. Jag hade kommit för att vara en del av Queenies liv. Eller om nödvändigt, en del av Queenies och mr Vorguillas liv. Till och med när jag fantiserade om att Queenie bodde hos mig, hade fantasierna någonting med mr Vorguilla att göra, med att Queenie gav igen.

Och när jag tänkte på returbiljetten tog jag något annat för givet. Att jag kunde återvända och bo hos Bet och pappa och vara en del av deras liv.

Pappa och Bet. Mr och mrs Vorguilla. Queenie och mr Vorguilla. Till och med Queenie och Andrew. De var alla par, även om de skilts åt, och vart och ett av dessa par hade nu eller i mitt minne sitt hemliga gömställe präglat av en hetta och oro som jag var avskuren från. Och det måste jag vara, det ville jag vara, avskuren, för det fanns ingenting i deras liv som kunde ge mig ledning eller uppmuntran.

Leslie var också en avskuren och isolerad person. Ändå pratade han med mig om människor som han på olika sätt hade koppling till, genom vänskap eller blodsband. Hans syster och hennes man. Hans systerdöttrar och systersöner, de gifta par han hälsade på och bodde hos över helgerna. Alla dessa människor hade problem, men alla var värdefulla. Han talade om deras jobb, brist på jobb, lyckade upplevelser och taktiska misstag, och det gjorde han med stort intresse men utan lidelsefull inlevelse. Han var till synes avskuren från kärlek eller hat.

Senare i livet skulle jag ha upptäckt att det fattades något. Jag skulle ha känt den otålighet, till och med misstänksamhet som en kvinna kan känna mot en man som saknar drivkraft. Som bara har vänskap att erbjuda och gör det så lättsamt att han kan gå vidare, lika munter som vanligt, också om han blir avvisad. Här var det inte fråga om en ensam man som hoppades att få ihop det med en flicka. Till och med jag insåg det. Bara om en människa som fann tröst i ögonblicket och i en sorts hygglig fasad här i tillvaron.

Hans sällskap var just vad jag behövde, fastän jag knappast förstod det då. Han var säkert avsiktligt vänlig mot mig. Precis som jag själv tyckte att jag för bara en liten stund sen varit vänlig mot mr Vorguilla, eller att jag åtminstone så oväntat hade måst skydda honom.

Jag gick på lärarhögskolan när Queenie rymde igen. Pappa skrev och berättade det. Han sa att han inte visste exakt hur eller när det hade hänt. Mr Vorguilla hade inte genast berättat det, men sen hörde han av sig, för den händelse att Queenie kom tillbaka hem. Pappa hade sagt till mr Vorguilla att han inte ansåg det särskilt troligt. I brevet till mig skrev han att vi i alla fall inte kunde påstå att Queenie aldrig gjorde sådana saker.

I många år, också sen jag hade gift mig, fick jag julkort från mr Vorguilla. Slädar fulla av färggranna paket, en lycklig familj som stod i den julpyntade dörren och hälsade vänner välkomna. Kanske trodde han att det var sådana scener som tilltalade mig i mitt nuvarande liv. Eller kanske tänkte han inte alls på vilka kort han plockade åt sig från hyllan. Han skrev alltid en avsändaradress – för att påminna mig om sin existens och låta mig veta var han fanns om jag skulle ha några nyheter åt honom.

Jag hade själv slutat vänta mig några sådana nyheter. Jag fick aldrig ens veta om det var Andrew som Queenie gav sig av med eller om det var någon annan. Och om hon i så fall stannade hos Andrew. När pappa dog efterlämnade han lite pengar, och vi gjorde ett allvarligt försök att spåra Queenie, men förgäves.

Nu har det i alla fall hänt något. Mina barn är vuxna och min man pensionerad, och han och jag reser en hel del. Och det är under dessa resor som jag ibland tror mig se Queenie, inte för att jag gärna vill eller särskilt anstränger mig att se henne och inte heller för att jag verkligen tror att det är hon.

En gång skedde det på en myllrande flygplats, och hon var iförd sarong och blomsterprydd halmhatt. Solbränd och upprymd, med välbärgad framtoning och omgiven av vänner. Och en gång stod hon bland kvinnorna vid en kyrkport och väntade på att få en glimt av bröllopsföljet. Hon hade en fläckig mockajacka och såg varken välbärgad eller frisk ut. En annan gång blev hon hejdad vid ett övergångsställe i täten av en rad lekskolebarn på väg till simbassängen eller parken. Det var en varm dag och hennes tjocka, medelålders gestalt var frimodigt exponerad i blommiga shorts och en T-shirt med tryck framtill.

Den sista och underligaste gången jag såg henne var på en stormarknad i Twin Falls, Idaho. Jag kom runt ett hörn med lite mat jag köpt till en picknicklunch, och där stod en gammal kvinna och lutade sig mot sin kundvagn, som om hon väntade på mig. En rynkig liten kvinna med sned mun och brunaktig hud som inte gav ett hälsosamt intryck. Borstigt, gulbrunt hår, lila byxor som var uppdragna över den runda lilla magen – hon tillhörde de kvinnor som trots sin magerhet med åldern blir av med midjan. Byxorna kunde ha kommit från någon billighetsaffär liksom den färggranna men toviga och hopkrympta tröjan som var knäppt över ett bröst smalt som en tioårings.

Kundvagnen var tom. Hon hade inte ens en handväska.

Och till skillnad från de andra kvinnorna tycktes denna veta att hon var Queenie. Hon log så glatt igenkännande mot mig och verkade så angelägen att i sin tur bli igenkänd att man skulle ha kunnat tro att detta var en stor ynnest för henne – ett benådat ögonblick då hon under en dag av tusen släpptes ut ur skuggorna.

Och det enda jag gjorde var att vänligt och opersonligt dra på munnen, som åt en galen främling, och gå vidare mot kassan.

Ute på parkeringsplatsen sa jag till min man att jag hade glömt en sak och skyndade sen tillbaka in i affären. Jag gick upp och ner för gångarna och spanade efter henne. Men på den korta lilla stunden tycktes kvinnan ha försvunnit. Hon hade kanske gått ut ur affären strax efter mig, och kanske var hon nu på väg utmed gatorna i Twin Falls. Till fots eller i en bil som kördes av någon vänlig släkting eller granne. Eller kanske till och med i en bil som hon själv körde. Men det fanns förstås en liten chans att hon var kvar i affären och att vi vandrade fram och tillbaka genom gångarna och precis missade varandra. Jag gick åt ett håll och sen åt ett annat, huttrande i det iskalla klimatet inne i sommaraffären, och såg folk rakt i ansiktet, säkert på ett skrämmande sätt, eftersom jag inom mig vädjade till dem att tala om var jag kunde hitta Queenie.

Till dess att jag kom till sans och intalade mig att det inte var möjligt, att den som var eller inte var Queenie hade försvunnit och lämnat mig kvar.

Björnen sover

FIONA BODDE HEMMA hos sina föräldrar, i den stad där hon och Grant gick på universitetet. Det var ett stort hus med burspråksfönster, i Grants ögon både lyxigt och stökigt, med mattor som låg snett på golven och ringar efter koppar och glas på de blanka borden. Hennes mor var isländska – en kraftfull kvinna med burrigt vitt hår och en politisk inställning som var upprörande vänsterorienterad. Fadern var en framstående kardiolog, vördad inom sjukhusvärlden men lyckligt undergiven på hemmaplan, där han med ett frånvarande leende lyssnade på underliga tirader. Det var alla sorters människor som levererade dessa tirader, välbärgade likaväl som sjaskiga som kom och gick och diskuterade och konfererade, ibland med utländsk brytning. Fiona hade en egen liten bil och en hög kashmirtröjor, men det faktum att hon inte tillhörde någon *sorority* på universitetet hade säkerligen med den radikala bakgrunden att göra.

Inte för att hon brydde sig om det. För hennes del var dessa kvinnoklubbar ett stort skämt, och det gällde också politiken, även om hon gärna och mycket högt spelade *The Four Insurgent Generals* på grammofonen, symbol för den Internationella brigaden under spanska inbördeskriget, och ibland också *Internationalen*, särskilt om hon trodde sig kunna skrämma någon gäst. En lockig utlänning med dystert utseende uppvaktade henne – hon sa att han härstammade från visigoterna – och det gjorde också två eller tre andra ganska respektabla och osäkra unga lärarkandidater. Hon gjorde narr av dem alla, också Grant. Hon brukade raljant återge en del av hans småstadsuttryck. Han trodde att hon kanske skämtade när hon en kall klar dag friade till honom på stranden vid Port Stanley. Sanden yrde och stack dem i ansiktet och vågorna sköljde dånande upp småsten vid deras fötter.

"Vad säger du om att gifta sig?" ropade Fiona. "Ska vi göra det?"

Han tog fasta på det, han ropade ja. Han ville aldrig vara borta från henne. Hon hade livsgnista.

Strax innan de gick hemifrån lade Fiona märke till ett avtryck på köksgolvet. Det kom från de billiga svarta inneskor som hon hade haft på sig tidigare den dagen.

"Jag trodde inte att det blev märken av dem längre", sa hon i förargad och förbryllad ton, medan hon gned på den grå fläcken som såg ut att vara gjord med fet krita.

Hon påpekade att hon aldrig mer skulle behöva göra så, eftersom hon inte tänkte ta med sig skorna.

"Jag ska säkert vara finklädd jämt", sa hon. "Eller halvt om halvt. Det blir nog som på hotell."

Hon sköljde ur trasan som hon hade använt och hängde upp den i skåpet under diskbänken. Sen satte hon på sig sin guldbruna skidjacka med pälskrage över en vit polotröja och skräddarsydda, ljusbruna långbyxor. Hon var en högrest, finlemmad kvinna på sjuttio år, ännu rak och smärt, med långa ben och smala fötter, tunna handleder och vrister och små öron som nästan såg komiska ut. Håret, som var lätt som maskrosfjun, hade skiftat från blekblont till vitt utan att Grant riktigt kunde säga när, och hon bar det fortfarande axellångt, som hennes mor gjort. (Det var just det som upprört Grants egen mor, en småstadsänka som arbetade på en läkarmottagning. Det långa vita håret på Fionas mor hade till och med mer än det stökiga hemmet sagt henne allt hon behövde veta om familjens åsikter och politiska inställning.)

För övrigt var Fiona med sin finlemmade kropp och små safirfärgade ögon inte alls lik sin mor. Som vanligt innan hon lämnade hemmet framhävde hon munnen, som var en aning sned, med rött läppstift. Hon var sig mycket lik denna dag – på en gång direkt och diffus, ljuv och ironisk. För över ett år sen hade Grant börjat lägga märke till att det satt små gula klisterlappar överallt i huset. Det var inte något helt nytt. Hon hade alltid skrivit upp saker och ting – titeln på en bok som hon hört omnämnas i radio eller olika uppgifter som hon ville se till att hinna med den dagen. Hon hade till och med noterat precis vad hon skulle göra när hon steg upp, ett schema som i sin noggrannhet var både förbryllande och gripande, tyckte han.

7.00 yoga. 7.30–7.45 tänder ansikte hår. 7.45–8.15 promenad. 8.15 Grant och frukost.

De nya lapparna var annorlunda. På köksslådorna satt lappar med texten bestick, diskhanddukar, knivar. Kunde hon inte bara öppna lådorna och se vad som fanns i dem? Han mindes en historia om de tyska soldaterna vid gränskontrollen i Tjeckoslovakien under kriget. Några tjecker hade berättat för honom att patrullhundarna alla hade en skylt med ordet *Hund* på sig. Varför, undrade tjeckerna, och tyskarna svarade: För att det är en *Hund*.

Han tänkte berätta det för Fiona men kände att det var bäst att låta bli. De brukade alltid skratta åt samma saker, men tänk om hon inte skulle göra det den här gången?

Det skulle bli värre. Hon åkte in till stan och ringde från en telefonkiosk för att fråga hur hon skulle köra för att komma hem. Hon gick på promenad över fältet och in i skogen och följde staketet hem – en mycket lång omväg. Hon sa att hon hade räknat med att staketet alltid skulle leda någonstans.

Det var svårt att begripa. Hon sa det där med staketet som om det var ett skämt, och hon mindes telefonnumret hem utan några problem.

"Jag tror inte att det är något att oroa sig för", sa hon. "Jag håller väl bara på att förlora förståndet."

Han frågade om hon hade tagit sömntabletter.

"Om jag har det minns jag det inte", sa hon. Sen ursäktade hon sig för att hon lät så nonchalant.

"Jag är säker på att jag inte har tagit någonting. Det borde jag nog göra. Vitaminer kanske."

Det hjälpte inte med vitaminer. Hon kunde stå i en dörröppning och försöka komma på vart hon skulle gå. Hon glömde att vrida ner gaslågan under grönsakerna eller hälla vatten i kaffebryggaren. Hon frågade Grant när de hade flyttat in i huset.

"Var det förra året eller året före?"

Han sa att det var tolv år sen.

Hon sa: "Det är otroligt."

"Hon har alltid varit lite distré", sa Grant till läkaren. "En gång lämnade hon in sin päls till förvaring och glömde av alltsammans. Det var på den tiden då vi alltid reste till någon varm plats om vintern. Sen sa hon att det var omedvetet avsiktligt, som en synd hon ville lämna bakom sig. Vissa människor fick henne att känna så när det gällde pälsar.

Han försökte utan framgång förklara lite mer — hur Fionas förvåning och ursäkter över det hela på något sätt föreföll vara en sorts artig rutin som inte riktigt dolde att hon i hemlighet kände sig road. Som om hon hade snavat över ett äventyr som var totalt oväntat. Eller lekte en lek som hon hoppades att han skulle haka på. De hade alltid haft sina lekar — nonsensdialekter, personer de hittade på. En del av Fionas påhittade röster hade kvittrande och inställsamt (han kunde inte berätta det för doktorn) på ett kusligt sätt härmat rösterna på de kvinnor som han träffade och som hon aldrig vetat något om.

"Ja, så är det", sa doktorn. "Det kan visa sig selektivt i början. Vi vet ju inte än, eller hur? Innan vi ser vilket mönster förloppet får kan vi egentligen inte uttala oss."

Efter ett tag spelade det egentligen ingen roll vilken etikett man satte på sjukdomen. Fiona, som inte längre gick och handlade ensam, försvann från stormarknaden medan Grant stod med ryggen till. En poliskonstapel hämtade upp henne när hon gick mitt i gatan några kvarter därifrån. Han frågade vad hon hette och hon svarade direkt. Sen frågade han henne vad landets premiärminister hette.

"Om ni inte vet det, unge man, borde ni verkligen inte ha ett så ansvarsfullt jobb."

Han skrattade. Men sen gjorde hon misstaget att fråga om han hade sett Boris och Natascha.

Det var två ryska varghundar som hon adopterat några år tidigare som en tjänst åt en god vän och som hon sen ägnade sig åt så länge de levde. Att hon övertog hundarna kunde ha ett samband med upptäckten att hon troligen inte skulle få några barn. Det var något med blockerade äggledare – Grant mindes inte längre. Han hade alltid undvikit att tänka på allt det där som hade med kvinnans fortplantning att göra. Det kunde också ha varit efter det att hennes mor dog. Hundarnas långa ben och silkeslena päls, de smala, vänliga, outgrundliga ansiktena, allt matchade henne perfekt när hon tog ut dem på promenad. Och Grant själv som då prickade in sitt första jobb på universitetet (svärfaderns pengar var välkomna trots den politiska färgen) kunde säkert i en del människors uppfattning ha något annat av Fionas excentriska infall att tacka för att han hamnat där han hamnade, att han blev trimmad, omskött och favoriserad. Även om han som tur var aldrig begrep det, inte förrän långt senare.

Vid middagen den dagen då hon hade försvunnit från stormarknaden sa hon till honom: "Du vet väl vad du blir tvungen att göra med mig? Du måste sätta mig på det där stället. Shallowlake?"

Grant sa: "Meadowlake. Du har inte kommit till det stadiet än."

"Shallowlake, Shillylake", sa hon, som om de höll på med en lekfull tävling. "Sillylake, Sillylake heter det."

Han stödde huvudet i händerna och armbågarna mot bordet. Han sa att det i så fall fick bli på prov, en tillfällig behandling. En vilokur.

Reglerna sa att man inte tog in några patienter under månaden december. Under julhelgen kunde det finnas så många emotionella hinder. Därför gjorde de den tjugo minuter långa resan i januari. Innan de kom ut på motorvägen körde de längs en fuktig sänka som nu var helt frusen. Kärreken och lönnarna kastade sina skuggor över den ljusa snön, som ett galler.

Fiona sa: "Åh, minns du?"

Grant sa: "Jag tänkte också på det."

"Fast det var i månsken", sa hon.

Hon talade om den gången då de hade varit ute och åkt skidor en kväll i fullmånens sken över den svartrandiga snön, här på denna plats dit man bara kunde komma mitt i vintern. De hade hört grenarna knaka i kylan.

Om hon nu mindes det så livligt och exakt, kunde det då verkligen vara något fel på henne?

Han hade all möda i världen att inte vända och köra hem.

Det fanns en annan regel som föreståndaren förklarade för honom. Nya patienter fick inte ta emot besök under de första trettio dagarna. De flesta behövde så lång tid på sig för att komma till ro. Innan man införde den regeln, hade det ständigt förekommit böner och tårar och bråk, även om patienten kommit in frivilligt. Efter ungefär tre eller fyra dagar brukade man börja klaga och tigga och be att få åka hem igen. Vissa släktingar hade svårt att stå emot, och därför fick en del patienter återvända hem fastän de inte klarade sig bättre än de gjort tidigare. Ett halvår senare eller ibland efter bara några veckor fick man sen gå igenom hela den uppslitande proceduren igen.

"Medan vi har upptäckt att allting går alldeles utmärkt om bara patienten lämnas i fred", sa föreståndaren. "Man måste till exempel bokstavligen lura in dem i en buss för att ta en tur in till stan. Samma sak gäller med hembesök. Det brukar gå bra att ta hem dem då och då för några timmar — det är de själva som oroar sig över att inte hinna tillbaka till middagen. Meadowlake blir deras fasta punkt. Det gäller förstås inte patienterna på andra våningen, dem kan vi inte släppa iväg. Det är för besvärligt, och de vet ändå inte vilka de är."

"Min fru kommer inte att hamna på andra våningen", sa Grant.

"Nej", sa föreståndaren eftertänksamt. "Jag vill bara klargöra saker och ting redan från början."

De hade varit på Meadowlake några gånger för flera år sen och hälsat på mr Farquar, den gamle ungkarlsbonden som varit granne till dem. Han bodde för sig själv i ett dragigt tegelhus som förutom att han

skaffat kylskåp och teve stått oförändrat sen nittonhundratalets bör-
jan. Han kom ibland med långa mellanrum på oväntat besök och dis-
kuterade sådant som hände i trakten men också gärna böcker som han
läst – om Krimkriget eller polarexpeditioner eller vapnens historia.
Men sen han flyttade till Meadowlake talade han bara om vårdhem-
mets rutiner, och fastän han säkert blev glad över besöken kände de att
det var en social börda för honom. Och lukten av urin och desinfek-
tionsmedel som dröjde kvar över stället var något som särskilt Fiona
hatade, liksom de slentrianmässiga buketterna med plastblommor
som stod i nischer utmed den dunkla, låga korridoren.

Nu var den byggnaden borta, fastän den inte var äldre än från fem-
tiotalet. Precis som mr Farquars hus var borta och ersatt av en sorts
fuskslott, ett weekendställe som ägdes av ett par från Toronto. Det
nya Meadowlake bestod av en luftig byggnad med välvt tak där det vi-
lade en svag och behaglig doft av tallbarr. Frodigt gröna, levande väx-
ter i jättelika lerkrukor prydde omgivningen.

Ändå var det i den gamla byggnaden som Grant föreställde sig Fio-
na under den långa månad som han fick avstå från att besöka henne.
Det var den längsta månaden i hans liv, tyckte han – längre än den må-
nad då han tillsammans med modern hälsade på släktingar i Lanark
County när han var tretton år gammal och längre än den månad som
Jacqui Adams var på semester med sin familj i början av deras förhål-
lande. Han ringde varje dag till Meadowlake och hoppades att han
skulle få tala med en sköterska som hette Kristy. Hon verkade lite ro-
ad över hans envishet, men hon gav alltid en mer fullödig rapport än
de andra sköterskorna han hamnade hos.

Fiona hade blivit förkyld, men det var inte ovanligt när man var ny-
komling.

"Som när ens ungar börjar skolan", sa Kristy. "Då blir de utsatta
för massor av nya baciller, och ett tag åker de på allt."

Sen blev förkylningen bättre. Hon slapp antibiotika och verkade
inte lika förvirrad som när hon kom. (Grant hade varken hört talas
om antibiotikan eller förvirringen tidigare, det här var första gången.)

Hon hade ganska god aptit och trivdes med att sitta i sällskapsrummet. Dessutom såg hon gärna på teve.

På det gamla Meadowlake hade det varit fullkomligt outhärdligt med teveapparaterna som stod på överallt och överröstade ens tankar och samtal oavsett var man satte sig. En del av internerna (det var så han och Fiona kallade dem, inte gästerna) riktade blicken mot teven, andra pratade med den, men de flesta satt bara där och uthärdade undergivet den psykiska misshandeln. I den nya byggnaden fanns det såvitt han kunde minnas bara teve i ett särskilt rum eller i sovrummen. Man kunde välja om man ville se eller inte.

Därför måste Fiona ha gjort ett val. Att se på vad?

Under de år då de bodde i det nuvarande huset, hade han och Fiona sett ganska mycket på teve tillsammans. De missade aldrig program med de fyrfota djur, reptiler, insekter eller havsvarelser som kameran kunde dokumentera, och de hade följt handlingen i säkert dussintals ganska likartade artonhundratalsromaner av hög klass. De hade förälskat sig i en engelsk komediserie om livet på ett varuhus och hade sett så många repriser att de kunde dialogen utantill. De sörjde skådespelare som antingen dog eller försvann till andra uppgifter i verkliga livet, och hälsade sen samma skådespelare välkomna tillbaka när personerna återkom i nya roller. De såg butikskontrollantens hår skifta från svart till grått och sen tillbaka till svart, fastän den billiga uppsättningen aldrig förändrades. Men med tiden bleknade både serier och det svartaste hår, och dammet från Londongatorna smög sig in under hissdörrarna i varuhuset. Det var så till den grad sorgligt att det påverkade Grant och Fiona mer än någon av tragedierna i *Masterpiece Theatre*, och därför slutade de titta före det sista avsnittet.

Fiona hade fått en del vänner, sa Kristy. Hon var verkligen på väg att krypa ur sitt skal.

Vilket skal? hade Grant velat fråga men han hejdade sig; han ville ju inte stöta sig med Krissy.

Om någon ringde lät han telefonsvararen ta samtalet. De få personer han ibland umgicks med var pensionerade och reste ofta bort utan att meddela det. Första åren de bodde här hade Grant och Fiona stannat kvar under vintern. Det var en ny erfarenhet att bo på landet om vintern, och de hade mycket att ordna med i huset. Sen hade de fått idén att också de skulle resa medan de kunde, och de for till Grekland, till Australien, till Costa Rica. Just nu trodde folk säkert att de var ute på en sådan resa.

Han åkte skidor för att få motion men aldrig så långt som till kärret. Han åkte runt, runt på fältet bakom huset när solen gick ner och himlen blev rosafärgad ovanför ett landskap som tycktes bundet i vågor av blåvass is. Han räknade hur många rundor han tog på fältet och sen återvände han till det mörknande huset och satte på tevenyheterna medan han lagade mat. De hade för det mesta gjort i ordning middagen tillsammans. En av dem blandade drinkarna medan den andra tog hand om brasan, och sen pratade de om hans arbete (han höll på med en studie över vargar i fornnordisk mytologi, särskilt då den store Fenrisulven som uppslukar Odin vid världens undergång), om det Fiona just höll på att läsa och om tankar de haft var och en på sitt håll under dagen. Det var den tid på dygnet då de kom varandra närmast, fastän de heller aldrig missade sina fem eller tio minuter av fysisk närhet strax efter det att de lagt sig – något som inte ofta slutade med sex men som gav dem visshet om att de ännu inte hade lämnat det sexuella bakom sig.

I en dröm visade Grant ett brev för en kollega som han uppfattat som en vän. Brevet var från rumskamraten till en flicka som han på senaste tiden inte hade tänkt på. Tonen var skenhelig och fientlig, på ett gnälligt sätt hotfull – han avfärdade skribenten som latent lesbisk. Han hade på ett snyggt sätt slutat umgås med flickan i fråga, och det verkade inte troligt att hon skulle vilja ställa till bråk, än mindre begå självmord, vilket brevet uppenbarligen på ett sorgfälligt sätt ville försöka antyda.

Kollegan var en av dessa äkta män och fäder som tillhört de första som kastade slipsen och stack hemifrån för att tillbringa nätterna på en madrass på golvet i arbetsrummet på universitetet, tillsammans med en förtrollande ung älskarinna som kom dit och till lektionerna i trasiga kläder och med en lukt av knark och rökelse omkring sig. Men nu hade kollegan suddiga minnen av den sortens liv, och Grant mindes att han faktiskt hade gift sig med en av flickorna och att hon hade börjat ha middagar och föda barn, precis som fruar brukade göra.

"Jag skulle inte skratta", sa han till Grant, som inte trodde att han hade skrattat. "Och om jag var som du skulle jag försöka förbereda Fiona."

Grant gav sig därför iväg för att leta upp Fiona på Meadowlake – det gamla Meadowlake – men hamnade istället i en föreläsningssal. Där satt alla och väntade på att han skulle påbörja lektionen. Och längst bak på översta raden satt en skara svartklädda unga kvinnor som alla hade sorg och som hela tiden stirrade på honom med bitter och kylig blick, medan de demonstrativt lät bli att skriva ner något av det han sa.

Fiona satt obekymrad på första raden. Hon hade förvandlat föreläsningssalen till den sortens hörn som hon alltid letade upp på en fest – någon avskild plats där hon satt och drack vin med mineralvatten, rökte vanliga cigarretter och berättade roliga historier om sina hundar. Där höll hon stånd mot tidvattnet tillsammans med några likar, som om de dramatiska scener som spelades upp i andra hörn, i sovrum och på den mörka verandan inte var något annat än en barnslig komedi. Som om kyskheten var något chict och diskretionen en välsignelse.

"Äsch, struntprat", sa Fiona. "Flickor i den åldern går alltid omkring och pratar om att ta livet av sig."

Men det räckte inte att hon sa så – det gav honom i själva verket frossbrytningar. Han var rädd att hon hade fel, att något fasansfullt hade hänt, och han såg det hon inte kunde se – att den svarta ringen tätnade, drogs samman, runt hans luftstrupe, runt hela rummets övre del.

Han segade sig upp ur drömmen och började gå igenom vad som var verkligt och vad som inte var det.

Det hade kommit ett brev, ordet "RÅTTA" hade med svart färg skrivits på dörren till hans arbetsrum på universitetet och Fiona, som fått veta att en flicka hade blivit djupt förälskad i honom, sa ungefär så som hon sa i drömmen. Kollegan hade aldrig varit inblandad, de svartklädda kvinnorna hade aldrig dykt upp i hans föreläsningsrum och ingen hade begått självmord. Grant hade inte blivit utskämd, han hade faktiskt kommit lindrigt undan när man tänkte på vad som skulle ha kunnat hända bara ett par år senare. Men ryktet spred sig. En del människor lät demonstrativt bli att hälsa. De fick inte många inbjudningar till julen och satt ensamma på nyårsaftonen. Grant blev berusad, och utan att någon hade krävt det av honom – men också tack gode Gud utan att göra misstaget att bekänna – hade han lovat Fiona att börja ett nytt liv.

Den skam han kände sen var skammen över att han hade blivit förd bakom ljuset, inte hade lagt märke till förändringen som pågick. Och inte en enda kvinna hade gjort honom medveten om den. Den förändring som skett i det förflutna var att så många kvinnor plötsligt hade blivit tillgängliga – åtminstone hade det verkat så för honom – men själva påstod kvinnorna nu att det inte alls varit deras avsikt. De hade funnit sig i det för att de var hjälplösa och förvirrade, och de hade snarare tagit skada av alltsammans än njutit av det. Också när de själva hade tagit initiativet var anledningen bara den att de hade alla odds emot sig.

Ingenstans framhölls det att livet också rymde vänliga handlingar, generositet och offer för den som var kvinnotjusare (om man nu kunde kalla Grant för kvinnotjusare – han som inte gjort hälften så många komplicerade erövringar som mannen som förebrått honom i drömmen). Kanske fanns inte det behovet i början men allteftersom tiden gick uppstod definitivt sådana krav. Många gånger hade han tagit hänsyn till en kvinnas stolthet och bräcklighet genom att visa större ömhet – eller vildare lidelse – än vad han egentligen kände. Allt bara för att nu bli anklagad för att ha sårat, exploaterat och förstört kvinnors självkänsla. Och för att ha bedragit Fiona – vilket han naturligtvis gjort – men skulle det ha varit bättre om han gjort som andra, som lämnat sina fruar?

Han hade aldrig ett ögonblick tänkt den tanken. Trots ansträngande krav på andra håll hade han aldrig slutat älska med Fiona. Han hade inte varit borta från henne en enda natt. Aldrig hittat på sinnrika historier för att stjäla sig till en helg i San Francisco eller bo i tält på Manitoulin Island. Han hade tagit det lugnt med hasch och alkohol och fortsatt publicera skrifter, delta i kommittéer, göra framsteg i karriären. Han hade aldrig haft för avsikt att ge arbete och äktenskap på båten och flytta ut på landet och bli snickare eller biodlare.

Men ändå hade någonting i den stilen inträffat. Han drog sig tidigt tillbaka från arbetet med reducerad pension. Kardiologen hade dött efter att en tid förvirrad och stoisk ha bott ensam i det stora huset, och Fiona hade ärvt både den egendomen och bondgården där fadern hade växt upp, i närheten av Georgian Bay. Hon slutade sitt jobb som sjukhussamordnare för frivilliga insatser (i den vardagsvärld där folk faktiskt hade problem som inte hängde samman med knark, sex eller intellektuellt käbbel). Ett nytt liv var ett nytt liv.

Boris och Natascha hade vid det laget dött. Den ene blev sjuk – Grant kom inte ihåg vilken av dem – och sen dog den andre mer eller mindre av ren sympati.

Han och Fiona arbetade på huset. De skaffade längdskidor. De var inte särskilt sällskapliga men fick så småningom en del vänner. Det var slut på det hektiska flörtandet. Inga nakna kvinnotår som kröp uppför benet på honom vid någon middagsbjudning. Inga fler äventyrliga fruar.

Precis i grevens tid. Feministerna och kanske den sorgsna dumma flickan själv och hans fega så kallade vänner hade knuffat ut honom i grevens tid. Ur ett liv som faktiskt började betyda fler problem än vad det var värt. Och som så småningom skulle ha kunnat kosta honom Fiona.

Den dag då Grant äntligen skulle få åka till Meadowlake och besöka Fiona, vaknade han tidigt. Han var fylld av högtidlig spänning, som på den gamla goda tiden då han planerat att träffa en ny kvinna för första gången, en känsla som egentligen inte hade med sex att göra. (Senare, när mötena blev rutin, handlade det bara om sex.) Det var en sorts förväntansfullhet, en nästan andlig känsla av att öppna sig för något nytt men också en sorts blyghet, ödmjukhet och oro.

Han gav sig iväg i god tid. Man fick inte komma före klockan två, och eftersom han inte ville sitta ute på parkeringsplatsen och vänta, tvingade han sig att köra en omväg.

Det hade varit töväder. Snön var inte helt borta, men det bländande hårda vinterlandskapet hade falnat. De gropiga högarna låg som gammalt skräp under en grå himmel ute på fälten.

I den lilla staden nära Meadowlake hittade han en blomsterhandel och köpte en stor bukett. Han hade aldrig förut gett Fiona blommor. Inte någon annan heller för den delen. När han kom in i byggnaden kände han sig som en hopplös älskare eller en skuldmedveten äkta man i en serieteckning.

"Oj", sa Kristy. "Narcisser så tidigt. Du måste ha lagt ner en förmögenhet." Hon gick före honom genom korridoren och tände ljuset i något slags förrådsrum eller kök, där hon letade efter en vas. Det var en kraftig ung kvinna som såg ut att ha gett upp när det gällde det mesta av utseendet, utom håret som var blont och voluminöst. Överdådigt tuperat, som på en barservitris eller en strippa, ovanför ett alldagligt ansikte och en prosaisk kropp.

"Där har du henne", sa hon och nickade neråt korridoren. "Namnet står på dörren."

Det gjorde det, på en skylt prydd med blåsångare. Han tvekade innan han knackade och öppnade sen dörren och ropade på henne.

Hon var inte där. Garderobsdörren var stängd, sängen tillslätad. På nattygsbordet fanns bara en ask Kleenex och ett glas vatten. Inte ett enda fotografi, ingen bok, inga tidningar. Kanske var man tvungen att ha sådant i ett skåp.

Han gick tillbaka till sköterskerummet eller receptionen eller vad det nu kallades. Kristy sa "Inte?" med en förvåning som han tyckte verkade oengagerad.

Han tvekade med blommorna i handen. Hon sa: "Okej, vi ställer buketten här." Som om han var ett besvärligt barn gick hon suckande före honom ut i korridoren och vidare bort till ett stort rum med jättelika fönster uppe i det höga taket. Det satt några personer i fåtöljer utmed väggarna eller vid bord mitt på det mattbelagda golvet. Ingen av dem såg ut att vara särskilt illa däran. De var visserligen gamla – en del behövde till och med rullstol – men inte alltför sjuka. När han och Fiona var och hälsade på mr Farquar möttes de ibland av mindre uppbyggliga syner. Gamla kvinnor med skäggstrån på hakan, någon med ett utstående öga som liknade ett ruttet plommon. Patienter som dreglade, satt och vaggade med huvudet, pratade för sig själva. Nu såg det ut som om man hade rensat bort de värsta fallen. Eller kanske berodde det på mediciner och kirurgiska ingrepp, kanske fanns det sätt att behandla vanställdhet och kurera både verbal inkontinens och annat – kanske fanns det möjligheter som inte existerade ens för några år sen.

Vid pianot satt dock en mycket bedrövad kvinna och spelade med ett finger utan att någonsin kunna åstadkomma en melodi. En annan kvinna, som tittade fram bakom en kaffekanna och en trave plastkoppar, såg dödligt uttråkad ut. Men hon hörde säkert till personalen – hon hade en likadan blekgrön byxdress som Kristy.

"Ser du henne?" sa Kristy med mjukare röst. "Gå bara dit och säg hej utan att skrämma henne. Kom ihåg att hon kanske inte – Ja, gå fram och hälsa."

Han såg Fiona i profil. Hon satt vid ett av spelborden men spelade inte. Ansiktet var lite svullet, och ena kindfliken dolde mungipan på ett sätt som han inte sett förut. Hon tittade på när mannen närmast henne spelade. Han höll sina kort så att hon skulle kunna se dem. När Grant närmade sig bordet tittade hon upp. De tittade alla upp – alla spelarna vid bordet tittade upp och såg irriterade ut. Sen vände de genast blicken mot korten igen, som om de ville avvärja intrånget.

Men Fiona log sitt sneda, förvirrade, förstulna och charmiga leende och sköt tillbaka stolen och gick fram till honom, medan hon lade fingret över munnen.

"Bridge", viskade hon. "De tar det på blodigt allvar. De är helt fanatiska." Hon gick småpratande före mot kaffebordet. "Jag minns att jag var sådan ett tag på college. Mina vänner och jag brukade hoppa över föreläsningar och sitta i samlingsrummet och röka och spela som galningar. En hette Phoebe, de andra minns jag inte."

"Phoebe Hart", sa Grant. Han såg för sig den plattbröstade lilla svartögda flickan som säkert var död vid det här laget. Insvepta i rök hade de suttit där, Fiona och Phoebe och de andra.

"Kände du också henne?" sa Fiona och nu riktade hon sitt leende mot kvinnan med stenansiktet. "Vill du ha något? En kopp te? Kaffet är tyvärr inget vidare här."

Grant drack aldrig te.

Han kunde inte slå armarna om henne. Trots att rösten och leendet var så välbekanta var det något över hennes sätt att vaka över spelarna och till och med kaffekvinnan som gjorde det omöjligt – liksom att hon tycktes vilja skydda honom från deras missnöje.

"Jag tog med mig lite blommor", sa han. "Jag tänkte att de kunde lysa upp lite i ditt rum. Jag gick dit, men du var inte där."

"Nej, just det", sa hon. "Jag är här."

Grant sa: "Du har fått en ny vän." Han nickade mot mannen som hon suttit bredvid. Mannen tittade upp på Fiona och hon vände sig mot honom, antingen för att Grant talade om honom eller för att hon kände hans blick i ryggen.

"Det är bara Aubrey", sa hon. "Det lustiga är att jag kände honom en gång för många, många år sen. Han jobbade i affären. Järnaffären där min farfar brukade handla. Han och jag skojade alltid med varandra och han vågade aldrig bjuda ut mig. Förrän den allra sista helgen då vi var på en fotbollsmatch. Men när den var slut dök farfar upp för att köra mig hem. Jag var där på besök över sommaren. Hos mina farföräldrar – de bodde på en gård."

"Jag vet var dina farföräldrar bodde, Fiona. Det är där vi bor. Bodde."

"Jaså?" sa hon utan att riktigt lyssna, för kortspelaren gav henne en blick som inte var bedjande utan snarare befallande. Han var ungefär i

Grants ålder eller lite äldre. Tjockt, strävt vitt hår föll ner över pannan, och huden var läderartad men blek, gulvit som en gammal skrynklig glacéhandske. Det långa ansiktet var värdigt och melankoliskt, och det fanns något av skönheten hos en kraftfull, resignerad, äldre häst hos honom. Men när det gällde Fiona verkade han inte resignerad.

"Det är bäst jag går tillbaka", sa Fiona, och en rodnad spred sig över ansiktet som nu blivit så fylligt. "Han vill att jag ska sitta där, annars tror han inte att han kan spela. Det är ju idiotiskt, jag minns knappt hur man gjorde. Du får tyvärr ursäkta mig."

"Är ni snart färdiga?"

"Åh, det tror jag. Det beror på. Jag ska gå och fråga den bistra damen riktigt snällt och be att du får lite te."

"Det behövs inte", sa Grant.

"Då går jag, är det säkert att du klarar dig? Allting är väl så främmande för dig, men vänta bara så ska du få se att du snart vänjer dig och lär dig vilka alla är. Fast en del är ju förstås totalt uppe i det blå – du får inte bli ledsen om de inte lär sig vem *du* är."

Hon satte sig i sin stol igen och sa något i örat på Aubrey. Hon nuddade med fingertopparna på ovansidan av hans hand.

Grant gick och letade upp Kristy ute i korridoren. Hon sköt på en vagn med äppel- och grapefruktjuice i kannor.

"Ett ögonblick bara", sa hon och stack in huvudet i ett av rummen. "Äppeljuice härinne? Grapefruktjuice? Kakor?"

Han väntade medan hon fyllde två plastmuggar och bar in dem i rummet. Hon kom tillbaka och lade två kakor på papperstallrikar.

"Nå?" sa hon. "Är du inte glad att se hur väl hon har anpassat sig?"

Grant sa: "Vet hon överhuvudtaget vem jag är?"

Han var inte riktigt säker. Hon hade kanske skämtat. Det skulle inte vara olikt henne. Hon hade avslöjat sig lite när hon mot slutet av samtalet pratade med honom som om han var en ny patient.

Om det var det hon låtsades. Om hon nu låtsades.

Men skulle hon då inte ha sprungit efter och skrattat åt honom när skämtet väl hade lyckats? Hon skulle absolut inte bara ha återvänt till bridgepartiet och gett sken av att ha glömt alltsammans. Det hade varit för grymt.

Kristy sa: "Du råkade bara komma lite olämpligt. När hon var mitt inne i spelet."

"Hon spelar ju inte ens", sa han.

"Jo, men hennes vän spelar. Aubrey."

"Vem är då Aubrey?"

"Det är Aubrey, en vän till henne. Vill du ha lite juice?"

Grant skakade på huvudet.

"Äsch", sa Kristy. "De skaffar sig preferenser. Bästa kompisar, liksom. Det är en fas som dominerar ett tag."

"Menar du att hon kanske faktiskt inte vet vem jag är?"

"Det är möjligt. Inte idag. Men i morgon — man kan aldrig veta. Det ändrar sig hela tiden, och man kan inte göra ett dugg åt den saken. När du väl har varit här några gånger märker du säkert hur det är. Då lär du dig att inte ta det så allvarligt. En dag i taget."

En dag i taget. Men saker och ting ändrade sig inte hela tiden, och han vande sig inte vid situationen. Fiona var den som tycktes vänja sig vid honom, men bara som en envis besökare som fattat ett speciellt intresse för henne. Eller var han i hennes ögon kanske en efterhängsen person som man på ett artigt sätt måste ta hänsyn till så att han inte märkte att han betraktades som efterhängsen? Hon behandlade honom med en sorts förströdd, sällskaplig vänlighet som på ett framgångsrikt sätt avhöll honom från att ställa den mest uppenbara och brännande frågan. Han kunde inte fråga rakt ut huruvida hon mindes eller inte mindes att han varit hennes äkta man i nästan femtio år. Han fick intrycket att hon skulle bli generad över en sådan fråga — inte generad för egen del utan för hans. Hon skulle ha gett upp ett pärlande skratt och med sin artighet och sin förbryllade reaktion gjort honom förkrossad, och på något sätt skulle det ha slutat med att hon varken sa ja eller nej. Eller också skulle hon ha gett ett svar som inte gav den minsta tillfredsställelse.

Kristy var den enda av sköterskorna som han kunde tala med. Några av de andra betraktade det hela som ett skämt. En tuff gammal ragata skrattade honom rakt i ansiktet. "Aubrey och Fiona? De har visst trillat dit ordentligt de där två, va?"

Kristy berättade att Aubrey hade varit representant för ett företag som sålde ogräsmedel – "och annat i den stilen" – till bönderna.

"Han var en fin människa", sa hon, och Grant visste inte om det innebar att Aubrey var ärlig och öppen och vänlig mot folk eller att han var verserad och välklädd och körde en bra bil. Troligen båda delarna.

Och så innan han hunnit bli särskilt gammal eller ens pensionerad, berättade hon, hade han drabbats av en ovanlig typ av skada.

"För det mesta är det hans fru som tar hand om honom. Hon sköter honom hemma. Han är bara här tillfälligt, så att hon ska kunna ta lite ledigt. Hennes syster ville att de skulle åka till Florida. Hon har haft det jobbigt, förstår du, man skulle aldrig ha väntat sig att en man som han ... De var på semester nånstans, och han blev smittad av något, en bacill eller liknande, och fick väldigt hög feber. Han hamnade i koma och hämtade sig aldrig riktigt."

Han frågade hur det var med tillgivenheten mellan patienter. Gick de någonsin för långt? Nu lyckades han lägga an en överseende ton som han hoppades skulle rädda honom från tillrättavisningar.

"Beror på vad du menar", sa hon. Hon satt och skrev i sin journal medan hon funderade på vad hon skulle svara. När hon var färdig med det hon skrev tittade hon upp på honom och log brett.

"Om vi har problem här är det lustigt nog ofta med sådana som inte alls har stått varandra särskilt nära. De kanske inte har haft särskilt mycket kontakt, vet bara att det handlar om en man eller en kvinna. Man skulle kunna tro att de gamla gubbarna försökte krypa i säng med de gamla kvinnorna, men ofta är det precis tvärtom, ska du veta. Gamla kvinnor som jagar gamla män. De kanske har en del kvar att ge, inte vet jag."

Sen slutade hon le, som om hon var rädd att hon sagt för mycket eller låtit för hjärtlös.

"Missuppfatta mig nu inte", sa hon. "Jag menade inte Fiona. Fiona är en dam."

Nå, Aubrey då? ville Grant fråga. Men så mindes han att Aubrey satt i rullstol.

"Hon är en verklig dam", sa Kristy i en ton som var så bestämd och lugnande att Grant inte alls kände sig lugnad. Han föreställde sig Fiona i ett av de långa sedesamma, bandkantade nattlinnen som hon alltid brukade ha, såg hur hon eggande lyfte på täcket till en gammal mans säng.

"Ja, ibland undrar jag – " sa han.

Kristy sa i skarp ton: "Undrar vad?"

"Jag undrar om hon inte spelar upp en sorts charad."

"En vadå?" sa Kristy.

De flesta eftermiddagar fanns paret vid spelbordet. Aubrey hade stora händer med tjocka fingrar. Det var svårt för honom att hantera korten. Fiona blandade och gav för honom och ingrep ibland snabbt för att rätta till ett kort som han var nära att tappa. Från andra sidan rummet kunde Grant se hennes pilsnabba rörelse och höra en skrattande ursäkt. Han såg hur Aubrey tillgivet som en äkta man rynkade pannan när en av hennes hårslingor nuddade vid hans kind. Så länge hon höll sig i närheten låtsades Aubrey helst inte om henne.

Men om hon log välkomnande mot Grant, om hon sköt tillbaka stolen och reste sig för att fråga om han ville ha te – och visade att hon hade accepterat att han hade rätt att vara där och att hon kanske kände sig en aning ansvarig för honom – då kunde man vara säker på att Aubrey satte upp en dystert häpen min. Då lät han korten glida ur händerna och falla till golvet och förstörde på det viset partiet.

Så att Fiona blev tvungen att träda till och ställa allting i ordning.

Om de inte satt vid bridgebordet gick de kanske en promenad i korridorerna, Aubrey med ena handen på räcket och den andra om Fionas arm eller axel. Sköterskorna tyckte att det var ett under att hon hade lyckats få upp honom ur rullstolen. Fast om de skulle ta sig ett längre stycke – till orangeriet i ena änden av huset eller teverummet i den andra – var han tvungen att använda rullstolen.

Teven tycktes alltid vara inställd på sportkanalen, och Aubrey såg all slags sport, även om han tycktes föredra golf. Grant hade ingenting emot att sitta och se på golf med dem. Han satt några stolar längre bort. På den stora skärmen såg man en liten grupp åskådare och kommentatorer följa spelarna runt den fridfulla banan och i lämpliga ögonblick ta upp en sorts formell applåd. Men när spelaren svängde klubban och bollen gjorde sin ensamma, förutbestämda resa över himlen var det alldeles tyst. Aubrey, Fiona och Grant och kanske ytterligare några gäster satt och höll andan, och Aubrey var den första som ljudligt släppte ut luft så att man hörde om han var nöjd eller missbelåten. Fiona föll in i samma tonläge ett ögonblick senare.

I orangeriet härskade aldrig sådan tystnad. Paret brukade sätta sig bland de frodigaste och tätaste växterna med mest tropiskt utseende – i en sorts berså, skulle man kunna säga – och Grant fick verkligen behärska sig för att inte tränga sig på. Blandat med prasslet från löven och ljudet av plaskande vatten hördes Fionas mjuka röst, omväxlande med skratt.

Så något slags skrockande. Vem av dem kunde det vara?

Kanske ingen – kanske kom ljudet från någon av burarna i hörnet med fräcka fåglar i brokiga färger.

Aubrey kunde tala, fastän rösten säkert inte lät som den gjort förr. Det lät som om han sa något nu – några gutturala stavelser. *Akta. Han är här. Älskade.*

På bassängens blå botten låg några önskeslantar. Grant hade egentligen aldrig sett någon kasta i pengar. Han stirrade på slantarna som låg där och undrade om de var fastklistrade vid kaklet – ännu ett upppiggande inslag i inredningen av huset.

Som tonåringar på en basebollmatch, längst uppe på läktaren, utom synhåll för pojkens kamrater. Några centimeter naket trä mellan dem, mörkret som faller, sensommarkvällen som hastigt svalnar. Trevande händer, blickar som aldrig släpper fältet medan de makar sig närmare varandra. Han tar av sig jackan, om han har en, och lägger den om hennes smala axlar. Under den kan han dra henne närmare sig, trycka sina utspärrade fingrar mot hennes mjuka arm.

Inte som idag när killen säkert kommer innanför trosorna redan vid första träffen.

Fionas tunna späda arm. Tonårig lust som överraskar henne och sprakar utmed alla nerver i hennes nya mjuka kropp, medan kvällen tätnar bortom spelets upplysta damm.

Det var ont om speglar på Meadowlake, och därför slapp han se sig själv stryka omkring. Men det slog honom då och då hur dåraktig och patetisk och kanske rubbad han måste te sig där han hängde efter Fiona och Aubrey. Utan att lyckas konfrontera vare sig henne eller honom. Mindre och mindre övertygad om att han överhuvudtaget hade någon rätt att befinna sig på scenen men utan att kunna dra sig tillbaka. Till och med när han satt hemma vid skrivbordet och arbetade eller städade huset eller om nödvändigt skottade snö fanns det en tickande metronom inne i huvudet som var inställd på Meadowlake, på nästa besök. Ibland tyckte han sig likna en envis yngling på hopplös friarstråt, ibland kände han sig som en dåre som följer efter firade kvinnor på gatorna, övertygad om att kvinnan en dag ska vända sig om och kännas vid sin älskade.

Han gjorde en kraftansträngning och drog ner besöken till onsdagar och lördagar. Dessutom började han observera omgivningen, som om han var en besökare som skötte sig själv, en person som ägnade sig åt inspektion eller utförde en social studie.

Lördagarna präglades av helgbrådska och spänning. Det vimlade av familjer på besök. För det mesta var det mammorna som förde befälet och som muntra men ihärdiga fårhundar föste omkring män och barn. Det var bara de minsta barnen som var totalt orädda. De lade genast märke till de gröna och vita rutorna i korridorgolven och valde att kliva på den ena färgen och att hoppa över den andra. De djärvaste kunde ge sig till att försöka åka baktill på rullstolarna. En del envisades med dessa påhitt trots att de fick bannor och måste förpassas till bilen. Och det fanns alltid någon pappa eller något äldre syskon som gärna åtog sig att gå ut med barnet för att på det viset själv slippa undan besöket.

Det var kvinnorna som höll igång samtalet. Männen verkade kuschade av situationen, tonåringarna kränkta. Patienten som fått besök åkte rullstol, gick med käpp eller tog sig stelt fram utan hjälp i täten av processionen, stolt över tillströmningen men tydligt stressad, lite blank i blicken eller desperat angelägen att babbla på. Och omgivna av ett antal utomstående verkade patienterna inte alls lika självklart hemma här. Kvinnorna hade kanske fått alla skäggstrån borttagna från hakan och skumma ögon doldes av en svart lapp eller mörka glasögon, olämpliga yttranden stävjades kanske med hjälp av medicinering, men det fanns kvar något glasartat över patienten, en spöklik stelhet – som om han eller hon nöjde sig med att bli ett minne av sig själv, ett slutgiltigt fotografi.

Nu förstod Grant bättre hur mr Farquar måste ha känt det. Till och med de patienter som inte deltog i några aktiviteter här utan bara satt och blickade mot dörren eller såg ut genom fönstret hade ett aktivt liv inne i huvudet (för att inte tala om i kroppen, där det ständigt pågick illavarslande tarmrörelser och där stick och hugg utan förvarning kunde uppträda någonstans), och det var något som man i de flesta fall inte kunde beskriva eller nämna inför besökare. Det enda man kunde göra var att rulla omkring i stolen eller på något sätt hålla sig uppe i hopp om att kunna hitta på något att visa fram eller tala om.

Man kunde förevisa orangeriet och den stora teveskärmen. Det tyckte papporna var fantastiskt. Mammorna tittade på ormbunkarna och sa att de var prunkande vackra. Snart satt alla vid de små borden och åt glass – utom tonåringarna förstås, som vägrade och tyckte att allt var så pinsamt att de ville sjunka genom jorden. Kvinnorna torkade bort saliven som rann utmed darriga gamla hakor och männen tittade åt ett annat håll.

Det måste finnas någon sorts tillfredsställelse över denna besöksritual, och kanske skulle till och med tonåringarna en dag vara glada att de hade följt med. Grant var inte någon expert på familjer.

Det verkade inte som om Aubrey fick besök av några barn eller barnbarn, och han och Fiona höll sig undan lördagsparaden, eftersom borden var upptagna av glassätande besökare och man inte kunde spela kort. Orangeriet var också det alldeles för populärt för att de skulle kunna föra ett av sina förtroliga samtal där.

Det var förstås möjligt att dessa ägde rum bakom Fionas stängda dörr. Grant kunde inte ta mod till sig och knacka, trots att han med intensiv ovilja stod där en bra stund och stirrade på Disneyfåglarna.

De kunde också vara i Aubreys rum, men han visste inte var det låg. Ju mer han undersökte stället, desto fler korridorer och sällskapsrum och ramper upptäckte han, och han gick fortfarande ofta vilse under dessa strövtåg. Han brukade ta sikte på en viss tavla eller stol, och veckan därpå tycktes föremålet i fråga ha flyttats någon annanstans. Han ville inte gärna nämna det för Kristy, för den händelse att hon skulle misstänka att han å sin sida också hade vissa mentala störningar. Kanske var det för patienternas skull som man ständigt flyttade om saker och ting – för att göra deras dagliga tillvaro intressantare.

Han sa inte heller något om att han ibland såg en kvinna på avstånd som han trodde var Fiona, men som omöjligt kunde vara hon på grund av de kläder som hon bar. När hade Fiona någonsin gått in för storblommiga blusar och knallblå långbyxor? En lördag tittade han ut genom fönstret och såg en kvinna som måste vara Fiona köra Aubrey i rullstol längs en av de asfalterade gångarna som nu var fria från snö och is, och kvinnan var iförd en fånig yllemössa och en jacka med ett virvelmönster i blått och lila, en sådan som man kunde se folk i trakten gå omkring med inne på stormarknaden.

Skälet måste vara att de blandade ihop plaggen i tvätten och att de räknade med att patienterna ändå inte kände igen sina egna kläder, bara storleken stämde.

De hade dessutom klippt henne. De hade klippt bort hennes änglalika gloria av hår. En onsdag, när allting var precis som vanligt och kortspelet pågick igen, när kvinnorna i syrummet fick hålla på med sina silkesbroderier eller dockkläder utan att någon beundrande hängde över dem, och när Aubrey och Fiona åter visade sig så att Grant kunde ha ett av sina korta och vänliga och frustrerande samtal med sin hustru, sa han till henne: "Varför har de klippt av dig håret?"

Fiona förde handen till huvudet, till kinden.

"Oj – jag har inte ens saknat det", sa hon.

Han tänkte att han skulle ta reda på vad som försiggick på andra våningen, där man satte de patienter som verkligen var illa däran, som Kristy sa. De som gick omkring härnere och pratade med sig själva eller slängde ur sig konstiga frågor till den som gick förbi ("Har jag glömt min kofta i kyrkan?") var tydligen ännu inte helt borta.

Inte tillräckligt för att kvalificera sig.

Det fanns trappor, men dörrarna ovanför dem var låsta och bara personalen hade nycklar. Man kunde inte heller åka hiss utan att någon tryckte på en knapp bakom disken för att öppna den.

Vad gjorde patienterna när de väl kommit dit?

"En del blir helt passiva", sa Kristy. "Vissa sitter bara och gråter. Andra skriker för att röra upp himmel och jord. Du ska slippa höra."

Ibland klarnade det.

"Man kan komma in i deras rum under ett helt års tid utan att de har en aning om vem man är, det kunde lika gärna vara Gud fader själv. Så en dag, åh, hej, när ska vi åka hem? Plötsligt är allting som vanligt. Men det varar inte länge.

Oj, tänker man, nu är det normalt igen. Och sen är de bara borta." Hon knäppte med fingrarna. "Utan att man hinner blinka."

I den stad där Grant hade arbetat fanns en bokhandel som han och Fiona besökte ett par gånger om året. Han gick dit ensam. Han hade inte lust att köpa något, men han hade gjort upp en lista som han valde från och köpte sen ännu en bok som han såg av en slump. Den handlade om Island. En bok med artonhundratalsakvareller, målade av en kvinnlig resenär på Island.

Fiona hade aldrig lärt sig mammans modersmål och hon hade aldrig visat någon större respekt för de sagor som fanns bevarade på det språket – sagorna som Grant hade undervisat och skrivit om och fortfarande ägnade sig åt. Hon brukade tala om dessa sagans hjältar som "gamle Njal" eller "gamle Snorre". Men på senaste tiden hade hon börjat intressera sig för landet självt och läsa olika resehandböcker. Hon läste om William Morris resa dit och Audens. Hon hade inte själv tankar på att besöka landet. Hon sa att vädret var för avskyvärt. Dessutom, sa hon, borde det finnas en plats som man tänkte på och kände till och kanske längtade efter att besöka – men aldrig fick se.

När Grant började undervisa i anglosaxisk och nordisk litteratur hade han den vanliga sortens elever i sina klasser. Men efter några år lade han märke till en förändring. Gifta kvinnor började återvända till universitetet. Inte för att de tänkte kvalificera sig för ett bättre jobb eller ett jobb överhuvudtaget utan bara för att få något intressantare att tänka på än vanliga hobbyer och hushållsgöromål. För att berika livet. Och kanske var det naturligt att lärarna i dessa ämnen också betraktades som berikande, att sådana män i dessa kvinnors ögon tedde sig mer hemlighetsfulla och åtråvärda än de män som de fortfarande lagade mat åt och låg med.

För det mesta brukade lite äldre studenter välja psykologi, kulturhistoria eller engelsk litteratur. Ibland läste de arkeologi eller lingvistik men släppte dessa ämnen när det visade sig att det blev för ansträngande. De som anmälde sig till Grants kurser kunde ofta ha skandinavisk bakgrund, som Fiona, eller också hade de kanske lärt sig något om nordisk mytologi genom Wagners musik eller historiska romaner. Det fanns också några som trodde att Grant undervisade i ett keltiskt språk och som tyckte att allt som hade med det keltiska att göra var hemlighetsfullt och lockande.

Han var ganska kärv mot sådana aspiranter från sin sida av katedern.

"Om ni vill lära er ett vackert språk, välj då spanska. Sen kan ni använda er av det när ni reser till Mexiko."

En del lystrade till varningen och gav sig iväg. Andra verkade på ett personligt sätt påverkas av hans krävande ton. De arbetade med liv och lust och kom till hans arbetsrum, till hans välordnade och behagliga liv, med den mogna kvinnlighetens hela förbluffande och medgörliga blomstring, med skälvande förhoppningar om att vinna sympati.

Han valde en kvinna som hette Jacqui Adams. Hon var raka motsatsen till Fiona – kort, mullig, mörkögd och översvallande. Främmande för ironi. Förhållandet varade ett år, till dess att hennes man blev förflyttad. När de sa adjö, i hennes bil, började hon skaka obehärskat, som om hon drabbats av hypotermi. Hon skrev till honom några gånger, men han tyckte att tonen i breven var överspänd och kunde inte bestämma sig för vad han skulle svara. Han lät breven bli liggande, medan han på ett förtrollande och oväntat sätt inledde ett förhållande med en flicka som var ung nog att vara hennes dotter.

För medan han var upptagen av Jacqui hade en annan och mer svindlande utveckling tagit sin början. Unga flickor med långt hår och sandaler på fötterna kom in på hans rum och förklarade sig i stort sett redo för sex. Det var inte tal om några försiktiga närmanden, om den sortens ömma kärleksyttringar som krävdes med Jacqui. En virvelvind träffade honom, något som också hände många andra, och längtan förvandlades till handling på ett sätt som fick honom att undra om det inte var något man gick miste om. Men vem hade tid att sörja över det? Han hörde talas om samtidiga förbindelser, vilda och riskfyllda möten, skandaler som kom i öppen dager och blev plågsamt dramatiska för alla, även om man på något sätt hade en känsla av att det var bäst som skedde. Det förekom repressalier – folk blev avskedade. Men de som blev avskedade försvann till mindre och mer toleranta college eller började undervisa på någon vuxenskola, och många hustrur som blivit lämnade kom över chocken och iklädde sig samma kostym, samma sexuella nonchalans som de flickor som hade frestat deras män. Akademiska fester, som alltid varit så förutsägbara, blev till minerade fält. En epidemi hade brutit ut, den spred sig som spanska sjukan. Fast den här gången ville folk bli smittade, och det var inte många mellan sexton och sextio som ville stå över leken.

Fiona höll sig dock utanför. Hennes mamma var döende, och erfarenheterna på sjukhuset fick henne att lämna sitt rutinarbete på förvaltningskontoret och börja ett nytt jobb. Grant själv föll inte överbord, åtminstone inte i jämförelse med vissa kolleger. Han lät aldrig någon annan kvinna komma honom lika nära som Jacqui hade gjort. Det han kände var mest ett enormt mycket större välbefinnande. En tendens till knubbighet som han haft sen han var tolv år försvann. Han tog två steg i taget när han sprang uppför trapporna. Han kunde som aldrig förr njuta av att betrakta sönderslitna moln i en vintrig solnedgång från fönstret i sitt arbetsrum eller det hemtrevliga skenet från antika lampor mellan grannarnas vardagsrumsgardiner, och han gladde sig åt ropen från barn i parken som inte ville sluta åka kälke när skymningen föll. När sommaren kom lärde han sig namnen på blommor. Sen han hade fått en lektion av sin nästan röstlösa svärmor (hon hade drabbats av strupcancer) tog han risken att inför klassen recitera och översätta det majestätiska och blodiga odet *Huvudlösen*, "Höfuðlausn", diktat av Egill Skalla-Grimsson för att hedra kung Erik Blodyx som dömt honom till döden (men som i skaldelön senare frigav honom). Alla applåderade – till och med klassens fredsaktivister som han först hade pikat och frågat om de kanske ville vänta ute i korridoren. När han körde hem den dagen eller kanske senare, dröjde sig ett absurt och hädiskt bibelcitat kvar i hans tankar:

Och så växte han till i ålder och visdom –
Och i nåd inför Gud och människor.

Det gjorde honom generad den gången och fick honom att känna en vidskeplig rysning. Som än idag. Men så länge som ingen visste, verkade det inte onaturligt.

Han tog med sig boken nästa gång han besökte Meadowlake. Det var en onsdag. Han letade efter Fiona vid spelbordet men såg henne inte.

En kvinna ropade till honom: "Hon är inte här. Hon är sjuk."
Hon lät viktig och upprymd – nöjd med sig själv för att hon hade
känt igen honom fastän han inte visste något om henne. Kanske också
nöjd att hon visste så mycket om Fiona, om Fionas liv här, att hon
kanske visste mer än han.

"Han är inte heller här", sa hon.

Grant gick och letade upp Kristy.

"Det är ingenting särskilt", sa hon när han frågade vad det var för
fel på Fiona. "Hon ville bara stanna kvar i sängen idag, hon är lite led-
sen."

Fiona satt rakt upp i sängen. De få gånger han varit inne i rummet
hade han inte märkt att hon hade en sjuksäng som kunde fällas upp på
det sättet. Hon var klädd i ett av sina kyska, höghalsade nattlinnen
och ansiktet var blekt på ett sätt som inte påminde om körsbärsblom
utan snarare om mjölklister.

Aubrey satt bredvid henne i rullstolen, så tätt intill sängen som
möjligt. Istället för någon av sina vanliga obestämbara skjortor som
var uppknäppta i halsen hade han nu kavaj och slips. Hans prydliga
tweedhatt vilade på sängen. Det såg ut som om han hade varit ute på
ett viktigt uppdrag.

För att träffa sin advokat? Sin bankman? För att avtala något med
begravningsentreprenören?

Vad han än hade gjort såg han ut att vara fullständigt slut. Också
han var grå i ansiktet.

De tittade båda upp på Grant med orörlig min och ett uttryck av
sorgsen rädsla som gick över i lättnad, om än inte välkomnande, när
de såg att det var han.

Inte den de trodde att det skulle vara.

De höll varandra i handen och de släppte inte taget.

Hatten på sängen. Kavajen och slipsen.

Aubrey hade inte varit ute. Det handlade inte om var han hade varit
eller vem han hade träffat utan om vart han var på väg.

Grant lade boken vid Fionas lediga hand på sängen.

"Det är en bok om Island", sa han. "Jag tänkte att du kanske ville bläddra i den."

"Men tack", sa Fiona. Hon tittade inte på boken. Han lade handen på den.

"Island", sa han.

Hon sa: "Is-land." Den första stavelsen lyckades förmedla ett svagt eko av intresse, men den andra föll platt till marken. Hon var i alla fall tvungen att vända uppmärksamheten mot Aubrey som nu drog sin stora tjocka hand ur hennes.

"Vad är det?" sa hon. "Vad är det, mitt hjärta?"

Grant hade aldrig förut hört henne använda ett så smeksamt uttryck.

"Åh, här, ta några." Och hon drog fram en näve pappersnäsdukar ur en ask vid sängen.

Aubrey hade börjat gråta. Hans näsa rann, och han var angelägen att inte göra sig till ett spektakel, särskilt inte inför Grant.

"Här, här har du", sa Fiona. Hon ville själv torka honom om näsan och stryka bort tårarna — och om de hade varit ensamma skulle han kanske ha låtit henne göra det. Men när Grant var där ville Aubrey inte tillåta det. Han tog pappersnäsdukarna och försökte så gott han kunde och med viss framgång tafatt torka sig om näsan.

Medan han var upptagen med det, vände Fiona sig mot Grant.

"Har du möjligen något att säga till om här i huset?" viskade hon. "Jag har sett dig prata med dem — "

Aubrey gav ifrån sig ett ljud som uttryckte protest eller kanske trötthet eller motvilja. Sen vek sig överkroppen framåt, som om han ville kasta sig mot henne. Hon tog sig halvvägs upp ur sängen och grep tag i honom och höll om honom. Grant tyckte inte att det var hans sak att hjälpa till, även om han förstås skulle ha gjort det om han trott att Aubrey skulle falla i golvet.

"Lugn", sa Fiona. "Åh, älskling, sch. Vi kommer att få träffas. Det måste vi. Jag ska komma och hälsa på dig. Och du på mig."

Aubrey gav ifrån sig samma ljud igen, nu med ansiktet tryckt mot hennes bröst, och det enda Grant i anständighetens namn kunde göra var att gå ut ur rummet.

"Jag önskar bara att hans fru kunde skynda sig och komma", sa Kristy. "Att hon kunde få honom härifrån och göra pinan kort. Vi måste snart börja servera middagen, och hur ska vi få henne att svälja något om han fortfarande är kvar?"

Grant sa: "Ska jag stanna?"

"Varför det? Hon är ju inte sjuk."

"För att hålla henne sällskap", sa han.

Kristy skakade på huvudet.

"De måste själva komma över sådana här saker. För det mesta är minnet kort. Det kan vara bra ibland."

Kristy var inte hårdhjärtad. Under den tid Grant känt henne hade han fått veta lite om hennes liv. Hon hade fyra barn. Hon visste inte var hennes man fanns men trodde att han kanske var i Alberta. Yngste pojkens astma var så allvarlig att han skulle ha dött en natt i januari om hon inte hade fått honom till akuten i tid. Han ägnade sig inte åt något olagligt knarkande, men hon var inte så säker när det gällde hans bror.

I hennes ögon måste Grant, Fiona och Aubrey vara lyckligt lottade. De hade tagit sig igenom livet utan att alltför mycket hade gått snett. Om de drabbades av något nu när de var gamla räknades det knappast.

Grant gick utan att återvända till Fionas rum. Han märkte att vinden faktiskt var varm den dagen och att kråkorna kraxade högljutt. Ute på parkeringsplatsen höll en kvinna i rutig byxdress på att ta fram en hopfällbar rullstol ur bagageluckan på sin bil.

Gatan han körde utmed hette Black Hawks Lane. Alla gatorna i området hade fått namn efter lag i det gamla National Hockey League. Det här var en avskild del av stan nära Meadowlake. Han och Fiona hade regelbundet handlat i den stan men bara lärt känna själva centrum.

Husen såg alla ut att vara byggda ungefär samtidigt, kanske för trettio eller fyrtio år sen. Gatorna var breda och svängda, och det fanns inga trottoarer — som ett minne av den tiden då det ansågs osannolikt att människor någonsin skulle ägna sig åt att gå till fots igen. Vänner till Grant och Fiona hade flyttat till sådana här områden när de började få barn. De ursäktade sig först och kallade det att flytta ut på vischan.

Här bodde fortfarande en del unga familjer. Det fanns basketbollkorgar över garagedörrarna och trehjulingar på uppfarterna. Men några av husen hade förfallit och tappat en del av stilen. På framsidan syntes hjulspår efter bilar, fönstren var övertäckta med aluminiumfolie eller behängda med blekta flaggor.

Hus som hyrdes ut till yngre män — ännu singel eller singel igen.

Några hus verkade väl underhållna av samme ägare som flyttat in i dem när de var nya — folk som inte hade haft råd eller kanske inte lust att flytta vidare till ett bättre ställe. Buskarna hade vuxit sig höga, pastellfärgad fasadklädsel av vinylplast hade undanröjt problemet med att måla om. Prydliga staket eller häckar gav intrycket att barnen i dessa hus alla var vuxna och utflugna och att deras föräldrar inte längre såg några skäl till att trädgården skulle vara allmän genomfartsväg för alla de nya ungar som sprang omkring i området.

Det hus som enligt telefonkatalogen tillhörde Aubrey och hans fru var ett av dessa. Gången på framsidan var täckt av stenplattor och kantad av hyacinter som stod stela som porslinsblommor, rosa och blå.

Fiona hade inte kommit över sin sorg. Hon åt inte vid måltiderna, fastän hon låtsades göra det och gömde maten i servetten. Hon fick näringsdryck två gånger om dagen — någon stannade och såg på medan hon svalde den. Hon steg upp och klädde på sig men ville bara sitta kvar i sitt rum. Hon skulle inte ha rört på sig alls om inte Kristy eller någon av de andra sköterskorna, och Grant under besökstiden, hade tagit ut henne på promenad eller gått av och an i korridorerna.

Hon satt på en bänk vid väggen ute i vårsolen och grät sakta. Hon var fortfarande artig — och bad om ursäkt för sina tårar, protesterade aldrig mot ett förslag och vägrade aldrig besvara en fråga. Men hon grät. Gråtandet gjorde hennes ögon rödkantade och matta. Hennes kofta – om det nu var hennes – var felknäppt. Hon hade ännu inte kommit dithän att hon lät bli att borsta håret eller peta naglarna, men det kunde mycket väl bli så snart.

Kristy sa att hennes muskler höll på att försvagas och att om det inte snart blev bättre, måste de ge henne en rollator.

"Men får de väl en rollator börjar de förlita sig på den och då slutar de i stort sett att gå utom när de måste."

"Du får jobba hårdare med henne", sa hon till Grant. "Försöka pigga upp henne."

Men Grant lyckades inte med det. Det verkade som om Fiona hade börjat tycka illa om honom, fastän hon försökte dölja det. Varje gång hon såg honom blev hon kanske påmind om de sista minuterna med Aubrey, när hon hade bett honom om hjälp och han inte hade hjälpt henne.

Det var ingen mening med att tala om deras äktenskap nu.

Hon ville inte gå bort till sällskapsrummet där i stort sett samma personer fortfarande satt och spelade kort. Och hon ville inte gå in i teverummet eller sätta sig i orangeriet.

Hon sa att hon inte gillade den stora skärmen, det gjorde ont i ögonen på henne. Och ljudet från fåglarna var irriterande, tyckte hon, och hon önskade att de kunde stänga av fontänen ibland.

Såvitt Grant förstod tittade hon aldrig på boken om Island eller på någon av de andra – förvånansvärt få – böcker som hon hade tagit med sig hemifrån. Det fanns ett läsrum där hon brukade sätta sig och vila och som hon troligen valde för att det sällan var någon där, och om han tog ner en bok från hyllorna lät hon honom läsa för henne. Han misstänkte att det blev lättare för henne att stå ut med hans sällskap då – hon kunde sluta ögonen och sjunka tillbaka i sin egen sorg. För om hon släppte sorgen om så bara för en minut, träffade den hårdare när hon åter konfronterades med den. Och ibland tyckte han att hon slöt ögonen för att dölja ett slags kultiverad förtvivlan som det inte vore bra för honom att se.

Därför satt han och läste för henne ur en av de där gamla romanerna om kysk kärlek och förlorade och återvunna rikedomar som kunde ha varit utrangerad ur något gammalt by- eller söndagsskolebibliotek. Man hade tydligen inte gjort några försök att hålla innehållet i läsrummet lika aktuellt som det mesta i huset.

Bokpärmarna var mjuka, nästan sammetslika, med ett tryckt mönster av blad och blommor som fick dem att likna smyckeskrin eller chokladaskar. Som kvinnor – han förutsatte att det var kvinnor – kunde bära hem som en skatt.

Föreståndarinnan kallade in honom på sitt rum. Hon sa att Fiona inte mådde så bra som de hade hoppats.

"Hennes vikt är på väg ner trots att hon får näringstillskott. Vi gör allt vi kan för henne."

Grant sa att han förstod det.

"Saken är den, som ni säkert vet, att vi i längden inte kan ha några sängliggande patienter på första våningen. Det går en tid, om någon inte mår bra, men om patienten blir alltför svag för att kunna vara uppe och ta hand om sig själv, måste vi fundera på att flytta henne till andra våningen."

Han sa att han inte trodde att Fiona hade legat i sängen så ofta.

"Nej. Men om hon inte kan hålla uppe sina krafter, kommer hon att göra det. Just nu är hon ett gränsfall."

Han sa att han trodde att andra våningen var för mentalt störda patienter.

"Det också", sa hon.

Han mindes inte någonting av Aubreys fru annat än den rutiga dressen som han sett henne i på parkeringsplatsen. Kavajen hade glidit upp baktill när hon böjde sig in i bagageutrymmet i bilen. Han hade fått intrycket att hon hade smal midja och bred ända.

Idag hade hon inte den rutiga byxdressen. Bruna långbyxor med skärp och en rosa tröja. Han hade haft rätt när det gällde midjan – det åtsittande skärpet visade att hon ville framhäva den. Det hade kanske varit bättre om hon låtit bli, eftersom hon svällde ut avsevärt både ovanför skärpet och nedanför det.

Hon kunde vara tio eller tolv år yngre än maken. Håret var kort, lockigt och rödfärgat. Hon hade blå ögon – ljusare blå än Fiona, matt-blå som rödhakeägg eller turkosblå – och en lätt påsighet gjorde dem lite sneda. Hon hade ganska mycket rynkor som framhävdes av den bruna makeupkrämen. Eller kanske var det solbrännan från Florida.

Han sa att han inte riktigt visste hur han skulle presentera sig.

"Jag såg ofta er man på Meadowlake. Jag gör själv regelbundna besök där."

"Ja", sa Aubreys fru och gjorde en aggressiv rörelse med hakan.

"Hur står det till med er man?"

Han brukade inte säga "hur står det till". I vanliga fall skulle han sagt: "Hur mår er man?"

"Han har det bra", sa hon.

"Min fru och han blev ganska nära vänner."

"Jag hörde om det."

"Därför ville jag prata med er om en sak, om ni har en stund över."

"Min man har inte försökt inleda något med er fru, om det är det ni menar", sa hon. "Han har inte på något sätt antastat henne. Han är inte i stånd till det och skulle ändå inte göra så. Efter vad jag har hört var det tvärtom."

Grant sa: "Nej, det förstår jag. Jag har inte kommit för att klaga över något."

"Åh", sa hon. "Jag är ledsen. Jag trodde det."

Det var allt hon tänkte säga som ursäkt. Och hon lät inte ledsen. Hon lät besviken och förvirrad.

"Det är bäst ni stiger på då", sa hon. "Det blåser kallt genom dörren. Det är inte så varmt som det ser ut idag."

Det var alltså något av en seger för honom att alls bli insläppt. Han hade inte anat att det skulle bli så svårt. Han hade väntat sig en annan sorts hustru. En nervös hemmafru, glad över ett oväntat besök och smickrad av en förtrolig ton.

Hon förde honom förbi dörren till vardagsrummet och sa: "Vi får sitta i köket där jag kan höra Aubrey." Grant såg en skymt av vardagsrumsgardiner i två lager, båda i blått, ett skirt och ett sidenaktigt, en matchande blå soffa och en dunkelt blek matta, ett antal ljusa speglar och prydnadsföremål.

Fiona hade ett uttryck för den sortens draperade gardiner – för henne var det ett skämt, fastän kvinnan hon hört det av använde det på allvar. När Fiona inredde ett rum blev det alltid fritt och ljust – hon skulle ha häpnat över att se så många utsirade föremål hopträngda på en liten yta. Han kunde inte komma på vad det var för uttryck hon använt.

Från ett rum i närheten av köket – ett inglasat uterum där gardinerna var fördragna mot eftermiddagsljuset – hörde han ljudet av en teve.

Aubrey. Svaret på Fionas böner satt bara en liten bit därifrån och såg på något som lät som en fotbollsmatch. Hans fru tittade in till honom. Hon sa: "Är allt väl?" och sköt igen dörren ett stycke.

"Jag kan väl få bjuda på en kopp kaffe", sa hon till Grant.

Han sa: "Tack."

"Min son fick honom att börja se på sportkanalen i julas för ett år sen. Jag vet inte vad vi skulle ha gjort utan den."

På köksbänkarna stod alla sorters apparater – kaffebryggare, matberedare, knivslip och en del saker som Grant inte visste vad de var till för. Allt såg nytt och dyrbart ut, som om det just hade tagits fram ur förpackningen och dagligen putsades av.

Han kom på att det kanske var en bra idé att uttrycka sin beundran. Han beundrade kaffebryggaren och sa att han och Fiona alltid hade tänkt köpa en. Det var inte alls sant – Fiona hade varit förtjust i en gammal europeisk bryggkanna som bara rymde två koppar åt gången.

"Den har vi fått", sa hon. "Av vår son och hans fru. De bor i Kamloops, British Columbia. De skickar fler saker än vi kan använda. Det hade varit bättre om de kom hit och hälsade på istället."

Grant sa filosofiskt: "De har väl fullt upp med sina egna liv."

"De hade minsann tid att resa till Hawaii förra vintern. Man skulle kunna förstå det om vi hade haft någon annan i närheten. Men vi har bara honom."

När kaffet var färdigt hällde hon upp det i två brungröna keramikmuggar som hon tog ner från de amputerade grenarna på en trädstam av keramik som stod på bordet.

"Folk blir så ensamma", sa Grant. Han tyckte sig se sin chans nu. "Om de förhindras att träffa någon som de bryr sig om, blir de så sorgsna. Fiona, till exempel. Min fru."

"Jag tyckte ni sa att ni besökte henne."

"Det gör jag", sa han. "Det är inte det."

Sen vågade han språnget och framställde den fråga som han kommit dit för. Skulle hon kunna tänka sig att låta Aubrey besöka Meadowlake någon dag i veckan? Det var ju bara några kilometer dit, inte skulle det väl vara alltför besvärligt. Och om hon ville ta ledigt – Grant hade inte tänkt på det förut och blev ganska bestört över att höra sig säga det – kunde han själv köra Aubrey dit, det hade han inte alls någonting emot. Han var säker på att kunna klara det. Och hon skulle säkert må bra av att få lite avlösning.

Medan han pratade rörde hon tyst på läpparna, som om hon försökte identifiera någon tveksam smak. Hon hämtade mjölk till kaffet och några pepparkakor.

"Hembakade", sa hon när hon ställde ner fatet. Tonen var utmanande snarare än gästfri. Hon sa inte mer förrän hon satte sig, hällde mjölk i kaffet och rörde om.

Så sa hon nej.

"Nej. Det går inte. Och skälet är att jag inte tänker göra honom upprörd."

"Skulle det göra honom upprörd?" sa Grant utan att ge upp.

"Ja, det skulle det. Så kan jag inte göra. Ta hem honom och köra dit honom. Ta hem honom och köra dit honom, det skulle bara bli förvirrande."

"Men förstår han inte att han bara är där på besök? Skulle det inte kunna bli en trevlig vana?"

"Han förstår allting, det är inte det." Det lät som om hon tyckte att han sagt något förolämpande om Aubrey. "Men det är ändå ett avbrott. Och då måste jag göra honom i ordning och få in honom i bilen, och han är storvuxen, det är inte så lätt att hantera honom som man skulle kunna tro. Jag måste baxa in honom i bilen och lasta in hans stol och så vidare och till vilken nytta? Om jag gör mig så mycket besvär, skulle jag hellre ta honom till en plats som var roligare."

"Men om jag erbjöd mig att göra det?" sa Grant i en ton som fortfarande var hoppfull och resonabel. "Jag menar det, ni skulle inte själv behöva ha besväret."

"Det kan ni inte", sa hon dovt. "Ni känner honom inte. Ni skulle inte kunna klara honom. Han skulle inte acceptera det. Allt detta besvär och vad skulle han få ut av det?"

Hon reste sig och hämtade cigarretterna och tändaren från fönstret ovanför diskhon.

"Röker ni?" sa hon.

Han sa nej tack, om det nu var så att hon velat bjuda.

"Har ni aldrig rökt? Eller har ni slutat?"

"Slutat", sa han.

"Hur länge sen var det?"

Han funderade.

"Trettio år sen. Nej – mer."

Han hade bestämt sig för att sluta ungefär samtidigt som han inledde förhållandet med Jacqui. Men han mindes inte om han slutade först och trodde att han skulle få en stor belöning för att han slutade eller om han tyckte att det var dags att sluta när han nu hade så heta nöjen att ägna sig åt.

"Jag har slutat sluta", sa hon och tände cigarretten. "Jag tog bara beslutet att sluta sluta."

Det var kanske därför hon hade så mycket rynkor. Någon – en kvinna – hade sagt att kvinnor som rökte fick extra mycket fina rynkor i ansiktet. Men det kunde förstås likaväl bero på solen eller hudens beskaffenhet – också halsen var märkbart rynkig. Rynkig hals, ungdomligt fylliga bröst som pekade uppåt. Kvinnor i hennes ålder präglades ofta av sådana motsättningar. De goda och dåliga punkterna, den genetiska turen eller bristen på tur, allt sammanblandat. Mycket få bevarade sin skönhet, om än skugglik, så som Fiona gjort.

Och kanske var det inte ens sant. Kanske tyckte han bara det för att han hade känt Fiona när hon var ung. För att ha den uppfattningen måste man kanske ha känt en kvinna när hon var ung.

När Aubrey tittade på sin fru, såg han då en spotsk och pikant skolflicka med en spännande vinkel på ögon blå som rödhakeägg och en fyllig mun som trutade runt den förbjudna cigarretten?

"Jaså, er fru är deprimerad?" sa Aubreys fru. "Vad hette hon? Jag har glömt det."

"Hon heter Fiona."

"Fiona. Och ni? Jag tror inte att jag har hört det."

Grant sa: "Jag heter Grant."

Hon stack oväntat fram handen över bordet.

"Hej, Grant. Jag heter Marian."

"Ja, nu när vi har presenterat oss är det lika bra att jag säger precis vad jag tycker", sa hon. "Jag vet inte om han fortfarande är tänd på att träffa din – träffa Fiona. Eller inte. Jag frågar inte och han säger ingenting. Det är kanske bara en övergående historia. Men jag har inte lust att ta honom tillbaka dit om det kanske visar sig bli mer än så. Jag kan inte riskera det. Jag vill inte att det ska bli svårt att ta hand om honom. Jag vill inte att han ska bli uppriven och förstörd. Jag har händerna fulla redan nu. Jag har ingen hjälp. Det är bara jag här. Det är jag som sköter alltsammans."

"Har du nånsin funderat på – det *är* ju väldigt jobbigt för dig – " sa Grant – "så har du nånsin funderat på att lämna honom där för gott?"

Han talade så lågt att han nästan viskade, men det verkade inte som om hon kände behov av att sänka rösten.

"Nej", sa hon. "Jag tänker behålla honom här."

Grant sa: "Ja. Det är väldigt fint och ädelt av dig."

Han hoppades att ordet "ädel" inte lät sarkastiskt. Det var inte hans avsikt.

"Tycker du det?" sa hon. "Jag tänker mig det inte som ädelt."

"Nej, men det är inte lätt."

"Nej, det är det inte. Men jag har inte mycket val. Som det nu är har jag inte råd att sätta honom där med mindre än att jag säljer huset. Huset är allt vi äger. För övrigt har jag inga tillgångar. Jag får pension nästa år, och då har jag hans pension och min pension, men inte ens då skulle jag ha råd att behålla huset om jag lät honom bo där. Och mitt hus betyder mycket för mig."

"Det är väldigt trevligt", sa Grant.

"Ja, det är fint. Jag har lagt ner mycket på det. Gjort i ordning och underhållit det."

"Det har du verkligen."

"Jag vill inte göra mig av med det."

"Nej."

"Jag *tänker* inte göra mig av med det."

"Jag förstår precis."

"Företaget lämnade oss i sticket", sa hon. "Jag kan inte alla detaljer, men han fick i stort sett sparken. Det slutade med att de sa att han var skyldig dem pengar, och när jag försökte få reda på mer sa han bara att det inte angick mig. Jag tror att han måste ha gjort något ganska dumt. Men jag får inte fråga, så jag håller tyst. Du har ju varit gift. Du är gift. Du vet hur det är. Och mitt uppe i det hela var det meningen att vi skulle ut på en resa med folk vi känner, och vi kunde inte backa ur. Så under resan får han en virussjukdom som man aldrig har hört talas om och hamnar i koma. På det viset slipper *han* alltså undan."

Grant sa: "Otur."

"Jag menar inte att han blev sjuk med avsikt. Det råkade bara bli så. Han är inte arg på mig längre och jag är inte arg på honom. Men sådant är livet."

"Det är sant."

"Man kan inte lura livet."

Hon slickade sig med tungan om överläppen på ett effektivt kattlikt sätt och samlade upp kaksmulorna. "Jag låter visst riktigt filosofisk.

De berättade för mig där borta att du har varit universitetslärare."

"Ja, det var ett bra tag sen", sa Grant.

"Jag är inte särskilt intellektuell av mig."

"Det är nog egentligen inte jag heller."

"Men jag vet vad jag vill. Och nu har jag bestämt mig. Jag tänker inte släppa huset. Vilket betyder att jag behåller honom här, och jag vill inte att han ska få för sig att flytta någon annanstans. Det var säkert ett misstag att lämna honom där så att jag skulle kunna resa bort, men det var sista chansen, så jag tog den. Nu vet jag bättre."

Hon skakade fram ännu en cigarrett.

"Jag vet vad du tycker", sa hon. "Du tycker att jag är en egennyttig människa."

"Jag dömer inte någon på det sättet. Det är ditt liv."

"Ja, den saken är klar."

Han tyckte att de skulle avsluta samtalet lite mer neutralt. Därför frågade han henne om hennes man hade jobbat i en järnaffär under somrarna när han gick i skolan.

"Det har jag aldrig hört talas om", sa hon. "Jag har inte vuxit upp här."

När han körde hem såg han att det låglänta träsket som varit fyllt med snö och skuggat av trädstammar nu lystes upp av den vildväxande *Symplocarpus faetidus*. De frodiga bladen som såg ätliga ut var stora som fat. Blommorna var raka som eldslågor och så ymnigt förekommande med sin klargula färg att det var som om jorden gav ifrån sig ett ljus denna molniga dag. Fiona hade berättat att de också utstrålade en egen värme. Fiona hade en massa dold kunskap som hon kunde plocka fram, och hon hade berättat att man kunde stoppa handen innanför de hoprullade kronbladen och känna värmen. Hon sa att hon hade försökt, men hon var inte säker på om det hon känt verkligen var värme eller om hon bara inbillat sig. Och värmen drog till sig insekter.

"Naturen bryr sig inte om att bara vara dekorativ."

Han hade misslyckats med Aubreys fru. Marian. Han hade varit beredd på det men inte på minsta sätt kunnat förutse skälet. Han hade trott att det enda som skulle kunna bli besvärligt från hustruns sida var en naturlig sexuell svartsjuka — eller en förbittrad inställning, de envisa resterna av sexuell svartsjuka.

Han hade inte haft någon aning om hur hon skulle se på saker och ting. Och ändå hade samtalet på något nedslående sätt inte varit obekant för honom. Det påminde honom om samtal han haft med personer i den egna släkten. Hans morbröder och säkert till och med hans mor hade resonerat på samma sätt som Marian. De ansåg att om andra inte tyckte som de var det för att de förde sig själva bakom ljuset — genom utbildning eller ett alltför bekvämt liv hade de blivit alltför blåögda, eller inskränkta. De hade förlorat kontakten med verkligheten. Bildade människor, lärda människor, en del rika personer som Grants socialistiska släktingar, hade alla tappat kontakten med verkligheten. På grund av oförtjänt tur eller medfödd dumhet. Och i Grants fall ansågs det säkert vara bådadera, misstänkte han.

Säkert var det så Marian såg honom. Som en inskränkt person, fylld av trist lärdom och på grund av oförtjänt tur skyddad mot det verkliga livet. En människa som inte behövde oroa sig för om han skulle ha råd att behålla huset och som lugnt kunde gå omkring och tänka sina komplicerade tankar. Fri att gå och drömma ihop fina och generösa planer som han ansåg skulle göra en annan människa lycklig.

Vilken tönt, tänkte hon säkert nu.

Att konfronteras med en sådan person fick honom att känna sig hopplös, förbittrad och till sist nästan förtvivlad. Varför? För att han inte trodde att han kunde stå på sig inför en sådan människa? För att han var rädd att hon egentligen kanske hade rätt? Fiona skulle aldrig drabbas av sådana betänkligheter. Ingen hade trampat ner henne, tyglat henne, när hon var ung. Hon hade varit road av hans uppväxt och tyckt att de hårda reglerna var besynnerliga.

Men det finns ändå vissa poäng med den typen av människor. (Han kunde höra sig diskutera detta med någon. Fiona?) Det finns vissa fördelar med ett smalt perspektiv. Säkert skulle Marian fungera bra under kris. Duktig på att överleva, i stånd att tigga till sig mat och stjäla skorna från ett lik på gatan.

Att försöka komma underfund med Fiona hade alltid varit frustrerande. Det kunde vara som att följa en hägring. Nej – som att bo i en hägring. Att komma Marian nära skulle vara svårt på ett annat sätt. Det skulle vara som att bita i en litchinöt, i den stora kärnan av sten innanför det ytliga köttet med den egendomligt konstlade lockelsen, den kemiska smaken och parfymerade doften.

Han skulle ha kunnat gifta sig med henne. Tänka sig det. Han skulle ha kunnat gifta sig med en flicka som hon. Om han hade stannat kvar där han växte upp. Hon skulle säkert ha varit nog så aptitretande, med sina utsökta bröst. Hon var säkert flörtig. Det beskäftiga sättet att väga med skinkorna på köksstolen, den trutande munnen, en lätt utstuderad hotfullhet över minen – det enda som fanns kvar av den mer eller mindre oskuldsfulla vulgariteten hos en småstadsflört.

Hon måste ha haft vissa förhoppningar när hon valde Aubrey. Hans prydliga utseende, jobbet som manschettarbetare och tjänsteman med framtidsaspirationer. Hon måste ha trott att hon skulle få det bättre än vad hon hade det nu. Men så gick det ofta med dessa praktiska människor. Trots den beräknande inställningen, trots överlevnadsinstinkten var det inte säkert att de kom riktigt så långt som de med all rätt kunnat vänta sig. Det verkade faktiskt orättvist.

Det första han såg när han kom ut i köket var att telefonsvararen blinkade. Han tänkte det han alltid tänkte numera. Fiona.

Han tryckte på knappen innan han tog av sig rocken.

"Hej, Grant. Jag hoppas att jag har hamnat hos rätt person. Jag kom bara att tänka på en sak. På lördag kväll ska vi ha en danstillställning för singlar här på The Legion, och jag sitter i supékommittén, vilket innebär att jag kan ha med mig en gratisgäst. Så jag undrade om du kunde tänkas vara intresserad? Ring mig så fort du kan."

En kvinnoröst uppgav ett nummer i trakten. Sen hördes ett pip och samma röst började prata igen.

"Jag kom just på att jag glömde säga vem det var. Du kände nog igen rösten. Det är Marian. Jag är fortfarande inte så van vid att prata i telefonsvarare. Jag ville bara säga att jag vet att du inte är singel och jag menade inte så. Det är ju inte jag heller, men det skadar inte att komma ut ibland. Och nu när jag har sagt allt detta hoppas jag verkligen att det är rätt person jag pratar med. Det lät ju som din röst. Om du är intresserad kan du ringa och om du inte är det kan du låta bli. Jag tänkte bara att du kanske ville ta chansen att komma ut. Det här är Marian som talar. Det sa jag visst redan. Okej. Hej då."

På telefonsvararen lät hennes röst inte som den röst han hört för en stund sen hemma hos henne. Lite annorlunda i det första meddelandet, mer så i det andra. En viss nervositet, en låtsad nonchalans, en brådska att tala till punkt och en motvilja att släppa taget.

Någonting hade hänt med henne. Men när hände det? Om det hade skett genast var hon skicklig på att dölja det under hela den tid han satt där. Mer sannolikt var att det hade kommit smygande, kanske efter det att han gått. Inte nödvändigtvis så att hon känt sig attraherad. Bara en insikt att han var en möjlighet, en ensam man. Mer eller mindre ensam. En möjlighet som hon lika gärna kunde ta tag i.

Men hon var darrig när hon gjorde första draget. Hon utsatte sig för en risk. Hur stor kunde han ännu inte avgöra. För det mesta ökade kvinnans sårbarhet allteftersom tiden gick, allteftersom saker och ting utvecklades. Det enda man kunde säga i början var att om det fanns en skugga av sårbarhet nu, skulle det komma mer senare.

Han kände viss tillfredsställelse över att ha lockat fram det där hos henne, det kunde han inte förneka. Att ha väckt något av ett skimmer, en suddighet på ytan av hennes personlighet. Att i hennes snarstuckna, breda vokaler ha hört detta svaga vädjande.

Han ställde fram äggen och svampen för att göra en omelett. Sen tyckte han att han lika gärna kunde ta sig en drink.

Allt var möjligt. Var det sant — att allt var möjligt? Om han ville, skulle han då till exempel kunna bryta ner hennes försvar och få henne dithän att hon lyssnade på honom när det gällde att flytta tillbaka Aubrey till Fiona? Och inte bara på besök utan för återstoden av Aubreys liv? Vart skulle denna skälvning kunna leda dem? Till en oväntad seger, till en triumf över hennes självbevarelsedrift? Till Fionas lycka?

Det skulle i så fall vara en utmaning. En utmaning och en hedrande bedrift. Dessutom ett skämt som aldrig skulle kunna anförtros någon – att tänka sig att han genom att uppföra sig illa skulle göra Fiona något gott.

Men han var inte riktigt i stånd att tänka på det. Om han verkligen tänkte på det, skulle han bli tvungen att räkna ut vad som kunde hända med honom och Marian sen han hade lämnat över Aubrey till Fiona. Det skulle inte fungera – om han inte fann större tillfredsställelse än vad han kunde förutse och hittade kärnan av oförvitlig egennytta innanför hennes robusta pulpa.

Man visste aldrig riktigt hur sådana saker skulle utfalla. Man visste nästan, men man kunde aldrig vara säker.

Hon satt förstås hemma hos sig nu och väntade på att han skulle ringa. Nej, hon satt nog inte. Hon gjorde saker och ting för att hålla sig sysselsatt. Hon verkade vara den typen som håller sig sysselsatt. Huset visade verkligen tecken på ständig omvårdnad. Och så var det Aubrey – honom måste hon ta hand om som vanligt. Hon hade kanske gett honom middag tidigt – anpassat hans måltider efter tidsschemat på Meadowlake, så att hon kunde göra honom i ordning för natten och slippa ägna sig åt sådana rutiner under resten av dagen. (Vad skulle hon göra med honom när hon gick på dansen? Kunde hon lämna honom ensam eller var hon tvungen att skaffa någon som vaktade honom? Skulle hon berätta för honom vart hon skulle gå, presentera sitt sällskap? Och skulle partnern i så fall betala den som vaktade honom?)

Hon hade kanske matat Aubrey medan Grant köpte svamp och körde hem. Hon höll kanske just på att göra honom klar att gå och lägga sig. Men hela tiden skulle hon vara medveten om telefonen, om telefonens tystnad. Kanske skulle hon ha räknat ut hur lång tid det tog Grant att köra hem. Adressen i telefonkatalogen skulle ha gett henne en ungefärlig uppfattning om var han bodde. Hon skulle räkna ut hur lång tid det tog och sen lägga till lite, för den händelse att han måste handla mat till middagen (ensam man som han var handlade han säkert varje dag). Sen skulle det ta en stund innan han kom sig för att lyssna på sina meddelanden. Medan tystnaden höll i sig skulle hon hitta på annat som han säkert måste göra. Andra ärenden han måste uträtta innan han åkte hem. Eller kanske åt han middag ute, kanske skulle han träffa någon så att han inte alls kom hem till middagen.

Hon skulle stanna uppe sent, städa köksskåpen, se på teve, diskutera med sig själv huruvida det fortfarande fanns en chans.

Så inbilsk han var. Hon var framförallt en mycket förnuftig person. Hon skulle gå till sängs som vanligt och intala sig att han ändå inte såg ut som om han dansade särskilt bra. För stel, en typisk lärare.

Han höll sig kvar vid telefonen, bläddrade i tidskrifter men lyfte inte på luren när det ringde.

"Grant. Det här är Marian. Jag var nere i källaren och stoppade in tvätten i torktumlaren och hörde att det ringde, men när jag kom upp hade den som ringt lagt på. Så jag tänkte bara säga att jag var hemma. Om det var du och om du ens är hemma. För jag har ju ingen telefonsvarare, så du kan inte lämna ett meddelande. Jag ville bara. Säga det.

Hej då."

Klockan var nu fem i halv elva.

Hej då.

Han skulle säga att han just hade kommit hem. Det var ingen idé att hon förstod att han suttit här och vägt för- och nackdelar mot varandra.

Gardinuppsättning. Det var nog det ordet hon skulle använda om sina blå gardiner – gardinuppsättning. Och varför inte? Han tänkte på pepparkakorna som var så fulländat runda att hon hade fått tala om att de var hembakta, på kaffemuggarna i keramikträdet. Säkert låg det ett plastat skydd över mattan i hallen också. Allting var blankputsat noggrant och praktiskt på ett sätt som hans mamma aldrig lyckats åstadkomma men skulle ha beundrat – var det därför han kände detta styng av bisarr och opålitlig ömhet? Eller var det för att han hade tagit två drinkar till efter den första?

Den mörka solbrännan – nu var han övertygad om att det var solbränna – i ansikte och på hals fortsatte sannolikt ner i dekolletaget, som var djupt, lite rynkigt i huden, välluktande och hett. Han hade det att tänka på när han slog numret som han redan hade skrivit ner. Det och den kattlika tungans praktiska sensualitet. De ädelstensfärgade ögonen.

Fiona var i sitt rum men idag hade hon stigit upp. Hon satt vid det öppna fönstret, iförd en för årstiden lämplig men egendomligt kort och färggrann klänning. Genom fönstret kom en berusande varm doft av blommande syrener och vårgödsel som spreds över fälten.

En bok låg öppen i hennes knä.

Hon sa: "Titta på den här vackra boken som jag har hittat, den handlar om Island. Man tycker det är konstigt att de bara låter värdefulla böcker ligga och skräpa överallt. Det är inte säkert att alla som bor här är ärliga. Och jag tror att de har blandat ihop kläderna. Jag brukar aldrig ha gult."

"Fiona…" sa han

"Du har varit borta länge. Är vi klara att åka nu?"

"Fiona, jag har med mig en överraskning åt dig. Minns du Aubrey?"

Hon stirrade på honom ett ögonblick, som om vinden piskat henne i ansiktet. I ansiktet, i huvudet, trasat sönder allt.

"Namn undflyr mig", sa hon strävt.

Så skiftade hennes ansiktsuttryck och med en ansträngning lyckades hon åter sätta upp en skämtsamt kokett min. Hon lade försiktigt ner boken och reste på sig, lyfte på armarna och lade dem om honom. Från hennes hud eller andedräkt kom en svag ny doft, en doft som påminde honom om stjälkarna på snittblommor som fått stå alltför länge i sitt vatten.

"Jag är glad att se dig", sa hon och drog i hans örsnibbar.

"Du kunde ju bara ha kört din väg", sa hon. "Bara kört iväg utan några bekymmer här i världen och glömt mig. Tappat bort mig ur minnet."

Han höll ansiktet mot hennes vita hår, hennes skära huvudsvål, hennes vackert formade skalle. Han sa: Inte en chans.